FOLIO BIOGRAPHIES

collection dirigée par

GÉRARD DE CORTANZE

# Boris Vian

par

## Claire Julliard

Gallimard

*Crédits photographiques*

1 : AFP. 2, 3, 4, 5, 6, 7, 8, 13 et 14 : Collection Fondation Vian - Mme Vian-Kübler.
11 : Imapress D.R./Collection Fondation Vian - Mme Vian-Kübler. 15 et 16 : Jean
Weber/Collection Fondation Vian - Mme Vian-Kübler. 9 : Keystone/HPP. 10 : Yves
Manciet - Rapho/HPP. 12 : Paul Almasy/akg images.
Tous droits sont réservés pour les photos de la Fondation Boris Vian et Madame
Ursula Vian-Kübler dont nous n'avons pu identifier la provenance. Les photo-
graphes et/ou ayants droit qui n'ont pu être retrouvés malgré les recherches entre-
prises sont invités à se manifester auprès de l'éditeur.

Écrivain et journaliste, Claire Julliard collabore régulièrement aux pages littéraires du *Nouvel Observateur* et du *Journal du Dimanche*. Elle a publié une dizaine d'ouvrages, dont un certain nombre de livres pour la jeunesse à L'École des loisirs, parmi lesquels *Les Mauvaises Notes* (1998), *Marie Mélivent* (1999), *Robinsone* (2001), *Des Indiens au Paradis* (2004). Elle a également publié en 1994 des anthologies littéraires, *Mémoires d'en France* et *Mémoires des Mères* aux Éditions de La Martinière. Elle a collaboré à « La Bibliothèque idéale » (Albin Michel) sous la direction de Bernard Pivot.

## Avant-propos

La vie de Boris Vian compte parmi ses œuvres les plus réussies. L'inventaire de ses réalisations a de quoi donner des complexes à n'importe quel écrivain. En trente-neuf ans, porté par une inspiration vivace et prolixe, il a en effet laissé une production littéraire surabondante : romans, nouvelles, théâtre, chroniques, poésies, chansons… Comment a-t-il pu écrire autant en si peu d'années, combien d'existences a-t-il en réalité traversées ?

Pressé par le temps, un thème qui hante son œuvre, Boris Vian semble avoir matérialisé tous ses rêves d'enfant. Il a vécu en dépit de la fatalité de la maladie, il a vécu contre elle, coûte que coûte. Le sentiment omniprésent de la mort est chez lui un moteur puissant. Mais, loin de peser sur son style, il lui confère sa légèreté, sa grâce, son unicité. Il a fait de sa vie une œuvre d'art et de son art une leçon de vie. C'est pourquoi il demeure un idéal pour des générations d'adolescents qui tombent encore et toujours sous le charme de son humour et de ses inventions verbales. L'auteur de *L'Écume des jours* incarne la jeunesse, l'innovation, l'audace. Il mêle questions existentielles et plaisanteries de potache, rejet du monde du travail et réflexion douloureuse sur l'amour, tempère son inquiétude permanente par un goût rabelaisien de l'« hénaurme ».

L'approche du personnage dessine un être tout en élégance, en maîtrise de soi, en dérision et en simplicité. En gentillesse aussi. Cette qualité, dont peu de créateurs ont pu se targuer, a frappé tous ceux qui l'ont approché. Il n'y a ni arrogance, ni suffisance, ni égocentrisme chez le fantasque ingénieur. Au dire de tous ses proches, travailler avec lui était amusant, le côtoyer un bonheur. Boris Vian était lumineux, transparent. Il ne fut certes pas un petit saint mais il s'avéra un ami délicieux, une belle âme.

Mal compris de son temps, trop en avance sur ses contemporains, l'auteur fut longtemps considéré comme un plaisantin ou simplement ignoré. Sa personnalité constitua — et constitue toujours — un défi à la pensée cartésienne éprise de catégories (on peut également envisager toute son œuvre comme une tentative de sabordage de l'esprit de sérieux). Et que dire de son curriculum vitae ? Le recensement de ses activités ressemble à s'y méprendre à un inventaire à la Prévert, qui était par ailleurs son voisin de palier. Un ingénieur-trompettiste-traducteur-écrivain-scénariste-librettiste-journaliste-compositeur-interprète, cela a un côté dilettante qui ne plaît pas beaucoup sous nos latitudes. Pourtant, Boris Vian a fait tout ce qu'il a fait à fond, quoi qu'on en pense. Méprisée ou inexplorée de son vivant, son œuvre est devenue, moins de dix ans après sa mort, l'un des gros tirages de l'édition, une des lectures favorites des jeunes de Mai 68. Le personnage, si dénigré par la presse de son époque, symbolisa le souffle libertaire qui animait cette génération.

Le temps passe et Boris Vian continue de fasciner, d'intriguer. Il demeure relativement méconnu, trop entaché de légendes. Toujours marginal, encore incompris. L'histoire de sa vie, si difficile soit-elle à restituer de manière chronologique tant il a mené d'activités en parallèle, nous éclaire sur une volonté, une individualité hors norme dont l'itinéraire reste une manière de manifeste poétique.

On peut être centenaire en passant à côté de l'existence, y assister en spectateur. Boris Vian a vécu trente-neuf ans dans un état d'éveil permanent.

# La Mère Pouche

*Il n'y a pas de souvenirs, c'est une autre vie revécue avec une autre personnalité qui résulte pour partie de ces souvenirs eux-mêmes.*

BORIS VIAN

Durant toute sa vie et bien après sa mort, le 23 juin 1959, Boris Vian restera le jeune homme à la trompette, le garçon rêveur à l'« air slave » comme il l'écrit dans un poème. Or, en dépit d'une légende tenace, il n'avait aucune origine russe. Son prénom, Boris le dut à l'amour de sa mère pour l'opéra en général et pour *Boris Godounov* en particulier. Quant à son nom de famille, Vian, il est probablement d'origine piémontaise. En italien, *viana* veut dire citadin, « de la ville ».

La famille Vian est française depuis des siècles mais l'aïeul Séraphin Vian est né dans les Alpes-Maritimes non loin de la frontière. C'est d'ailleurs au talent manuel de cet ancêtre que les Vian doivent leur fortune. Cet artisan habile se lança en effet dans la ferronnerie d'art et initia son fils Henri à ce métier. Celui-ci l'exercera à Paris avec succès.

Il fabriqua notamment les grilles de la propriété d'Edmond Rostand à Cambo-les-Bains et les bronzes qui ornèrent le Palais-Rose, avenue Foch. Son mariage avec Jeanne Brousse, l'héritière des papeteries Navarre, achèvera de l'« installer dans la vie ». Henri possède à Paris le superbe hôtel Torini et une maison à la campagne. Il a sa loge à l'Opéra comme tout homme du monde qui se respecte au XIXᵉ siècle.

Son fils, Paul, le père tant chéri de Boris, s'initiera à son tour aux arcanes du moulage du bronze. Cependant, lorsqu'il naît en 1897, l'artisanat a déjà cédé la place à la fabrication en série. Mais il n'a pas besoin de travailler. Fort de ses titres de fortune, l'heureux Paul peut opter pour l'état de rentier. Il s'adonne alors aux loisirs d'un jeune homme fortuné du début du XXᵉ siècle, conduit son automobile, pratique la natation et le naturisme, lit les écrivains et les poètes et se passionne pour les inventions. Il pilote même un petit avion qui vole par soubresauts.

La véritable jeunesse de Paul sera néanmoins brève car les malheurs s'abattent sur sa famille. Sa mère doit, à de nombreuses reprises, se faire hospitaliser pour les « nerfs ». Elle mourra jeune. Puis ce sera le tour du père. Paul Vian devient alors chef de famille. Durant la guerre de 1914-1918, son frère est enterré vivant dans un trou d'obus. Il y survivra mais devra rester interné de nombreuses années à l'asile de Ville-Évrard. Sa sœur, en butte à des chagrins conjugaux, se suicide en se jetant sous un autobus.

Heureusement, Paul a rencontré sa future femme, Yvonne Ravenez, de huit ans son aînée. Il l'épouse le 3 décembre 1917, trois ans après leur rencontre. La future « Mère Pouche » est la fille d'un industriel, Louis-Paul Woldemar, administrateur de diverses sociétés dont les Pétroles de Bakou et les Établissements Decauville. La famille est riche mais ses membres, comme les Vian, ont tendance à mourir jeunes. À l'âge de vingt ans, Fernand, l'un des frères d'Yvonne, est à ce point endetté qu'il préfère organiser son suicide à la roulette dans les jardins du casino de Monte-Carlo, au cours d'une fête donnée en son honneur. Fernande, une autre sœur, épousera un pair irlandais et ce joueur invétéré, une fois ruiné, restera longtemps à la charge de la famille Vian. D'autres enfants Ravenez sont déjà morts lorsque Yvonne se marie. Ce n'est pas le cas d'Alice, sa sœur aînée, qui emménage avec le jeune couple dans un hôtel particulier à Ville-d'Avray. C'est dans cette belle ville résidentielle proche de Versailles que naissent les deux premiers enfants de Paul et Yvonne Vian : Lélio, le 17 octobre 1918, et Boris, le 10 mars 1920. Le couple cherche alors une demeure plus vaste. Il va trouver celle de ses rêves, Les Fauvettes, rue Pradier, à proximité du parc de Saint-Cloud.

Cette propriété jouxte les fameux étangs immortalisés par Corot à l'époque où ce hameau serti de forêts et d'étangs attirait artistes et écrivains. Au XIXe siècle, la bourgeoisie d'affaires s'y fit construire de grandes propriétés comme celle des Vian ou celle de son voisin, le grand scientifique

Jean Rostand, qui deviendra leur ami. Dans ce lieu enchanté, Yvonne et Paul donnent le jour à deux autres enfants. Alain naît le 24 septembre 1921. Ce garçon joyeux et farceur sera le plus proche de Boris, son compagnon d'orchestre, son complice durant les folles années de Saint-Germain-des-Prés. Ninon, la charmante petite dernière, naît le 15 décembre 1924.

Dans la magnifique propriété des Fauvettes, la vie ressemble tous les jours aux grandes vacances. Les parents, totalement disponibles pour leurs enfants, sont prêts à inventer sans cesse avec eux de nouveaux jeux. Paul est plutôt un copain qu'un père, d'ailleurs les enfants ne l'appellent jamais que par son prénom. Yvonne et Paul n'aiment guère que leur couvée s'éloigne du nid. Tout va bien pourvu que l'on reste tous réunis. Les enfants Vian vivent comme de jeunes aristocrates des siècles passés : une institutrice vient à domicile, un coiffeur se déplace. La tante Alice, dite Tata, supervise la femme de chambre et la cuisinière. Elle confectionne glaces et gâteaux et fait partager aux petits son goût pour la lecture. Le jardin est confié à Pipo, dit La Pipe, un ancien de la Légion qui joue de la guitare et parle un drôle de sabir, mélange de français et d'italien. Maurice, un chauffeur noir, s'occupe des torpedos du père. Les enfants organisent des parties de ballon, ils jouent aux cartes, font de longues parties d'échecs — qui resteront l'une des nombreuses passions de Boris —, ils attrapent des crapauds dans les étangs, étudient les oiseaux. Ils ont la possibilité de circuler librement de leur jardin à celui des Rostand. La bibliothèque du savant leur est ouverte. Sans doute Boris plongea-t-il un jour le nez dans ses travaux sur la faune et la flore des étangs. Les Vian, de leur côté, dispensent à leur progéniture une véritable culture humaniste, possédant eux-mêmes de nombreux livres. Dans sa chambre, Boris possède une bibliothèque qui contient les livres de contes d'Andersen, des frères Grimm, de Perrault, quelques romans d'aventures, Stevenson, Kipling, Daniel Defoe. Les auteurs anglo-saxons prédominent : Mark Twain, Jerome K. Jerome et P. G. Woodehouse auront une évidente influence sur ses écrits ultérieurs. Comme toute la famille, il aime *Les Malheurs de Sophie*. L'éclectisme et la fantaisie prédominent dans l'éducation intellectuelle de ces petits privilégiés.

Les trois garçons passent beaucoup de temps ensemble, mais ils sympathisent avec François Rostand, le fils du savant. Avec lui, Boris et Alain formeront plus tard un petit orchestre.

La musique occupe une place privilégiée dans la tribu. Yvonne a étudié la harpe. Malgré ses dons évidents de musicienne, sa mère l'a empêchée de suivre une voie de concertiste. Une jeune fille de bonne famille à cette époque doit se contenter de donner des concerts privés. Ce que, devenue mère, elle fait pour les siens, interprétant Debussy ou Ravel, Chopin ou Schubert. La harpiste console même les chagrins de l'un ou de l'autre avec ses harmonies.

La douce quiétude des Fauvettes sera, hélas, de

courte durée. Le krach boursier de 1929 sonne le glas de l'insouciance financière des Vian. Paul est riche mais mauvais gestionnaire. Il a confié ses intérêts à un ami qui lui a fait acheter des actions des Cotonnières et des Compagnies d'hévéas de Saïgon, dont les cours s'effondrent au moment de la crise. Paul est ruiné. Il ne veut surtout pas que sa famille en pâtisse. On se restreindra un peu, c'est tout. Pas question de vendre la chère propriété. Celle-ci dispose d'une maison de gardien que les parents décident d'aménager. Paul fait élever un étage pour loger ses enfants et La Pipe, qui reste avec eux, et, en guise de clôture, ceint sa nouvelle maison d'un rideau de jonc.

Par bonheur, les nouveaux locataires des Fauvettes, les Menuhin, se révéleront des voisins charmants et passionnants. Leur fils Yehudi, qui a deux ans de plus que Boris, partage son goût pour les échecs et se prête à de longues parties avec lui. Surtout, il joue du violon six heures par jour. Le garçon s'avère un prodige musical qui fera la carrière internationale que l'on sait. Il donne bientôt des concerts. Les Vian iront l'écouter certains soirs à Paris.

Fidèles à leur philosophie de la vie, Yvonne et Paul gardent une bonne humeur de façade et tentent de cacher leurs problèmes financiers à leurs enfants. Évidemment, ces derniers ne sont pas dupes. D'autant que, pour la première fois de sa vie, Paul doit chercher un travail. Or, il ne possède aucune formation professionnelle. Il se tourne vers ses amis. L'un d'eux lui procure quelques textes à traduire en anglais. Cependant, la rémunération de ces travaux reste insuffisante et aléatoire. Paul finit par trouver un travail de représentant pour le laboratoire de médicaments homéopathiques de l'abbé Chaupitre. (Ironie du sort pour ce libre-penseur.) Il va désormais démarcher les commerçants. Sa belle voiture est remisée. Il conduit une fourgonnette de la société !

La famille reste soudée. Yvonne, dite « la Mère Pouche », un surnom donné par Boris sans doute à cause d'une petite chatte, veille sans relâche sur sa progéniture. Particulièrement sur Boris, dont la santé l'inquiète. À l'âge de douze ans, il a contracté une angine infectieuse. Mal soignée, l'affection aura par la suite des conséquences redoutables. Le garçon souffre de crises de rhumatismes articulaires aigus. Le médecin diagnostique une insuffisance aortique. L'enfant a le cœur malade. La vigilance de sa mère est bien légitime. Toutefois, les précautions et les soins dont on l'entoure contribuent à l'isoler du reste du monde. Boris est traité à part dans sa propre famille et il ne le supporte pas.

Le danger est pourtant bien réel même s'il n'en est pas tout à fait conscient. À quinze ans, une fièvre typhoïde aggrave son cas. Boris est un garçon pâle et frêle qu'on incite à se couvrir, au moindre coup de vent, d'écharpes, de gilets de laine. Il lui faut sans cesse garder la chambre et se reposer. Le docteur vient lui faire des piqûres, ce qu'il déteste. Tous ces soins, quel supplice ! Cette surprotection accable l'enfant, qui se sent différent de ses frères et de sa sœur. Régulièrement, il s'effondre en larmes ou s'isole. L'amour dévorant de la Mère Pouche lui devient un châtiment. Wolf, son double littéraire, en fait la confidence, dans *L'Herbe rouge*, à Monsieur Perle, le vieux sage à la gigantesque barbe argentée :

Ils avaient toujours peur pour moi, dit Wolf. Je ne pouvais pas me pencher aux fenêtres, je ne traversais pas la rue tout seul, il suffisait qu'il y ait un peu de vent pour qu'on me mette ma peau de bique et, hiver comme été, je ne quittais pas mon gilet en laine [...]. Ma santé, c'était effrayant. Jusqu'à quinze ans je n'ai pas eu le droit de boire autre chose que de l'eau bouillie. [...] À force, je finissais par avoir peur moi-même, par me dire que j'étais très fragile, et j'étais presque content de me promener, en hiver, en transpirant dans douze cache-nez de laine. Pendant toute mon enfance, mon père et ma mère ont pris sur eux de m'épargner tout ce qui pouvait me heurter[1].

De cette enfance, Boris gardera le besoin d'en découdre avec la maladie et la mort, le désir de prolonger la fête interrompue par la crise de 1929. C'est ainsi que l'on peut interpréter son goût de la fête perpétuelle qu'il prolongera jusqu'à sa mort, des caves de Saint-Germain-des-Prés à la terrasse des Satrapes de la cité Véron. Restent aussi ancrés en lui le dégoût et la honte du petit garçon gras et blafard qu'il a laissé sur le chemin. Boris, le plus indépendant des quatre enfants, défie en douceur la Mère Pouche. Il décide de domestiquer ce corps mou qu'il déteste et sa « tendance à la pusillanimité » qui lui vient de sa maladie et des craintes excessives de sa famille. Peu à peu, le non-confor-

20

miste un peu gauche, un peu raide, se construit en réaction contre ce cocon familial qu'il juge dévirilisant :

Un jour que j'avais rencontré des jeunes gens qui, dans la rue, se promenaient, leur imperméable sur le bras tandis que je suais dans un gros paletot d'hiver, j'ai eu honte. En me regardant dans la glace, j'ai vu un balourd engoncé, ficelé et chapeauté comme une larve de hanneton. Deux jours plus tard, comme il pleuvait, j'ai retiré ma veste et je suis sorti. Je prenais mon temps pour que ma mère ait le loisir d'essayer de me retenir. Mais j'avais dit « Je vais sortir » et j'ai dû le faire. Et malgré cette peur de m'enrhumer qui me gâchait la joie d'avoir vaincu ma honte, je suis sorti parce que j'avais honte d'avoir peur de m'enrhumer [2].

Le visage long et fin de Boris, le regard bleu et magnétique, son sourire aimable et énigmatique qui impressionnait tant, son port élégant furent le résultat d'un incessant travail pour sortir de cet autre lui-même trop émotif, trop sensitif, dépourvu de défenses pour affronter le monde :

Et le sentiment, dit Wolf. J'étais noyé dans le sentiment. On m'aimait trop ; et comme je ne m'aimais pas, je concluais logiquement à la stupidité de ceux qui m'aimaient... à leur malignité même — et peu à peu, je me suis construit un monde à ma mesure... sans cache-nez, sans parents — vide et lumineux comme un paysage boréal et j'y errais, infatigable et dur, le nez droit et l'œil aigu... sans jamais cligner des paupières. Je m'y entraînais des heures, derrière une porte et il me venait des larmes douloureuses que je n'hésitais pas à répandre sur l'autel de l'héroïsme, inflexible, dominateur, méprisant, je vivais intensément [3]...

Il faudra plus de temps dans les actes qu'en pensée pour s'échapper de la cage dorée de Ville-d'Avray. En dehors des vacances perpétuelles qu'elle semble vivre aux Fauvettes malgré les aléas financiers, chaque année la tribu emprunte la nationale 185 en direction d'Évreux pour retrouver son autre paradis. Son cocon est normand cette fois. Il se situe à Landemer, un petit village de dix-sept habitants. La famille y possède alors trois chalets qui surplombent les falaises du Cotentin. En 1951, dans le « Journal à rebrousse-poil » qu'il a tenu pendant deux ans, Boris se souvient de ces vacances dans ce « chouette merveilleux *pays* ». Il adorait la maison « tout en bois de Norvège verni à l'intérieur, vert à l'extérieur ». Seule ombre à ce tableau idyllique : l'endroit est quasi désert, donc pas une fille à perte de vue. « Et chaque année, ça nous a travaillé terrible à partir de seize, dix-sept ans parce que les copains, ailleurs ils se tapaient tous des distractions avec filles et tout[4]. »

Les filles, c'est encore une autre histoire. Toujours prévenante, protectrice, méfiante à l'excès vis-à-vis du monde extérieur, la Mère Pouche terrorise ses fils avec les vilaines maladies qu'on attrape en « couchant ». Dans *L'Arrache-cœur*, l'écrivain donne une vision traumatisée de la maternité à travers le personnage de Clémentine, exclusive et abusive, qui, pour les protéger du monde, finit par enfermer ses petits (les « trumeaux ») dans des cages.

Timide et empêtré, Boris restera chaste, bien malgré lui, jusqu'à l'âge de vingt ans… En attendant, il lui faut faire ses études et les « poursuivre » le plus longtemps possible. Pas question de se retrouver comme son père, à courir les routes pour vendre les remèdes de l'abbé Chaupitre.

# Équations traîtresses

*Sachons tout. Soyez un spécialiste de tout.*
*L'avenir est à Pic de La Mirandole.*

BORIS VIAN

S'il est un trait qui caractérise Boris c'est bien la vivacité d'esprit. Nulle part, il ne perd son temps, à commencer dans ses études. Sa « paresse », qu'il évoque dans un poème, le rend très rapide à finir ses devoirs. Grâce à l'institutrice attachée à la maison, Boris sait lire et écrire dès l'âge de cinq ans. À l'âge de huit ans, il connaît même les auteurs classiques français jusqu'à Maupassant. Bref, il possède toutes sortes de facilités qui resteront sa marque de fabrique. Plus tard, au collège de Sèvres puis au lycée Hoche de Versailles, il excelle sans effort en mathématiques. Il est plus irrégulier en français, malgré ses lectures, car il ne rend pas toujours sa copie. Au fond, c'est un élève doué mais que l'école ne passionne pas. Boris, déjà, répugne à suivre le groupe. Sans pour autant manifester de rébellion particulière, du moins en apparence. La discipline et l'organisation scolaire ne sont pas son fort, lui qui toute sa vie n'aimera qu'apprendre par lui-même. En cela, il est sans doute un véritable autodidacte :

On m'a fait croire, en sixième, que passer en cinquième devait être mon seul progrès... en première, il m'a fallu le bachot... et ensuite un diplôme... Oui j'ai cru que j'avais un but, monsieur Brul... et je n'avais rien... J'avançais dans un couloir sans commencement, sans fin, à la remorque d'imbéciles, précédant d'autres imbéciles. On roule la vie dans des peaux d'ânes. Comme on met dans des cachets les poudres amères, pour vous les faire avaler sans peine [1]...

À quinze ans, Boris obtient le baccalauréat latin-grec et, deux ans plus tard, le baccalauréat philosophie-mathématiques. Puis, ce bon fils s'inscrit en math'élém au lycée Condorcet à Paris. Cela rassure ses parents. Et, comme il l'écrit lui-même : « Pourquoi chercher sans cesse / À cultiver tout droit la branche du savoir / Où l'on paraît briller ? » L'adolescent renonce à préparer un bac littéraire et va tâter de l'« équation traîtresse ».

À dix-sept ans, Boris est un personnage complexe : d'allure sobre, il ne donnera jamais dans les excentricités zazoues, mais il est totalement dénué d'esprit de sérieux. C'est un excentrique au sens propre, il s'éloigne de toute norme. En cela, le jeune bourgeois élégant et discret de Ville-d'Avray tient beaucoup de son père Paul. Celui-ci a élevé ses enfants dans le culte des divertissements et le mépris de la triade que représentent l'Armée, l'Église et l'Argent. Boris reste fidèle à ces bons principes, constamment au bord d'un monde dont il fait mine d'adopter les usages.

Au lycée, il s'assied toujours au dernier rang, en haut de la salle de classe : en ce lieu protégé, il peut s'adonner à ses passions du moment, le dessin et surtout la musique.

Chez les Vian, la musique classique a toujours été très présente. À certaines époques, la *Marche turque* retentit dans toute la maison, tour à tour interprétée par la Mère Pouche, la tante, Tata, ou la petite Ninon. Boris se vouera au jazz, peut-être en réaction, sans doute porté par sa tendance naturelle à l'innovation. Il gardera toute sa vie une véritable aversion pour Mozart. Plus tard, il écrira : *Mozart avec nous*, libre interprétation de la *Marche turque* sur un tempo de cha-cha-cha...

Un de ses camarades de l'époque, Gérard Orthlieb, se souvient d'une de ses inventions, le peignophone, un ingénieux instrument composé d'un peigne et d'une feuille de papier à cigarettes. « Il appliquait le tout sur ses lèvres et, en soufflant, il produisait et modulait des sons voisins de la trompette bouchée[2]. » Profitant du léger chahut qui accompagne en général les cours d'anglais auxquels assistent quarante élèves, Boris joue ses airs de jazz favoris, *Georgia on my Mind* ou *Stormy Weather*.

Le sentiment de libération est intense lorsque l'année se termine, après le « bac » de math'élém. La tradition veut qu'un « monôme », défilé d'étudiants, sorte alors dans la rue pour y semer une joyeuse pagaille. En cette année 1937, les élèves ont mobilisé une file de taxis décapotables dans lesquels ils s'entassent en criant : « Au grand lac du bois de Boulogne ! » Les passants, encore marqués par les défilés du 6 février 1934 ou les grands rassemblements du Front populaire, leur demandent de quel courant politique ils se réclament. Boris réplique en soufflant dans sa trompette tandis que ses complices l'accompagnent au klaxon. Arrivés au bois, les élèves se précipitent vers les barques disponibles et entreprennent la traversée du lac. « Vian en tête ! » rugissent les camarades de Boris. Très en forme dès qu'il s'agit de faire la fête, celui-ci arbore un bandeau noir sur l'œil et un sabre en bois à la main. Il prend la tête de la flotte, qui entonne *Les Bateliers de la Volga*. Au passage entre deux îlots, un terrible choc des civilisations se produit. Le monôme composé des élèves de Condorcet, Chaptal et Carnot croise celui des lycées de la Rive gauche. L'excitation est à son comble. Des injures fusent. Des barques se retournent, des élèves tombent à l'eau. Une aubaine pour certains car les jeunes filles sont trempées et leurs robes d'été leur collent à la peau. Quelques avirons se brisent dans la bataille. Mais pas une barque ne coule et le loueur de bateau n'a pas à regretter sa journée.

Voilà la vie comme Boris la conçoit, au bord de l'eau, dans la lumière du mois de juillet, avec des copains et des jeunes filles en fleur, loin de l'atmosphère débilitante et cotonneuse des salles de classe, loin de l'ordonnancement rigide des cours. Dans l'esprit des Vian, tout ce qui n'est pas vacances est considéré comme du temps perdu, sacrifié à la société. « Aussi longtemps qu'il existe un endroit où il y a de l'air, du soleil et de l'herbe, on doit avoir regret de ne point y être. Surtout quand on est jeune », écrira-t-il dans *L'Herbe rouge*.

Il va pourtant s'enfermer pour préparer le concours de l'École centrale.

# Amours, études
# et surprises-parties

*Et ce fut le concours pour une grande école*
*La ruée contenue de mille bons crétins*
*Vers deux cents places, se lever dans les matins*
*Lourds d'orages latents, et le cœur qui s'affole...*

BORIS VIAN

On peut s'étonner du choix d'une filière scientifique chez un jeune homme qui a si tôt manifesté une personnalité « artiste ».

Après sa math'élém, Boris a la possibilité de préparer diverses grandes écoles. « Tu vas faire Polytechnique ? lui demande un camarade. Tu es excellent en maths !

— Polytechnique !... Des militaires, pas question, répond-il. Je ferai Centrale. Là, au moins, il n'y a que de la mécanique et de la chimie, j'adore ça.

— Mais la musique, la poésie ? », insiste Gérard, qui s'étonne de ne pas lui voir préférer les Beaux-Arts ou la Sorbonne.

Boris s'insurge de nouveau :

« Pas question ! L'art ne s'enseigne pas. Les hommes sont de grands pantins mécanisés. Je suis un disciple d'Alfred Jarry mais il n'y a pas d'école de Pataphysique reconnue. Alors, je ferai Centrale et j'aurai toujours un métier pour vivre [1]. »

C'est donc le sens des réalités plus que l'enthousiasme qui guide Boris vers l'École centrale. À l'époque, le jeune homme a bien d'autres centres d'intérêt que ses études.

En 1937, il a adhéré au Hot Club de France, dont Louis Amstrong est le président d'honneur. Avec ses frères, il a formé un petit orchestre. Lélio est à la guitare, Alain tient la batterie. François Rostand, enfant un peu couvé, à l'instar des petits Vian, a rejoint la formation. Boris, sourd à toutes les mises en garde du médecin de famille, se consacre à la trompette, sa nouvelle passion. Il l'apprend sans partition, en écoutant ses disques de jazz, et personne ne peut l'en empêcher. Toujours affligé durant son enfance d'un rhume, d'une grippe ou d'un mal de ventre, le jeune homme sait qu'il doit surveiller sa santé mais il a tendance à nier son mal. Il a pris l'habitude de s'isoler lorsqu'il est épuisé ou abattu. Le reste du temps, il se montre enjoué, fantaisiste et même exubérant.

Boris est un adolescent mince et longiligne, dont les yeux d'un bleu très clair accentuent l'intensité du regard. Il est tout le temps affamé. La croissance, sans doute dans un premier temps, mais surtout un insatiable appétit de vivre. Sa fièvre intérieure, son activité cérébrale débordante provoquent en lui de véritables fringales. Il refuse dorénavant de s'économiser et de vivre comme un malade. Jusqu'au jour où la trompette lui sera définitivement interdite, il entend profiter de l'existence et tourne le dos à sa famille ou aux médecins lorsqu'on lui demande de ménager sa santé au détriment de ses désirs profonds. Or, Boris est un éclectique passionné. Comme son père, Paul, qu'il appelle « le patron ». Celui-ci lui a notamment transmis son goût pour la mécanique, la menuiserie et le bricolage.

Paul a décidé de construire une salle de jeux dans un local de quatre-vingts mètres carrés au fond du jardin et propose aux garçons de l'aider. Boris s'attelle au projet avec fougue. Il dessine les plans et se montre le plus assidu des trois garçons dans la réalisation de l'entreprise, des plans jusqu'à la pose du parquet.

Cette salle de jeux, Paul, en « fameux bricoleur », l'a pourvue d'un parquet spécial dont l'élasticité permet d'accueillir une foule nombreuse lors des bals du samedi soir. Elle est reliée à la maison par un système de sonorisation. Tout le monde trouve son compte dans l'élaboration de ce nouvel endroit. Les parents d'abord, qui autorisent toutes les formes de distractions à leurs enfants, à condition que cela se passe chez eux. L'annexe sert souvent de salle de sport. Les garçons y organisent aussi des tournois de tennis de table, et Alain y travaille l'escrime avec un professeur.

Des effluves de jazz s'en échappent bientôt. De nombreux copains de lycée rejoignent le quartet. Avec le futur ministre gaulliste François Missoffe à la guitare et Peters, un copain du lycée de Sèvres qui joue de nombreux instruments, les frères Vian montent l'Accord Jazz, leur premier orchestre. Boris a beau dire qu'il joue «comme un porc» — il ne souffle dans sa trompette que depuis quelques mois —, cela ne l'empêche pas d'animer un bal avec Peters. C'est une sensation grisante. En cette année 1938, sa trompette devient un ticket de sortie des Fauvettes. Non seulement elle lui permet de s'échapper de sa volière mais elle lui rapporte aussi de l'argent. C'est valorisant, pourtant Boris reste modeste : «Armstrong n'avait qu'à bien se tenir», écrit-il avec son humour coutumier.

L'Accord Jazz se produit à l'extérieur de la maison, dans les propriétés voisines de Saint-Cloud ou de Sèvres, mais, le plus souvent, les concerts se déroulent aux Fauvettes, transformé en club à la mode où l'on doit posséder sa carte de membre.

Toujours guidés par l'esprit fantasque des Vian, les garçons parodient les confréries en fondant le cercle Legateux. Sous le nom de Nana, Alain en est le président. Les enfants Vian ont tous leurs surnoms : Bubu pour Lélio ; Bison Ravi pour Boris, anagramme qu'il s'est choisie et qu'il utilisera tout au long de sa vie ; François Rostand, quant à lui, est rebaptisé Monprince. Le club d'échecs du cercle porte son nom. Boris y invente un échiquier à multiples terrains sur lesquels on peut jouer plusieurs parties simultanément. Il se charge aussi d'un fichier qui relate les exploits de chaque membre, rédige les commentaires sous le pseudoyme du «maître stratège G. Dufou-Duroy» et rend compte dans un style fleuri et épique des parties acharnées qu'il dispute contre ses frères.

Les membres du cercle vont très loin dans la recherche de codes, de rites initiatiques : cela va de la dégustation d'un kilo de pâtes mal cuites à l'invention d'une monnaie frappée, le doublezon, que l'on retrouve dans *L'Écume des jours*.

Les membres du cercle prêtent serment, ils se touchent les pouces en guise de salut, un peu à la manière des francs-maçons, et possèdent leur propre langage, totalement loufoque.

À travers ces distractions de potache, ces grands enfants ont un but inavoué : la pêche aux jeunes filles, comme l'explique Boris dans son journal :

La salle de bal au bout du jardin ; mes parents aimaient pas trop qu'on sorte ; pas trop de pognon d'abord ; et puis inquiets : Paris, tu penses, quels dangers ! et les filles ! les dévoreuses ! les méchantes ! ils m'ont foutu la trouille dès l'âge de 13 ans avec la syphilis et le reste ; c'est quand même pas des choses à dire aux gosses de cet âge-là, c'est des coups à les rendre impuissants [2].

C'est la grande période des surprises-parties et les frères Vian se muent en grands organisateurs de bals. À l'occasion, ils délaissent leurs instruments. Dans ce genre de soirée, la musique est un moyen et non un but, un pick-up suffit. Pas question de regarder les autres danser avec de jolies blondes.

La fête sera toujours un art chez Boris, pour qui ces sages surprises-parties augurent les futures soirées du Tabou. Mais on est encore loin de l'ambiance de Saint-Germain-des-Prés dans ces surboums (le mot existe déjà) où les filles apportent des gâteaux et les garçons se chargent du vin — en principe proscrit dans le cercle mais habilement « planqué » dans des bouteilles de jus de fruits. Le professeur de gymnastique du lycée vient y enseigner les pas des danses à la mode. Boris s'y voit décerner un premier prix de fox-trot. Rien que de très convenable dans ces petites sauteries. Les filles demeurent l'obsession, le but inavoué, mais, comme le note Boris, cela reste « salement chaste ». Trop de timidité, de préjugés, de méfiance. Boris est inexpérimenté, il a peur des maladies, il est sous le toit familial et, au fond, avoue-t-il, il est « un affreux sentimental ». Tout incite à la raison dans une époque où le flirt un peu poussé avec une jeune fille conduit, si l'on est bien élevé, droit au mariage. Boris, en outre, prépare son concours d'entrée à Centrale et doit se lever tôt. Il craint de négliger ses études. Dans son journal ultérieur, il analyse ses réticences de l'époque et finit par convenir :

Je manquais affreusement du vrai culot, et j'avais un affreux autre genre de culot, le culot du maître de maison permanent (deux surprises-parties par semaine pendant quatre ou cinq ans, ça vous colle un peu l'aisance du tôlier professionnel). Oh et pis quoi, j'avais 1 m 85, je dansais pas mal, je savais choisir les disques, je sais, j'ai jamais eu beaucoup de peine à leur faire accepter de se laisser serrer un peu, les petites. Mais je leur ai jamais rien fait de grave non plus. Dieu qu'on était gentils. Je regrette pas, ça me plaisait, c'était des jolis jours. Coucher tout de suite quand on est pas bien experts tous les deux, c'est généralement du décevant[3].

Son premier béguin à l'âge de 18 ans, une certaine Pierrette, annonce son goût pour les grandes et belles blondes. Les amoureux s'écriront en vacances, lui de Landemer, elle de la Côte d'Azur. Mais le flirt tourne court. La jeune fille ne veut pas se laisser embrasser « sans que ce soit pour le bon motif ». Et Boris, toujours aussi empêtré avec les filles, doit se contenter de les inviter à danser.

Ça le rend furieux, rétrospectivement, de se revoir si dadais. En 1939, il a 19 ans. Il vient d'être reçu à Centrale, dans un rang moyen. Soulagement de ce côté-là. Mais il reste « salement chaste ». La surveillance maternelle constante y est à l'évidence pour quelque chose. Le jeune homme réussit pourtant à passer ses premières vacances sans sa famille. Il arrache l'autorisation à la Mère Pouche, qui verse quelques larmes et l'assaille de recommandations avant le départ. Boris est invité dix jours en Vendée par son copain Roger Spinart, dit Zizi, également reçu à Centrale. Ils seront seuls, enfin seuls, pendant une semaine dans la maison familiale de Spinart à Saint-Jean-de-Monts. Puis les parents de son ami les rejoindront.

Zizi sert de couverture officielle. Boris a une « petite fiancée », son premier amour, Monette, qu'un copain de Versailles, Jacques, lui a présentée à une surprise-partie. Cet été-là, Monette est en vacances à Croix-de-Vie, un village voisin.

Elle était mignonne, quand même. Maintenant, je reconnais qu'elle ne me ferait plus rien, mais elle avait le nez droit — condition essentielle à l'époque — d'assez jolies jambes, des escarpins vernis à talons hauts — j'aime ça. [...] Les cheveux blonds roux châtain, une nuance assez agréable je crois, coiffée en page avec le petit rouleau sur la nuque[4].

Le garçon vit avec intensité ses premiers moments de liberté loin de Ville-d'Avray. Les deux amis s'installent dans un train couchettes quasiment vide et passent une partie de la nuit à blaguer et à rire. Au petit matin, Boris découvre l'océan pour la première fois à travers les vitres d'un tortillard :

C'est une impression de paradis que j'ai encore. Les galettes de bouse, les tranchées d'eau dans la terre noire. Tout plat l'horizon gris océan ou pas, mais comme. Le plancher rugueux, terreux du wagon, avec les têtes brillantes des clous usés. C'est six heures du matin. Être debout à cette heure là, ça fait toujours une espèce de joie de conquête[5].

Un peu d'air du large ! Boris aimera toute sa vie la mer. Les deux garçons dévalent vers les dunes, jusqu'à la maison, petite avec des volets verts déteints, un jardin de sable. Ils commencent leur séjour par quelques courses chez « le petit épicemard » et, l'après-midi même, Zizi prend son vélo pour se procurer un phono. Zizi et Boris n'auront pas traîné pour organiser une partie avec les copains du pays. Celle-ci aura lieu le jour même de leur arrivée. Un peu moins « convenable » que d'habitude selon Boris, mais toujours dans les bornes de la décence.

Monette vient retrouver son amoureux. Elle est accompagnée d'un ami. Boris se souvient qu'ils plaisantent, qu'elle l'asticote, pourtant ils restent à distance. Il ne sait pas encore parler aux filles. Puis il rejoint ses parents en Normandie. En septembre, la guerre éclate.

# La guerre à Angoulême

*Nous nous sentions hors du temps, tant la situation semblait irréelle.*

GÉRARD ORTHLIEB

La moitié de la population française avance sur les routes vers le Sud. C'est l'Exode, la « drôle de guerre ». L'École centrale s'est repliée à Angoulême, à l'abri des Allemands, du moins le croit-on. Son directeur, le colonel Léon Guillet, a été affecté en Charente. Les élèves de la nouvelle promotion le suivent. La plupart sont trop jeunes pour être mobilisés. La bibliothèque municipale encore inachevée sert de local de cours, les casernes de la ville accueilleront les cours d'instruction militaire.

C'est donc par la force des choses que Boris s'éloigne de Ville-d'Avray. Il arrive à Angoulême en novembre 1939 en compagnie de Roger ainsi que de Jean Lespitaon, dit Pitou, un autre copain de promotion. Ils sont logés chez l'habitant, dans la maison de Mme Truffandier. Boris dispose d'une chambre avec cabinet de toilette, d'un bon lit et d'une armoire à glace, mais sans eau courante.

Pitou, le futur mari de Ninon, habite sous le même toit. Et Zizi, dans la propriété mitoyenne.

Boris a installé la photo de Monette sur sa table de nuit. Il lui écrit des lettres bien sages. Il se doute qu'elle les laissera traîner ou que sa sœur et sa mère les liront. Et puis les mots d'amour le mettent mal à l'aise.

Avec la Mère Pouche, il entretient aussi une correspondance abondante. Boris lui écrit parfois plusieurs fois par jour, quelques mots pour la rassurer, lui demander de l'argent ou des sucreries. Les lettres de l'étudiant s'efforcent d'être enjouées. Il appelle son petit journal *Ici Bisonville*.

Yvonne prodigue ses recommandations à l'oison éloigné. Elle a de quoi se ronger les sangs. Boris a été réformé à cause de son cœur mais Lélio, lui, fait ses classes au camp de Satory. Durant ce rude hiver marqué par des restrictions qui mettent à mal son solide appétit, Boris tourne le dos au monde en se noyant dans le jazz. Pitou, Zizi et lui se retrouvent autour d'un phono et échangent des *private jokes* inspirées d'*Ubu roi* d'Alfred Jarry, leur référence commune.

De nombreux élèves attendent leur mobilisation. À l'École, la nourriture fournie par l'association des Fourneaux économiques est mauvaise et insuffisante. Les élèves créent, dans l'arrière-cuisine d'un boulanger en retraite, une coopérative qui les absorbe autant que les cours. Ils organisent des concours de cuisine, élaborent des mets parfois hasardeux, tels cet œuf au plat et sa sardine cuits dans la même huile. Pour les desserts, les jeunes gens se fournissent dans les pâtisseries de la ville, selon une technique éprouvée : un groupe de quatre pénètre dans la boutique et, à tour de rôle, tandis que les uns accaparent la vendeuse, les autres engouffrent des gâteaux.

La concentration nécessaire au travail se relâche, la discipline aussi. Profs et élèves ont l'esprit ailleurs. « On n'en fiche pas un trop grand coup », avoue Boris à sa mère, qu'il appelle « chère madame » ou « ma vieille Pouche ». L'inquiétude point sous les plaisanteries de taupin. Le soir, Boris est souvent déprimé, il regrette « Vildavret », se demande ce qu'il fait là et souffre de maux de ventre. « La santé est bonne, et le reste va à peu près », écrit-il à la fin de plusieurs de ses lettres [1].

Quoi qu'il en dise, Boris reste plus consciencieux que la plupart de ses camarades. Un de ses professeurs, M. Portevin, réputé pour sa distraction de savant Cosinus, a l'habitude de se perdre dans des considérations absconses. Boris est le seul à tout prendre en notes. Réunies, elles formeront la matière de sa première œuvre écrite et publiée. Rien de poétique dans cette brochure ronéotypée de cent soixante pages qui s'intitule *Physicochimie des produits métallurgiques*. L'ouvrage est cependant agrémenté d'un avant-propos en alexandrins et en vieux français : « Vivoient au temps jadis quatre escholiers modèles... » Et en épigraphe, encore, cette citation tirée du *Jardin d'Épicure* d'Anatole France : « Un beau vers a fait plus de bien au monde que tous les chefs-d'œuvre de la métallurgie. » « Nonobstant, nous vous l'enseignerons », concluent, laconiques, « Les Auteurs », c'est-à-dire Boris et ses trois collaborateurs, dont Pitou et Alfredo Jabès, qui devient le quatrième de la bande.

Pour détendre ses camarades de promotion dont la plupart attendent leur mobilisation, Boris compose l'un de ses premiers poèmes, la *Chanson des Pistons*, sur le modèle de *La Patrouille*. C'est une ritournelle paillarde dans la tradition des grandes écoles. En vingt-trois couplets, Boris célèbre les exploits scabreux et drolatiques de ses copains de turne. C'est loin d'être un chef-d'œuvre mais le poème n'a pas d'autre vocation que d'alléger une atmosphère d'inquiétude et d'attente.

Boris est populaire, il amuse, il irrite aussi par ses déclarations. Ses condisciples se demandent généralement ce que fait parmi eux ce garçon si littéraire, si avant-gardiste, d'une élégance discrète et qui, sans même s'en rendre compte, se démarque toujours de l'opinion dominante.

Son goût pour le canular est déjà avéré, comme en témoigne l'anecdote rapportée par le centralien Gérard Orthlieb[2]. À la suite d'une erreur d'appréciation, le papetier de l'École a acheté trop de papier millimétré et il risque de se retrouver avec un gros stock sur les bras. Il s'en plaint à Boris. Celui-ci fait alors courir le bruit que chaque élève aurait besoin de dix feuilles de papier millimétré pour un prochain cours. Quelques jours plus tard, le stock du fournisseur est dévalisé. Mais le cours n'aura jamais lieu. Furieux de cette dépense inutile, certains menaceront de « casser la figure » de Boris et du malheureux papetier.

Entre facéties et crises de cafard, la vie d'étudiant va cahin-caha. La guerre, Boris n'y comprend rien, il ne semble pas en prendre la mesure. Plus tard, il reviendra avec stupeur sur sa prodigieuse indifférence à la chose politique. Est-ce là le résultat de l'éducation des Fauvettes ? De la surprotection dont il a été l'objet à cause de sa maladie et qu'il dénonce plus tard dans son « Journal à rebrousse-poil » ? L'état de repli où se trouvent alors les jeunes étudiants les éloigne de la réalité d'un conflit dont ils ne perçoivent que la rumeur. Boris semble voir la guerre à distance, comme derrière le rideau d'une fenêtre. Il en parle avec détachement et choque parfois ses camarades par ses pronostics logiques mais démoralisants. Il semble aborder la guerre comme un jeu d'échecs et parie sur une rapide reddition des troupes françaises. Certains lui reprochent vivement son comportement peu patriotique. Toutefois, il persiste dans ses raisonnements. Il ne réalise pas que ceux qui s'apprêtent à partir au front tentent d'y croire un peu. Boris, lui, demeure dans sa bulle.

Cette inculture politique, comme le souligne Philippe Boggio[3], qui, chez Boris, aboutit à un total désengagement, est bien le résultat d'une volonté familiale. Les Vian ont toujours éludé toute discussion sur des sujets graves et sur la chose publique. Par ailleurs, l'antimilitarisme et l'anticléricalisme de Paul relèvent d'un certain « esthétisme aristocratique », un individualisme élitiste dont

Boris a hérité. On n'a pas commenté les événements de 1934 ni le Front populaire aux Fauvettes, pas plus que la crise de 1929 quelques années plus tôt, qui a pourtant eu de rudes conséquences sur le destin de la tribu.

Il y a chez les Vian une sorte de refus d'accepter le monde réel. C'est sans doute un élément qui incitera Boris a créer un univers si insolite, à décrire des personnages étrangers à toute norme sociale. En même temps qu'il écrira une œuvre totalement singulière, il se rebellera contre une éducation qui l'a rendu si gauche et si désarmé. Dans *Les Bâtisseurs d'empire*, Boris projettera sur cette attitude familiale une lumière plus inquiétante. La pièce campe un groupe de personnes obligées de fuir un « Bruit » dont on ignore la signification et d'occuper à chaque déménagement des appartements de plus en plus petits. Durant toute l'histoire, les personnages refusent de voir ce qui se passe ou tentent de faire croire que tout est normal. Ils ignorent également la présence du « Schmürz », un être indéfinissable, une sorte de bouc émissaire, de réceptacle à leurs angoisses. La Mère et le Père ne veulent absolument pas ouvrir les yeux sur la réalité. Ils la sous-estiment, la contournent ou la nient par un recours à des sentences toutes faites et à des lieux communs.

C'est tout un système familial absurde à force d'être défensif que Boris Vian dépeint et dénonce. Un système qui a fait de lui un doux rêveur qui attend la fin de la guerre en écoutant du jazz. Boris, évidemment antinazi, antimilitariste et de manière générale rétif à toute forme d'autorité, ne se réclame d'aucun bord politique. Il a adopté l'attitude anticonformiste de son père. En bon garçon. Et parce que cela lui correspond profondément. Mais surtout, c'est un être encore mal dégrossi :

... Dieu, j'étais d'un timide à vingt ans, avec ma carcasse d'étiré, vraiment le bon jeune homme. De quoi il ne faut pas se sortir[4] !

Pour tout arranger, le voilà qui revêt un costume de soldat afin de suivre l'instruction militaire dans la section automobile de l'artillerie à laquelle les jeunes centraliens ont été affectés. Boris assiste aux cours, tout aussi ennuyeux que ceux de l'École. Tout ce remue-ménage finira bien un jour, pensent ces jeunes gens attablés dans les cafés d'Angoulême : « Nous nous sentions hors du temps, tant la situation semblait irréelle[5] », écrit Gérard Orthlieb, qui dépeint ce mélange d'impuissance et d'indifférence lasse face à une situation devenue impossible à décrypter et dont on se contente d'attendre la fin.

Les centraliens en saisissent pourtant quelques bribes à travers les récits des réfugiés, belges pour la plupart, qui fuient le risque d'invasion. Certains jours, les élèves sont chargés de leur ravitaillement. Ils s'entassent dans des camions de l'armée et distribuent des boîtes de conserve à la foule des affamés qui avancent sur les routes. Auxquels se mêlent les militaires qui refluent de la ligne Maginot et progressent vers le sud.

La nuit, les alertes aériennes font courir toute la

ville, des couvertures repliées sur les têtes pour se protéger. À l'abri dans les caves, certains réfugiés racontent alors des scènes de mitraillages qu'ils ont subis. Tantôt fasciné par les récits des soldats, tantôt absent, Boris griffonne ses poèmes sur un calepin, à la lumière d'une lampe de poche. Il dessine, écrit, compte les jours qui le séparent des vacances, pourquoi pas avec Monette en Charente.

« J'ai un cafard assez conséquent, je voudrais bien savoir si ça va finir un jour, tous ces emmerdements[6] », écrit-il à la Mère Pouche. Voilà comment Boris voit la guerre. Un tas d'emmerdements, des ravitaillements difficiles, des alertes, des copains au front. Mais pas plus. « J'avais vingt ans en quarante », écrit-il souvent, mélancolique. Tout est dans cette phrase. Mélancolie, regret d'une jeunesse passée dans un contexte aussi âpre, mais remords également d'avoir fait preuve d'autant de désinvolture.

Début juin, les événements se précipitent. Et Boris lui-même commence à entrevoir la gravité de la situation, notamment la déportation des Juifs de France :

Il faut demain que je parle de Jabès. C'est une de mes images de 1940, près de la fin, en juin. Dans sa chambre. Vraiment, tout le monde commençait à foutre le camp. C'est lui qui m'a fait comprendre. Il était atterré. Juif italien, tout petit, drôle, bon copain [...]. Atterré, Jabès m'a atterré. J'ai compris : foutus, Allemands, etc. Compris rien du tout : juste compris que quelque chose cassait[7].

L'Armistice a sonné le glas des espérances, les Français se rendent. Le 8 juin, on libère les étudiants précipitamment, avant la fin de l'année scolaire. L'École centrale a tout juste le temps de donner sa traditionnelle fête le 10 mai. Boris et ses copains ont préparé une petite représentation avec sketches, chansons et jazz. Les inventions verbales et les trouvailles comiques fusent et sidèrent les notables angoumoisins présents dans la salle.

Et puis, très vite, il faut se séparer. Boris veut rejoindre ses parents qui descendent dans les Landes pour les vacances. Il se procure un vélo qu'il charge d'affaires et de livres et prend vaillamment la route en compagnie de son copain Jacques Lebovich.

Une trentaine de kilomètres plus loin, alors qu'ils se sont arrêtés sur le bord du chemin pour souffler un peu, les garçons aperçoivent la « vieille grande énorme Packard 1935 » des Vian. Elle ne passe pas inaperçue au milieu des terribles embouteillages créés par les hordes en fuite de l'Exode. Ils crient, agitent les bras mais les parents ne les ont pas vus et poursuivent jusqu'à Angoulême, sans doute pour récupérer Boris.

Celui-ci décide alors de casser une petite graine avec Jacques. La voiture repassera sûrement par là, lorsque les Vian auront constaté que leur fils a quitté l'École.

La Packard finit par réapparaître. Soulagement, joie et embrassades. La Mère Pouche a retrouvé son fils. Alain, Ninon et Tata se poussent pour faire place aux deux étudiants dont on a hissé les bicyclettes sur le toit. Le voyage se poursuit sans histoire.

La Packard fait halte à Caudéran, près de Bordeaux, devant une autre maison de famille pleine de charme. Mais, par malheur, cette chartreuse en pierre blanche est occupée par une vieille cousine acariâtre et pro-hitlérienne qui loue ses chambres à des réfugiés alsaciens et lorrains. Le soir, la cousine écoute la radio allemande avec ravissement. Les Vian s'entassent, avec Lebovich, dans une seule pièce sur des matelas infestés de puces. Tout cela donne envie de lever le camp sans tarder. On reprend donc vite la route pour Capbreton, un village de pêcheur tout proche d'Hossegor, où le parrain de Boris, le juge Ralph Lepointe, qui s'occupe des réfugiés, a trouvé une maison à louer en bord de mer. Après de longs mois à Angoulême, Boris revit :

Capbreton. C'était chouette. De vraies vacances — et j'avais ma bécane, idéale pour ce pays (?) (une fois, j'ai été à Bayonne avec Alain, quelle foutue montagne russe, bon sang) — mais jolie route. De Bordeaux à Cap ç'avait été chouette aussi, cette odeur de cette route noire et droite et ces pins formidables, ce que ça sentait bon[8].

Ici, l'aspect sauvage de la côte, les énormes vagues et le sable doré incitent au farniente. Boris passe ses journées plongé dans de bons livres « prélevés » chez son parrain le juge. Il est « tassé au coin d'un remblai de façon à avoir la gueule au soleil et au vent ». Une photo de l'époque le montre, pas vraiment buriné mais heureux, vêtu d'une de ses éternelles marinières rayées, la petite chienne Sukette dans les bras.

Sa chère Monette, pour le moment, est en famille à Venerque, près de Toulouse. Boris part la retrouver en train. Réunis, main dans la main, ils se promènent dans les champs. Mais Boris revient fatigué et déçu de son escapade. L'idylle vit ses dernières heures.

Pendant ce temps, Alain brille sur les plages. Il a décidé de se diriger vers le théâtre et amuse la galerie sous le nouveau prénom de Jean-Loup. Un cercle se forme autour de lui. Le futur comédien joue de l'accordéon et sourit aux filles. Plein d'allant, plus à l'aise que Boris, c'est lui, pour le moment, la star de la famille. Il a frayé avec une bande de Capbretonnais où figurent, selon Boris, « diverses variétés de spécimen de la bourgeoisie repliée ou locale ». Parmi eux, Alain retrouve curieusement un certain Claude Léglise, avec qui il s'était disputé à Saint-Lazare, à propos d'une fille. Il renoue avec ce garçon qui lui présente sa sœur aînée, Michelle. Ils sont, depuis peu, seuls dans une villa prêtée par des amis de leurs parents à la suite d'un drame affreux. En effet, trois semaines plus tôt, leur plus jeune frère Jean-Alain, âgé de 10 ans, a été emporté par une lame de fond à Capbreton. L'enfant a été enterré. Puis les parents, Madeleine et Pierre Léglise, sont partis pour Agen, où le père a été affecté au service de la météorologie. Le frère et la sœur, désemparés, se joignent à la bande d'Alain au café de la plage d'Hossegor.

Durant tout l'été, ces jeunes tournent le dos à la tristesse, à la guerre et à la débâcle. De surboum en surboum, ils dansent sur la corde raide, se repaissent de jazz, se prélassent « dans le duvet d'une vie tiède / endormys comme bons couillons », comme le chante Boris dans une amère *Ballade de l'an quarante*.

Le 29 juillet 1940 est une date clef dans la vie de Boris. De retour de Venerque, il va rencontrer Michelle, sa future femme, au cours d'une de ces surprises-parties. Ainsi que Jacques Loustalot, l'inénarrable Major, un cousin éloigné de Michelle qui deviendra pour Boris plus qu'un ami : un double.

C'est sur l'air de *Begin the Biguine* qu'il a le « béguin » pour la jolie Michelle, blonde et rieuse, qui semble alors attirée par Alain.

En cet été 1940, Michelle, âgée de vingt ans comme Boris, n'a que l'embarras du choix entre ses divers soupirants. Outre les frères Vian, elle suscite aussi la passion platonique de son cousin. « Le bienheureux Major, de retour des Indes », comme il aime à se présenter, n'a que quinze ans mais sa maturité le fait facilement accepter par ses aînés. Il en paraît vingt, a pratiquement la même taille qu'Alain et Boris. Personnage extravagant et désespéré, incroyablement cultivé et brillant, il semble avoir déjà beaucoup vécu pour son âge. Il a perdu l'œil droit, « à la suite d'une tentative de suicide vers l'âge de dix ans », prétend-il. En réalité, l'accident a sans doute eu lieu tandis qu'il manipulait imprudemment un revolver. En explosant, les particules de cuivre lui auraient crevé l'œil. De son handicap, son œil de verre, il a fait une arme fatale, le prétexte à mille facéties. Il joue sans arrêt avec, l'avale et le recrache, le trempe dans son verre, s'amuse à horrifier l'entourage. Il lui arrive de le retirer et le contempler : « Il me regarde », dit-il…

Mais pour l'instant, Boris, lui, ne voit que Michelle. Au lendemain de leur rencontre, les Léglise organisent à leur tour une surprise-partie dans leur villa avec les mêmes que la veille. Et l'idylle prend tournure. Boris et Michelle font une partie de barque sur la petite rivière qui longe la maison. Ce sera tout pour le moment car Boris s'apprête à rentrer à Paris et, de plus, il est toujours censé être amoureux de Monette. Et puis il se demande si Michelle ne préfère pas son frère Alain ou si celui-ci n'est pas amoureux de Michelle. Or, le code d'honneur en vigueur chez les Vian interdit tout coup bas ou toute rivalité entre frères. Des années plus tard, Boris analysera cette rencontre et ses doutes. Au passage, il porte un regard plutôt sévère sur l'évolution d'Alain :

La cristallisation chère à Stendhal et aux raffineries Say dut se produire là-bas sans doute jusqu'à Paris plus tard. Mon frère Alain, malgré diverses étreintes, ne mordait pas à la fille. Elle était fascinée par son bagout je crois. Lui, il avait changé son nom en Jean-Loup ce qui fait plus cinéma et régalait l'assemblée de sa supériorité de comédien futur. C'est un gars plein d'abattage quand il veut, mais trop de couveuse l'a fait rester au sol et se conformer à l'idéal de médiocrité de la mère à nous quatre. Et d'un peu trouille [9].

De son côté, s'il a défié la Mère Pouche, comme Citroën, le plus déluré des trumeaux de *L'Arrache-cœur*, Boris est encore timide, pusillanime, accroché au nid. Ce qui, à l'âge de vingt ans, le tient toujours chaste et, comme il le déplore, incapable de se sentir concerné par la vie publique :

Mon ignorance de la chose politique a perduré à un point inimaginable jusqu'à trente ans au moins. J'avais vraiment trop de choses à faire — Centrale, la trompette, les filles — pour m'occuper de tout ça. Je me rappelle seulement la terreur mêlée de respect technique que j'avais eue à Capbreton en voyant défiler des éléments blindés teutons gris tellement motorisés et la fanfare sous ce casque qui fait la tête de mort [10].

# Mariage

*Eh bien, marions-nous !*

Boris Vian
à Michelle Léglise.

Les Vian ont quitté Capbreton le 1er août 1940. À regret, ils ont dû abandonner la vieille Packard, faute d'avoir pu se procurer de l'essence. Paul la revend à un garagiste de Bayonne et la famille regagne en train un Paris déserté, fantomatique, livré aux vainqueurs. Boris se souvient des Champs-Élysées vides, de l'Étoile à la Concorde. Le soleil inonde un pavé étrangement silencieux, désormais borné de panneaux écrits en allemand.

La vie reprend à Ville-d'Avray malgré l'absence de Lélio, toujours en Allemagne. Les Fauvettes semblent protégées du monde environnant. Il faut dire que l'occupant se manifeste peu autour des étangs. Désœuvré, Boris attend la réouverture de Centrale, Alain attend celle du Conservatoire d'art dramatique de Versailles. Tous deux espèrent le retour de Michelle, toujours dans les Landes. La jeune fille correspond avec Alain. Ils se donnent même rendez-vous à la rentrée.

Dès son retour le 1ᵉʳ septembre, Michelle retrouve en effet l'aspirant comédien dans un bar à la mode des Champs-Élysées, le Pam-Pam. Elle penche encore du côté d'Alain bien qu'il se montre trop empressé à son goût. Après cette entrevue, elle se rend à la *Swing Tea* — une surprise-partie de l'après-midi — organisée à Ville-d'Avray. Là, elle retrouve Boris le romantique qui l'invite à danser, comme à Capbreton. Monette, qui a été hébergée durant des mois chez les Vian pendant l'année, est également présente. Le tendre slow entre son fiancé et la jolie blonde n'est pas pour lui plaire. Elle demande des explications à Boris, une dispute éclate, au terme de laquelle Monette claque la porte. Boris reste avec Michelle. Alain s'efface, sans trop de problème, semble-t-il. Il devait rejoindre la jeune fille à la générale d'une pièce au théâtre de l'Œuvre. Grand seigneur, il offre son invitation à Boris qui pourra ainsi rejoindre sa conquête.

Et c'est finalement Boris que Michelle rejoint aussi à la terrasse du Pam-Pam. Il lui apporte les paroles de *Blue Moon*. Sa façon à lui de faire sa cour. Ils se voient tous les jours. Michelle va le chercher à l'École centrale à la sortie des cours, elle le raccompagne à la gare Saint-Lazare où il prend son train de banlieue. Avant, ils s'arrêtent rue de Provence pour boire un café et se regarder dans les yeux.

Boris lui avoue qu'il est amoureux d'elle depuis Capbreton. Elle balbutie quelques mots en retour.

Puis ils marchent dans les rues de Paris, définitivement insensibles à l'atmosphère de l'Occupation. Boris lui raconte Angoulême dans une version quelque peu romancée, une vie d'étudiants peuplée de rires et arrosée de cognac. Ils évoquent leurs lectures communes. La fameuse cristallisation évoquée plus haut opère.

Les sorties en groupe protègent leur amour naissant. Boris a retrouvé ses camarades de Centrale. Le 17 octobre, il revoit Pitou, de retour du front. Avec Michelle, ils vont applaudir Alain au théâtre de l'Œuvre. Celui-ci a obtenu un petit rôle dans une pièce de Rosemonde Gérard et Maurice Rostand, le frère de Jean. Quelques jours plus tard, ils ressortent en bande pour voir un film allemand, *Pages immortelles*. Bien sûr, ils préféreraient du cinéma américain mais ce n'est pas possible. Et puis, le cinéma, c'est un prétexte…

Les fiançailles sont dans l'air. Boris, le futur « pornographe », le fameux écrivain à scandale vilipendé par la critique quelques années plus tard, a donné rendez-vous à Michelle au Punch, un autre bar des Champs-Élysées. En rougissant, il lui tend un bouquet de violettes. Ils échangent leur photo. Ils se tiennent la main.

Il est temps pour Boris, le bon fils, d'annoncer ses fiançailles. Il présente sa belle aux copains de Centrale, puis à la famille Rostand. Il est visiblement plus gêné face à sa mère, qui se montre d'instinct méfiante à l'égard de Michelle. Mais, comme d'habitude chez les Vian, les doutes et les réticences s'effacent derrière les plaisanteries et les amabilités.

Michelle s'étonne de la liberté qui règne aux Fauvettes. Elle y voit une sorte de « paradis communautaire[1] », très préservé. La jeune femme est issue d'une famille d'une grande culture mais austère et conservatrice. Pierre Léglise, son père, un ancien enseignant devenu inventeur, lui dispense une éducation rigide où la musique et les sorties sont proscrites. Les Léglise sont des bourgeois vieille France, proches de l'Action française et antisémites. Michelle a été très surveillée par ses parents. Avec eux, elle s'est toujours sentie incomprise et rabaissée. Elle s'est alors réfugiée dans la lecture et a rêvé de devenir enseignante, de se marier, d'être libre.

La jeune femme est douée pour les langues. Elle a effectué plusieurs séjours en Allemagne, en Angleterre et en Italie. Mais elle a raté son bac et, en cette période incertaine, sa mère la presse de se marier. D'autant qu'un autre soupirant, élève ingénieur issu d'un milieu très aisé, lui fait une cour pressante. En février 1941, ce garçon vient demander sa main à son père, qui accepte sur-le-champ. Michelle s'insurge et une scène de famille s'ensuit. On menace de l'envoyer chez des tantes à Bordeaux. À moins qu'elle n'épouse ce Boris Vian, son nouveau soupirant un peu extravagant qui n'« emballe » guère ses parents.

« Eh bien, marions-nous ! », lance-t-il, un peu comme un défi, lorsqu'elle lui annonce la scène. Après tout, il a l'âge de Paul lorsque celui-ci a épousé sa mère. Comme le veut l'usage, Paul accompagne son fils faire sa demande chez ses futurs beaux-parents au 98, rue du Faubourg-Poissonnière. Les Léglise sont loin d'être enthousiastes face à une union qu'ils considèrent comme une mésalliance. Mais ils donnent leur accord. En effet, leur fille sera bientôt majeure. Au cours d'une rencontre entre les deux familles, la date des fiançailles est fixée au 12 juin 1941.

Le mariage a lieu un mois plus tard, les 5 et 7 juillet. La cérémonie est célébrée en l'église Saint-Vincent-de-Paul. On note que, chez les Vian, l'anticléricalisme foncier cède devant les traditions. Les enfants ont fait leur communion solennelle, et ils se marient religieusement. Ce jour-là, la Mère Pouche garde pour elle ses réserves devant la tenue de Michelle : un tailleur blanc plutôt court et des sandales compensées. La mariée a choisi de vernir de blanc ses ongles de mains et de pieds, plaisanterie diversement appréciée des convives et des familles. Boris, lui, est vêtu d'un costume rayé et, sur la photo, malgré son élégance naturelle, il a l'air gauche et emprunté du jeune marié sortant de l'église.

Le soir, le couple part dîner avec Pitou et Zizi au Lapin frit. Puis, les quatre rejoignent les invités à Ville-d'Avray pour une soirée aux allures de surprise-partie.

Pour son voyage de noces, Boris avait projeté un séjour en Vendée, à Saint-Jean-de-Monts, grâce à des *Ausweis* délivrés par des amis de Pierre Léglise. C'était sans compter sur les angoisses de la Mère Pouche, qui préfère qu'il ne s'éloigne pas trop. À la grande surprise de Michelle, Boris cède à ses injonctions. Le manque d'argent oblige à certains compromis. Le jeune couple passera donc son voyage de noces… au Hameau-de-Passy, à deux pas de Ville-d'Avray. Un mois dans un studio minuscule doté d'un tout petit jardin… Et la possibilité de rejoindre le cercle Legateux, rue Pradier.

Les tourtereaux ont beau être mariés, ils restent sous tutelle. Boris, toujours étudiant, doit encore passer une année à Centrale et n'a toujours pas son indépendance financière. Il n'est pas non plus psychologiquement dégagé de l'emprise familiale. Michelle gagne un peu d'argent en écrivant des articles sur le cinéma que signe un rédacteur du magazine *Vedettes*.

Pas facile pour un jeune couple de démarrer dans la vie en ces années d'Occupation. D'autant qu'un mois après le mariage, le père de Michelle est arrêté par la Gestapo à son domicile. Ce royaliste, officier de réserve, n'a pas accepté la capitulation. Il est accusé de travailler pour Londres et d'avoir fourni quantité d'informations à la Résistance, notamment des plans d'aérodromes. On l'incarcère à la prison de Fresnes. Trois mois plus tard, il devra sa libération à un Allemand qui avait accueilli Michelle lors d'un séjour linguistique avant la guerre. Feuschter, c'est le nom de cet ami, négocie un compromis avec la Gestapo : si Pierre Léglise accepte de travailler pour les laboratoires de physique aéronautique à Berlin, les sergents qui l'ont assisté dans ses missions pour la Résistance auront la vie sauve. Et sa famille à Paris sera protégée.

L'inventeur accepte de partir pour Berlin. Il passera le restant de la guerre à fausser la nuit ses calculs élaborés dans la journée. Madeleine, sa femme, l'a accompagné, laissant l'immense appartement à son fils Claude ainsi qu'à Michelle et Boris. Mais, au début, le couple n'y séjourne que de temps en temps.

Ce logement parisien, glacial et triste, n'emballe pas Boris. Pas plus que la chambre qu'il occupe avec Michelle, dont les murs sont recouverts d'un papier peint « infernalement rouge et or » qu'il s'acharne à faire disparaître sous quatre couches de peinture. Boris préfère de beaucoup Ville-d'Avray, mieux chauffé et plus gai. Marié et bientôt papa, il reste un grand adolescent.

Aux Fauvettes, le moral de la famille est meilleur. Lélio a été libéré peu avant les fêtes de Noël. « Maman avait béni Pétain de lui laisser vivant son Bubu[2] », commente Boris. Les Vian n'approuvent pas le régime de Vichy mais les discussions politiques restent bannies de la rue Pradier. Autre motif de satisfaction en cette période trouble : Paul peut enfin renoncer à son emploi de représentant de l'abbé Chaupitre pour rejoindre un ami, agent immobilier dans le quartier de l'Opéra. Le nouveau travail est un peu mieux rémunéré. Enfin, la famille Vian s'apprête à s'agrandir : Michelle attend son premier enfant, Patrick, qui naîtra en avril 1942. Ninon, elle, se prépare à épouser Jean Lespitaon, Zizi, l'ami de Boris. Elle n'a que dix-sept ans. C'est un peu tôt, et ce mariage n'aura pas un grand avenir, mais, en attendant, la salle de bal des Fauvettes accueille une fête dans la grande tradition de Centrale.

En dépit de la tendance des Vian au « cocoo-ning » avant l'heure et sa prédilection pour le repli festif, on souffre de la guerre rue Pradier comme ailleurs. La Mère Pouche fait la queue devant des magasins vides. Les Vian, comme tous les Français, vivent avec des tickets de rationnement et Yvonne picore à table. Elle se prive pour laisser manger ses enfants à leur faim. Ce qui a le don d'énerver Boris. Drôle d'oiseau qui ne peut s'arracher au nid et s'en irrite. Et à qui la guerre a coupé les ailes…

Tous les week-ends et les jours de fête, le couple retrouve la chaleur de Ville-d'Avray et le cercle Legateux. Celui-ci est de plus en plus actif et voit peu à peu ses activités et le champ de ses disciplines s'étendre. Cette entreprise familiale (à but non lucratif !), placée sous la présidence d'honneur de Mme Claude Queret et la présidence effective d'Alain, comprend bientôt différentes sections. Chacune d'elle est dotée de statuts, les membres possèdent des cartes imprimées frappées du sceau de Nana Viali (Alain). Certaines séances rassem-blent une quarantaine de personnes. La « section volante » a pour vocation de fabriquer des modèles aéronautiques. Le président en est Boris, qui en rédige les statuts à sa manière, c'est-à-dire dans la plus grande fantaisie puisque le « bureau » com-prend un sommelier, un aumônier, un chef du pro-tocole, un mécanicien, un infirmier, un directeur des fêtes et un… porte-biroute. Les amis de Cen-trale s'y retrouvent, dont Zizi, Pitou et Alfredo Jabès, enfin, l'ami juif rencontré à Angoulême et qui a échappé à la déportation en partie grâce aux Vian.

Tous ces ingénieurs se passionnent pour l'aventure spatiale. Ils réussissent à créer de véritables petits monstres volants qu'ils expérimentent au parc de Saint-Cloud et font voler dans le ciel de Paris au nez et à la barbe des Allemands. Boris a notamment réalisé avec Jabès un fort beau modèle réduit d'avion baptisé « L'Affrrreux ».

Enfin, l'une des activités, et non la moindre, du cercle consiste en séances de bouts-rimés, ou « bourrimés » selon l'orthographe de Boris, durant lesquelles il s'agit de composer des poèmes à partir d'une liste de mots donnés. Cette activité attire particulièrement les Vian et les Rostand. Madeleine Léglise, la mère de Michelle, y participe, ainsi que Claude. On y retrouve aussi, le temps d'une séance, le comédien Jean Carmet. Boris, là encore, fait office d'archiviste. Il conserve toute la collection des sessions poétiques dans des chemises et les illustre de petits dessins. « J'étais merveilleusement inconscient, dit-il à propos de cette période joyeuse. C'était bon. » Le dossier des « bourrimés » comprend quarante-trois poèmes de sa main.

Durant cette période féconde, il se lance avec l'ami Jabès dans l'écriture de petits scénarios et le tournage de films. Boris, à qui son père Paul a insufflé la passion du 7e art, poursuivra toute sa vie le rêve de s'y lancer plus à fond. En attendant, il s'amuse.

Enfin, les surprises-parties constituent les temps forts de ces beaux jours de Ville-d'Avray. Elles donneront aussi la matière de *Vercoquin et le plancton*, son premier roman publié. L'intrigue transporte le lecteur à la gare de « Ville-d'Avrille », d'où émerge une foule compacte composée d'une trentaine de jeunes gens qui se dirigent vers le numéro 31 de la rue Pradier :

Ils montèrent l'avenue Gambetta à pas lents, en braillant comme des Parisiens à la campagne. Ils ne pouvaient pas voir du lilas sans crier : « Oh ! du lilas. » C'était inutile. Mais cela faisait voir aux filles qu'ils connaissaient la botanique [3].

*Vercoquin*, c'est un peu la geste du mouvement zazou, dont les premiers prototypes font leur apparition dans les bars du Quartier latin en ces temps sinistres de l'Occupation. Le terme de zazou vient, semble-t-il, du monde du jazz. On trouve les onomatopées « Zaz zuz zaz » dans une chanson de Cab Calloway. Puis, en 1942, Johnny Hess et Maurice Martelier décrivent dans une chanson ces adolescents aux cheveux longs et frisottés, aux longues vestes à carreaux, à l'attitude dégingandée, qui arborent de grands parapluies fermés et de grosses lunettes noires par tous les temps. Ils boivent des cocktails — plutôt bière-grenadine ou jus de fruits qu'alcools — en méditant sur des thèmes d'actualité brûlants (« êtes vous "swing" ou "hot" ? »). Leur attitude gamine et frivole, leur goût du jazz et de la fête sont une façon de braver le régime vichyste, que leurs tenues vestimentaires extravagantes et leurs manières snobs agacent. Mais il n'y a pas grand-chose à leur reprocher, même si la presse collaborationniste s'insurge contre ces mauvais Français qui écoutent une musique «judéo-négro-américaine». Le cri de ralliement «Zazou, zazou, zazouzazouzazou-hé !» est une façon comme une autre de ridiculiser le Reich. Lorsque les lois raciales de Vichy obligent les Juifs à porter l'étoile jaune, beaucoup affichent par défi leur propre étoile jaune avec l'inscription «zazou». Comme le note Jean-Pierre Moulin [4], «la surprise-partie des zazous, c'est une façon dandy de dire non à la violence, à la guerre, et surtout à l'idéologie, aux idéologies qui s'affrontaient». Un grand nombre de ces jeunes vont rejoindre les rangs de la Résistance.

On a souvent fait de Boris Vian la figure de proue des zazous, cependant il n'a jamais arboré leur costume. Ce n'était pas le genre de cet introverti sobre et chic. En revanche, il est en quelque sorte leur porte-voix. *Vercoquin* dépeint leur univers joyeux et débridé d'où les adultes ont été expulsés. Comme l'explique l'auteur : «[L]es réceptions à parents sont, du point de vue des jeunes, ratées d'avance.» Boris décrit leur accoutrement typique avec une minutie d'entomologiste mâtinée de sa fantaisie naturelle :

Le mâle portait une tignasse frisée et un complet bleu ciel dont la veste lui tombait aux mollets. Trois fentes par-derrière, sept soufflets, deux martingales superposées et un seul bouton pour la fermer. Le pantalon, qui dépassait à peine la veste, était si étroit que le mollet saillait avec obscénité sous cette sorte d'étrange fourreau. Le col montait jusqu'à la partie supérieure des oreilles. Une petite échancrure de chaque côté permettait à ces dernières de passer. Il avait une cravate faite d'un seul fil de rayonne savamment noué et une pochette orange et mauve. [...] La femelle avait aussi une veste dont dépassait d'un millimètre au moins une ample jupe plissée en tartalane de l'île Maurice. [...] Sa tenue, moins excentrique que celle de son compagnon, passait presque inaperçue ; chemisier rouge vif, bas de soie tête-de-nègre, souliers plats de cuir de porc jaune clair, neuf bracelets au poignet gauche et un anneau dans le nez[5].

Dans ce roman, écrit au départ pour amuser ses copains, Boris a pris l'extravagant Major pour personnage principal (par la suite, il gardera cette habitude de prendre ses amis pour héros de ses livres), décrivant ce drôle d'oiseau dans sa parade de séduction :

Le Major avait une façon assez personnelle de danser, un peu déroutante au premier abord, mais à laquelle on s'accoutumait assez vite. De temps à autre, s'arrêtant sur le pied droit, il levait la jambe gauche de façon que le fémur fasse avec le corps, tenu vertical, un angle de quatre-vingt-dix degrés. Le tibia restait parallèle au corps, puis s'en écartait légèrement dans un mouvement spasmodique, le pied demeurant parfaitement horizontal pendant ce temps. Le tibia redevenu vertical, le Major abaissait son fémur, puis continuait comme si de rien n'était[6].

La rencontre avec cet être attachant et saugrenu, qu'il fait mine au début de ne pas prendre au sérieux, a été fondamentale dans sa vie et dans sa carrière d'écrivain. Jacques Loustalot, personnage éminemment romanesque, restera comme le détonateur de l'entrée en littérature de Boris.

Le Major a une « vision » absurde et désespérée du monde qui séduit Boris et l'inspire. Il a trouvé son alter ego, son inséparable, son compagnon de frasques. Il ne jugera jamais son inquiétante tendance à l'alcoolisme, ne s'étonnera pas de ses fréquentes défections et disparitions.

Fils de Marcel Loustalot (« ce con de Marcel »), haut fonctionnaire et maire de Saint-Martin-de-Seignanx, une commune proche de Capbreton, où il a connu Boris, Jacques Loustalot est un garçon malheureux que la séparation de ses parents, l'abandon de sa mère par son père et son infirmité ont fait grandir trop vite. Son intelligence a aiguisé son esprit critique et il promène déjà sur le monde en guerre un regard désespéré. Les Vian deviennent pour lui une seconde famille et il va multiplier les occasions de monter à Paris voir sa mère et rejoindre sa bande à Ville-d'Avray. Lui qui n'a pas le goût du bonheur a au moins celui de la farce et une sociabilité à éclipses. Il adore Boris et Michelle, qui le protègent à la fois comme un ami, un frère et un enfant terrible.

Pas plus que d'une enfance malheureuse, comme celle du Major, on ne se remet d'une jeunesse heureuse, comme celle de Boris. Ses premiers écrits portent la marque de l'esprit libertaire des Fauvettes, de cette érudition joyeuse, de cette vie dédiée aux jeux de l'esprit. À la morale pétainiste du « Travail, Famille, Patrie », les Vian ont en quelque sorte opposé leur triade « Loisirs, Amitié, Surprises-Parties »...

# Bison intravit in Afnor

Du haut en bas, l'on normalise!

BORIS VIAN

Aux premiers mois de leur mariage, Michelle et Boris forment un couple romantique et primesautier. Passionnés de jazz, férus de théâtre, de cinéma, de littérature anglo-américaine, de science-fiction, ils ont en commun une foule de centres d'intérêt, un appétit de tout connaître, de tout voir. Amoureux dans les limbes, ils ne sont pas encore concernés par l'« usure », ce terme que Boris exècre par-dessus tout. Déjà, Boris, dont le cœur bat très fort, se sent talonné par le temps qui passe. Il lui arrive de dire qu'il ne dépassera pas l'âge de quarante ans. Il veut vivre intensément, profiter de l'existence avec sa belle épouse. Ensemble, ils se sont mis à écrire des scénarios de films, espérant récolter quelque argent de cette activité. Alain, par ses relations, est censé les placer. Il n'y réussira pas. Selon Michelle, ces esquisses n'étaient pas assez bonnes. À l'évidence, Boris ne sait pas que l'exercice requiert un type d'écriture bien particulier. Ses scénarios ressemblent plutôt à des synopsis, des projets rapidement ébauchés. Quoi qu'il en soit, il ne renoncera jamais à son idée de travailler pour le cinéma, mais ses essais resteront au placard. Il n'a pas le temps de s'en affecter. Il expérimente tant de pistes, toutes les formes de création l'attirent.

C'est à la même époque qu'il fait ses débuts, timides, dans l'écriture romanesque. Toujours avec Michelle, il se lance dans la rédaction d'un polar, *Mort trop tôt*, qui raconte une aventure du Major. L'ouvrage demeurera inachevé. Le couple travaille également à une pièce de théâtre, *Notre terre, ici-bas*, sur le thème du retour à la terre, à partir d'une idée d'Alain qui souhaitait monter un texte pour les Chantiers de jeunesse.

C'est encore le Major qui inspire Boris pour son premier ouvrage achevé, *Troubles dans les Andains*, rédigé durant l'hiver 1942. Le livre ne sera pas édité de son vivant. Sans doute l'avait-il relégué dans la catégorie « œuvre de jeunesse » puisqu'il considérera *L'Écume des jours* comme son premier roman : « J'ai débuté par un livre très bien. Un livre auquel je tiens beaucoup, très chaste, bourré de sentiment jusqu'à la gueule, *L'Écume des jours*[1]. » C'est un peu sévère pour *Troubles dans les Andains*, qui n'a pas la même force que ses romans ultérieurs mais où l'on retrouve déjà la plupart de ses thèmes. Boris s'y dépeint sous les traits d'Antioche Tambretrambre. Et se présente ainsi :

Il mesurait 1 m 87. Il était blond et pâle, et ses yeux bleus aux paupières perpétuellement closes à demi donnaient à cha-

cun l'impression d'un profond travail cérébral. Intelligent ?
Complètement nave ? Bien peu de gens pouvaient se vanter
d'être fixés sur ce point. Un front haut et bombé, quasi génial,
complétait cet ensemble typique à plus d'un titre [2].

Même s'il commence à songer sérieusement à la
littérature en cette année 1942, Boris garde la tête
sur les épaules. D'autant qu'il est toujours un étudiant marié et déjà père de famille. Son fils Patrick
a vu le jour au mois d'avril. Pour autant, le jeune
couple ne renonce pas à mener la vie joyeuse des surprises-parties et des concerts. Mais il faut trouver un
emploi stable. Tandis qu'Alain poursuit ses activités
théâtrales, que Lélio songe à rejoindre son père dans
l'immobilier, Boris reçoit son diplôme de l'École
centrale des arts et manufactures au mois de juillet,
à un rang moyen (54e sur 72). Il se met alors, et sans
joie, en quête d'un emploi, et envoie des lettres à différents établissements. M. Lhoste, le directeur de
l'Afnor, lui propose trois mois à l'essai avec un
salaire de 4 000 francs, ce qui, pour l'époque, n'est
pas si mal. Il accepte donc d'entrer dans la section
administrative chargée de créer des normes pour
tous les objets en verre. Au mois d'août, on l'affecte
dans ce secteur. Il écrit dans son agenda : « Bison
intravit in Afnor ».

Boris Vian dans une entreprise de « normalisation », cela ressemble à un gag. Le poète en rond-
de-cuir, on n'y croit pas. Lui non plus d'ailleurs. À
peine arrivé, il commence à classer les poèmes qu'il

a déjà composés et qu'il compte réunir sous le nom de *Cent sonnets*. Mais il ne néglige pas son travail pour autant. Son ami Claude Léon explique :

Au début, entre Boris et l'Afnor, tout se passa très bien. Il était considéré. On appréciait ses idées, même si on lui reprochait la vivacité de ses répliques lorsqu'il se plaignait d'avoir à normaliser des erreurs. Changer la forme d'une bouteille, rechercher la meilleure solution et la plus technique a toujours été son objectif. Ce qui l'ennuyait, c'était les problèmes administratifs, commerciaux, voire psychologiques, et toutes les aberrations en découlant qu'il a si bien décrites dans *Vercoquin et le plancton* [3].

Boris s'ennuie dans ce cadre administratif si mal adapté à son esprit vif et rapide. Il s'y fera mal voir, surtout lorsqu'il corrige les fautes de français de ses supérieurs. En outre, le directeur apprécie peu ses plaisanteries. Dans *Vercoquin*, il règle ses comptes avec l'Afnor en opposant l'univers délirant des zazous au monde absurde et confiné des bureaux :

La pièce était meublée avec un goût parfait de seize classeurs de chêne sodomisé passés au vernis bureaucratique, qui tire sur le caca d'oie, de meubles d'acier à tiroirs roulants où l'on rangeait les papiers particulièrement confidentiels, de tables surchargées de documents urgents, d'un planning de trois mètres sur deux comportant un système perfectionné de fiches multicolores jamais à jour. Une dizaine de planches supportaient les fruits de l'activité laborieuse du service, concrétisées en de petits fascicules gris souris, qui tentaient de régler toutes les formes de l'activité humaine [4].

La normalisation est visiblement obsédante (*Vercoquin* propose d'ailleurs un projet de norme des surprises-parties). Boris ne tarde pas à utiliser cet aspect ubuesque. Dans un interminable poème épique, « Hymne à Monsieur Lhoste », il immortalise ses collègues, ainsi que « le nom très vénéré du Maître de la Norme », sans oublier l'antre où « du haut en bas, l'on normalise ! ».

Heureusement, ses nombreux centres d'intérêt et, surtout, le jazz l'empêchent de se morfondre. En 1937, Boris a adhéré au Hot Club, qui joue alors en France un rôle moteur dans la diffusion de cette musique encore « minoritaire ». Depuis sa création en 1932 par des amateurs, le Hot Club s'attache à développer son audience. Ses fondateurs, Hugues Panassié et Charles Delaunay, ont créé en mars 1935 la revue *Jazz Hot,* à laquelle Vian participera quelques années plus tard. L'association lance en 1937 son label « Swing », qui publie les noms du jazz de l'époque, Américains mais aussi Français. Le club organise des rencontres, des conférences et, bien sûr, des concerts. C'est dans ce cadre que Boris va assister à celui, fameux, donné par Duke Ellington, au palais de Chaillot, en avril 1939.

Au mois de mars 1941, Boris a fait la rencontre décisive de Claude Abadie. Il possède de nombreux points communs avec Boris. C'est un scientifique, un élève de Polytechnique que la guerre a replié à Lyon. Comme Boris, et comme de nombreux jazzmen, il a appris à jouer à l'oreille, en autodidacte.

En août 1941, ce brillant musicien est remonté à Paris et a intégré le Hot Club de France, rue Chaptal. Il a le même âge que Boris et, comme lui, exerce une profession respectable : il est attaché de direction à la Banque de France. Son idée, c'est de monter un groupe amateur qui renoue avec l'esprit initial du jazz New Orleans. Il considère en effet que le jazz a perdu de sa flamboyance et de son âme, c'est-à-dire de sa négritude. C'est le jazz des origines qu'il veut retrouver grâce à ce que l'on appellera le « revival ». Le trio qu'il crée fera aussi place au swing mais au vrai, celui de Duke Ellington, il n'est pas question de tomber dans sa version vulgarisée que l'on entend un peu partout. Le trio, une fois formé, anime surprises-parties et galas. Le succès aidant, Abadie finira par gagner sa vie pour moitié grâce à son art. Mais il doit aussi « composer » avec la guerre qui le prive de certains de ses musiciens : l'un est juif et doit cacher son étoile jaune derrière sa cymbale, l'autre, Claude Léon, le futur ami de Boris, rejoint bientôt la Résistance.

En janvier 1942, le trio Claude Abadie joue salle Pleyel et remporte la grande coupe du Hot Club de France. Abadie est désormais considéré comme un amateur capable de rivaliser avec les professionnels. Au moment de sa rencontre avec Boris, Claude cherche à renforcer sa formation. Entre deux concerts, il fréquente la salle de bal de Ville-d'Avray. En l'espace de quelques semaines, les trois frères Vian entrent dans son orchestre, qui devient un quintet. Alain à la batterie, Lélio à la guitare et Boris à la « trompinette », comme il dit. La formation répète deux fois par semaine et prend part à des tournois d'amateurs.

Boris peaufine un style rare inspiré par Bix Beiderbecke, un trompettiste Dixieland, né le 10 mars — comme Boris — de l'année 1903 et mort en 1931. Cette légende du jazz fut l'un des seuls cornets blancs à pouvoir rivaliser avec les noirs. Boris imite son swing romantique, ses intonations lyriques. Il contribuera à faire redécouvrir cet extraordinaire musicien en France, traduisant sa biographie romancée, *Le Jeune Homme à la trompette*, et, plus tard, devenu directeur artistique chez Philips, il exhumera des caves ses enregistrements oubliés.

Son futur ami Claude Léon a décrit sa façon particulière de tenir sa trompette :

D'abord, il jouait « sur le côté ». Il plaçait l'embouchure de l'instrument à la commissure des lèvres et je l'avais aussitôt remarqué parce que mon père, qui dans sa jeunesse avait appartenu à une fanfare, prétendait que dans les fanfares on jouait toujours « sur le côté ». Or la première chose que je vis quand je m'installai à la batterie au Royal Villiers, c'est que Boris jouait les jambes écartées et la trompette sur le côté de la bouche [...]. Plus frappant et de tout autre conséquence était le fait qu'il jouait comme Bix [...]. Et quand Boris jouait, nous entendions vraiment le continuateur de Bix, avec beaucoup de swing qui était quand même la qualité essentielle [5].

Sous l'Occupation, Boris voue ses soirées au jazz. Il possède désormais une superbe trompette, offerte par Michelle qui l'a achetée chez Selmer rue de Douai. Des trois frères Vian, c'est lui qui prend le plus les répétitions à cœur, reculant toujours l'heure d'arrêter de jouer. Il est vrai que Boris n'a jamais aimé se coucher. Et quoi qu'on ait pu en dire, il n'a jamais été un touche-à-tout brillant et superficiel. Boris est un travailleur acharné. Il s'est toujours jeté à corps perdu dans tout ce qu'il entreprenait, quitte à y laisser le peu de santé qui lui restait. Il n'abandonne jamais une activité pour une autre, ne délaisse pas une passion pour une autre, ne néglige jamais une amitié pour une autre. Par exemple, son mariage, la naissance de son petit garçon, l'arrivée dans sa vie de Claude Abadie ne sont en rien l'occasion de tourner la page avec son jeune ami le Major.

Au contraire, celui-ci est plus présent que jamais. Il assiste aux répétitions aux côtés de Michelle, dont il reste l'éternel chevalier servant. Le garçon n'a que deux idées en tête : échapper à son père dans les Landes pour venir à Paris où vit sa mère, et aussi rejoindre à Ville-d'Avray le cercle de Boris. Les Vian représentent pour lui une seconde famille. Romantique, tout comme Boris, il est toujours secrètement amoureux de Michelle, mais ses sentiments demeurent aussi platoniques que généreux et désintéressés. Il s'est réjoui du mariage de sa cousine avec Boris, son grand frère, et, sous l'Occupation, il accompagne sa belle faire ses courses et porte le petit Patrick dans ses bras lorsqu'elle le promène au bois de Boulogne.

Le « bienheureux Major, retour des Indes » souffre toujours de ses crises de spleen. Il s'excuse parfois de ne pas assister à telle surprise-partie par des billets mélancoliques, comme celui-ci, écrit en 1941, alors qu'on l'attendait à Ville-d'Avray :

Je suis un de ces êtres familiers et bien méconnus qui subissent des parties, qui en organisent, qui se promènent et qui s'ennuient...

Il se reprend et poursuit :

Ce sera tout de même une réunion où la gaîté coulera à flots et où l'ennui sera foulé aux pieds, où les hommes bons et joyeux goûteront au huitième ciel [6].

Pas étonnant que Boris ait fait un héros de roman de cet être presque irréel de loufoquerie et de sensibilité. En 1944, il entreprend même d'écrire sa geste en vers. Celle-ci devait s'intituler « Un Seul Major Un Sol majeur par le Chantre espécial du Major ».

En 1943, le Major fête ses dix-huit ans et, tandis que Boris commence à retracer son épopée dans *Troubles dans les Andains*, son père Marcel Loustalot, nettement moins ébloui par ses facéties, ses fugues et ses « belles couillonnades », le reprend en main pour le placer comme garde-magasin dans un Chantier de jeunesse. La correspondance du jeune homme avec Boris (exhumée par Noël Arnaud) révèle son humeur du moment :

Je suis un peu noir. Oh pas trop ! mais un peu seulement. Je viens de boire avec des types huit vins blancs, quatre vermouths et deux pernods. C'est bon, ça fait plaisir. Et pis après, tout est bath et marrant. On voit tout sous un aspect différent... J'suis dans un camp de Corbiac. Mon père, il est « Major » (et c'est vrai !) du camp. Alors, on parle de mois en disant « le fils du Major » et je suis vexé au-delà de toute expression [7].

À ses moments perdus, avoue-t-il, le Major lance « quelques vertes boutades aux arbres, ou aux oiseaux ou aux humains ». Depuis, dit-il, on l'appelle « le cinglé ».

# Jazz et Libération

*Un jour il y aura autre chose que le jour.*

BORIS VIAN

Au printemps 1943, le couple Vian connaît une première épreuve. Michelle doit subir une grave opération de la thyroïde. Boris ne sait que faire pour la distraire. Il compose un *Conte de fées à l'usage des moyennes personnes*. Celui-ci commence de manière classique : « Il était une fois un prince beau comme le jour. » Puis le prince se met non en quête du Graal mais de sucre, lequel, à l'époque, est rationné. Commencent alors toutes sortes de pérégrinations qui entraîneront le prince jusqu'en Chine, après une série d'épreuves initiatiques.

Pas plus que *Troubles dans les Andains* qui est, à sa manière aussi, un conte merveilleux, Boris n'attachera de prix à cet écrit, illustré par Alfredo Jabès et agrémenté en marge de quelques croquis de la plume de l'auteur. Pour l'heure, celui-ci fait ses gammes et travaille en amateur.

En musique, il fait en quelque sorte profession

de ce dilettantisme : « Nous sommes des amateurs, dit-il, des amateurs "marrons" mais des amateurs. » C'est d'ailleurs la particularité de la formation Abadie, rebaptisée pendant un temps Abadie-Vian pour faire plaisir à Michelle.

Musiciens marrons, c'est-à-dire que s'ils jouent pour leur plaisir, leurs prestations, équivalentes à celles des professionnels, sont rémunérées de toutes les manières qui soient : en nature (les denrées sont appréciables sous l'Occupation), au cachet ou au pourcentage mais toujours « au noir ».

L'amateurisme a ses avantages, en particulier l'indépendance. Ainsi l'orchestre refuse de porter la veste blanche qui est l'uniforme en vigueur. Le quintet, qui comprend alors les trois frères, Claude Abadie à la clarinette plus Édouard Lassal à la contrebasse et Jacques Daubois au piano, joue en costume bleu marine. Cela permet à ses membres, lorsqu'ils se produisent en alternance avec d'autres musiciens au cours d'une même soirée, de se mêler aux convives et de danser.

Tandis que la presse collaborationniste enrage contre la musique « judéo-négro-américaine », que l'occupant proscrit cette musique décadente, l'orchestre célèbre sans relâche son « revival », une façon de survivre dans ce monde sans issue. En dépit de ses qualités d'interprétation reconnues, l'orchestre Abadie, qui se targue toujours de son titre de vainqueur du tournoi 1942, essuie une série de revers. Il échoue au sixième Tournoi des amateurs le 3 janvier 1943, *Jazz Hot* l'a jugé décevant. Le 2 janvier de l'année suivante, il fait une « excellente impression » au septième Tournoi. Mais il est déclassé. C'est qu'il a joué une œuvre américaine, chose interdite sous l'Occupation. Le 29 janvier, l'orchestre participe à un concert à L'Étincelle, rue Mansard. Il passe après Hubert Rostaing et Eddie Barclay. Du propre avis de Boris, l'orchestre Abadie « foire » sa prestation.

La même année, la formation a dû renouveler ses membres. Alain et Lélio sont partis en Allemagne pour le STO. Claude Abadie, qui jugeait Lélio mauvais guitariste et Alain pas mauvais batteur, « mais pas terrible quand même », monte alors un octet avec deux autres frères, qui comptent parmi les meilleurs jazzmen de l'époque, Hubert et Raymond Fol, le premier à l'alto, le second au piano. Bientôt, le jeune clarinettiste Claude Luter, qui se proclame un « groupie » d'Abadie, complète cette formation tandis qu'Alain Vernon reprend la guitare de Lélio.

La rencontre avec cette future figure de proue du jazz qu'est le jeune Luter a lieu le 10 janvier 1944. Boris note : « Vois Gruyer et son copain Claude Luter. Viennent entendre disques. Ils voudraient faire un club pour entendre disques. Lui en ai prêté 5 [1]. » Pendant un temps, ils animeront même les séances d'entracte d'un cinéma de la rue de Sèvres. À cette période, Luter et Vian sympathisent. Le premier cherche à échapper au STO et Vian le « planque » chez lui. « Nous étions trois qu'il hébergeait ainsi, se souvient Claude Luter, et l'un des deux autres n'était autre que le Major. On habitait donc chez lui, rue du Faubourg-Poissonnière. Il n'y a qu'au moment où les Allemands ont eu d'autres chats à fouetter que les réfractaires au STO que nous avons pu ressortir[2]. » Pour Luter, Boris était alors un musicien « tout à fait honorable » dans le style Dixieland mais son jeu de trompette commençait à faiblir. C'est pourquoi, selon lui, il s'est mis à écrire. En tout cas, le musicien se souvient de Boris écrivant *Vercoquin* lorsqu'il était à couvert chez lui. Dans le livre, on retrouve d'ailleurs un certain « Lhuttaire, le clarrinnettistte à vibrrratto, qui rev[ient] de s'enfiler un pichet »...

Ce dernier a raison sur un point. Sans doute Boris commence-t-il à sentir qu'il ne pourra pas jouer toute sa vie. Contraint de se ménager, il dépasse souvent ses limites. « Lorsqu'il était contrarié ou qu'un gars l'embêtait, se rappelle encore Luter, on était obligés de se battre à sa place parce que ce genre d'exercice ne lui réussissait pas. Il fallait alors l'étendre, blanc comme un linge[3]. »

Mais la passion du jazz reste pour l'heure la plus forte. Boris se risque aussi, en cette année 1944, à participer à un concours, écrit cette fois, organisé par *Jazz Hot* (à ce sujet, Noël Arnaud souligne avec justesse la formidable manie de la compétition chez les « jazzoteurs »). Il s'agit d'une enquête sur la situation du jazz. Sa réponse prend la forme d'une ballade mélancolique : « Quatre printemps ont reverdi / Il n'y a plus de jazz en France. » Les vers, signés Bison Ravi, n'obtiendront que le deuxième prix. Q'importe. Pour la première fois, Boris a été publié dans la revue phare du jazz.

À cette période, Boris a l'âme versificatrice. Pour se détendre, à l'Afnor, il établit aussi également un « Projet de norme relatif / À l'emploi de l'alexandrin / Dans tout poème laudatif / Ou de caractère chagrin ». De toute évidence, l'ingénieur a la tête ailleurs.

Au mois d'août, Paris est libéré. Pour Boris, cet été 1944 représente surtout la libération du jazz, comme le dit Michelle. Durant les journées d'insurrection qui suivent, tandis que les FFI affrontent les derniers Allemands, il traverse Paris en longeant les murs, inconscient du danger, obnubilé par l'idée de rejoindre La Cigale à Pigalle pour y célébrer le jazz libéré.

Durant les jours qui suivent, l'orchestre Abadie, en liesse, fait le bœuf un peu partout. Son orchestre va distraire les libérateurs. C'est dans cette atmosphère surchauffée que Boris rencontre l'un de ses meilleurs amis, Doddy, ou Claude Léon, dont il fera le héros de *L'Automne à Pékin*.

Celui-ci est alors batteur dans un orchestre amateur qui joue pour l'armée américaine dans une boîte de la rue de Clichy près de L'Appolo. C'est un familier de Claude Abadie ; il a été batteur dans son orchestre au début de la guerre avant de s'engager dans la Résistance. Puis Claude Léon a été arrêté et emprisonné dans un camp de concentration. Il a réussi à en réchapper sans pour autant abandonner la lutte clandestine. Au contraire même, ce chimiste s'est mis à fabriquer des explosifs capables de tenir dans des boîtes d'allumettes.

Abadie, qui le retrouve par hasard, lui propose

de se joindre à sa formation pour laquelle il a obtenu un engagement au Royal Villiers, qui doit être « payé en dollars ». C'est ainsi que Doddy et Boris font connaissance. On peut parler d'un véritable coup de foudre amical. Dès le premier soir, les deux compères, qui habitent du côté du XIᵉ arrondissement, décident de faire le chemin à pied dans la capitale déserte. Et, tout en marchant, ils parlent et parlent encore. Claude Léon témoigne :

Il aimait Marcel Aymé, et, à l'époque, cela m'avait un peu surpris. Mais nous nous sommes tout de suite retrouvés sur les écrivains américains, et sur Joseph Conrad. C'était bien : nous aimions tous les deux Conrad. Par la suite, nous nous sommes aperçus que nous avions beaucoup de goûts en commun, *Les Thibault*, et des œuvres en plusieurs volumes, les romans populaires de notre jeunesse, ceux de Ponson du Terrail, de Paul Féval ou les *Pardaillan* [4].

Cette première nuit, en revanche, Claude Léon propose de lui faire découvrir Raymond Roussel, et notamment *Comment j'ai écrit certains de mes livres*, persuadé que ce livre plaira à son nouvel ami. Mais, à sa grande surprise, Boris critique violemment cette « destruction du romanesque [5] ».

En quelques heures, les deux hommes scellent une amitié qui durera toute leur vie. Ils n'ont pas évoqué la politique. Claude Léon est un homme très engagé, communiste, résistant. Il est probable qu'il fera par la suite une partie de l'éducation politique de Boris, mais cela n'est pas à l'ordre du jour. Claude et Boris se sont senti des atomes crochus et, en dehors du jazz et de la littérature, ils ont la même culture scientifique et sont tous deux mariés. Claude s'apprête à être père, comme Boris.

Il y a une autre chose que Claude apprécie chez Boris. Au contraire des musiciens qui généralement n'aiment pas que le batteur se fasse trop entendre, Boris lui demande de jouer fort ! C'est le genre de détails qui comptent…

Leur expérience commune au Royal Villiers sera limitée. Au bout de deux ou trois fois, ils finissent par se disputer avec le patron. Celui qui devait les payer en dollars leur refuse le pourcentage minimum sous prétexte que la clientèle est trop clairsemée. « Puisqu'il ne veut pas nous payer, nous allons emporter quelques notes du piano », propose Boris. Et l'orchestre, avant son départ, « emprunte » trois marteaux à l'instrument. Bien sûr, les musiciens ne remettront plus les pieds dans cette brasserie. Peu importe, puisqu'on les demande partout. Les « Amerlauds » ont besoin de distractions. Même si elle possède ses propres orchestres, dont Glenn Miller sera le chef officiel après le débarquement (le Major, un vrai, celui-là !), l'armée américaine a besoin de renfort.

L'orchestre reçoit de nombreuses propositions, cependant les organisateurs manquent souvent à leur parole. Les musiciens jouent certes pour le plaisir, mais, se considérant aussi bons que des professionnels, ne sont pas décidés à se faire gruger par des patrons de bar. Jamais à court d'invention, Boris a créé le verbe « pologner », c'est-à-dire se répartir la recette, en référence au partage de la

Pologne en septembre 1939. Lorsque Claude Abadie leur propose une affaire, les musiciens demandent : « Ça pologne de combien ? » Parfois, quand le cachet est maigre, l'opération est ardue. Les compères ont parfois des fins de soirée difficiles et retournent chez eux à pied.

Certains soirs sont très joyeux, l'humour potache règne en maître. D'autres tournent mal, comme le gala de Livry-Gargan pour « Ceux de la Résistance ». Les responsables de l'association demandent à l'orchestre d'entonner en ouverture les hymnes nationaux anglais, américain, français et russe. Boris demande en riant s'ils devront jouer *L'Internationale*. Les organisateurs se fâchent. L'orchestre, composé de Claude Abadie, de Claude Léon, de Boris Vian et des frères Fol, se met à « swinguer » les hymnes. C'est une levée de boucliers dans l'assistance, qui menace les musiciens et les accuse d'être de mauvais patriotes.

On ne plaisante pas sur des sujets pareils. Des incidents clôturent chaque morceau. Les organisateurs rugissent contre cette « musique de sauvages ». On peut se demander pourquoi ils ont invité des jazzmen, plus portés sur la légèreté et la dérision que sur les marches militaires. Les incidents se multiplient. Les musiciens ne songent plus qu'à rentrer chez eux au plus vite.

Ce gala surréaliste s'achève enfin à quatre heures du matin, aussi mal qu'il a commencé. L'organisateur principal avait promis de ramener l'orchestre à Paris dans une camionnette de pompiers mais il se ravise : « Puisque vous avez été désagréables, je ne vous ramènerai pas. » Une nouvelle dispute éclate, assez violente. Boris jette de l'huile sur le feu, asticote le malheureux. Celui-ci rétorque en parlant de ses décorations et de sa trépanation pendant la guerre de 1914. Le Major, comme toujours de la partie, décide de faire diversion. Il fait sauter son œil de verre et s'écrie : « Et celui-là, pensez-vous que je l'ai fait sauter avec un bilboquet ? » S'ensuit une scène émouvante où l'ancien combattant et le Major se tombent dans les bras. Puis la dispute reprend de plus belle et les musiciens doivent gagner la gare de Livry-Gargan à pied sous la neige. Problème, le Major est complètement ivre. Claude Léon raconte :

> Et nous voilà partis pour la gare de Livry-Gargan, tenant le Major ivre mort sous les bras. Boris d'un côté avec sa trompette, moi de l'autre avec ma grosse caisse. Et tout à coup, sur ce long chemin, Boris constate effaré : « Nous avons perdu le Major. » Et de fait nous ne tenions plus que les manches du pardessus du Major. Nous nous retournons et nous apercevons le Major étendu de tout son long dans la neige, endormi comme un enfant. Nous avons empaqueté notre Major et nous l'avons déposé au premier bistrot venu[6].

Arrivés à Paris, les musiciens réalisent qu'ils ont oublié de prendre l'adresse du bistrot. Ils s'inquiètent pour le garçon, regrettent de ne pas l'avoir envoyé à l'hôpital. Ils s'appellent et téléphonent aux autres membres de l'orchestre. Mais personne ne sait ce que le Major est devenu.

L'attente durera trois jours, au terme desquels le Major réapparaît, en pleine forme, ragaillardi par sa petite aventure et par la poule au riz, spécialité de la patronne qui l'a nourri et dorloté.

Boris, qui est plutôt sobre ou se contente d'un cocktail lors d'une soirée, s'amuse toujours des exploits du Major, de ses mots, de ses folies, de sa façon d'affronter l'absurdité du monde.

Le débarquement allié a permis à Jacques Loustalot de s'affranchir de la tutelle paternelle. Après avoir occupé un poste de « technicien des transmissions » au ministère de l'Intérieur, obtenu grâce à son oncle, général à Vichy, il est revenu vivre chez sa mère à Paris. Il porte désormais une fine moustache pour se vieillir un peu. Il lui arrive également de revêtir un uniforme kaki acheté à un militaire américain ivre. Ce nouveau costume lui sied a ravir. Il l'arbore dans les boîtes de la capitale ou dans les nombreuses surprises-parties où il se rend sans y être invité. Son allure singulière l'en fait renvoyer régulièrement et, en guise de représailles, il peut se saisir de la boîte d'aiguilles à pick-up et les avaler devant les invités épouvantés. L'attitude du Major est proprement dadaïste.

Son œil de verre lui permet, une fois de plus, d'horrifier ses hôtes d'un soir. Quoi de plus impressionnant, pour forcer le respect, que de s'enfoncer une aiguille dans l'œil. Quand l'envie lui en prend, il lui arrive aussi de mettre un appartement à sac avec ses « aides de camp ». Il est également fréquent pour le Major de s'éclipser de ces soirées en sautant par la fenêtre ou, s'aidant d'une corde confectionnée avec des draps de la maison, de se laisser glisser le long de la façade. Les folies du Major fourniront à Boris le motif d'une nouvelle, publiée le 12 juillet 1947 dans *Samedi-Soir* : « Surprise-partie chez Léobille ». Elle dépeint les exactions du terrible Jacques Loustalot dont il décrit « la conscience troublée », et « l'horrible petite moustache qu'il cultivait vicieusement sur sa lèvre supérieure ». En ce matin de gueule de bois, le Major, en ricanant, prépare « le sabotage de la surprise-partie de Léobille, dont il désirait tirer vengeance[7] ».

Rarement personnage aura fourni autant de matière à un écrivain. Le Major, il est vrai, a l'art de mettre sa vie en scène.

Un soir, il réussit même à mimer un assaut dans un beau quartier de Paris, où il a réalisé des barricades composées d'un amas de meubles, et fait mine d'être blessé par des complices avant de s'écrouler au sol, raide mort. Le Major se relève alors, applaudi par les larrons qui traînent dans son sillage.

En ces temps de Libération et de liesse populaire, les bandes se forment tout naturellement, les occasions de rencontres sont nombreuses, les complicités se créent chez des jeunes qui ne songent qu'à faire la fête. Pour éviter tout problème, on évite d'interroger son interlocuteur sur son passé et sur ses faits et gestes sous l'Occupation. Dans le contexte de la Libération, le moindre sous-entendu est explosif.

Boris a une vie plus rangée que celle du Major. Il travaille et a une famille. Il ne participe pas plus aux virées nocturnes de Loustalot et de ses compagnons d'un soir qu'aux salons mondains de la capitale. Ses nuits sont consacrées au jazz. Comme il l'a expliqué dans *En avant la zizique* : « L'Occupation allemande et les diverses interdictions proclamées à l'encontre du jazz attisaient sournoisement cette forme de résistance un peu puérile mais si gaie qui aboutissait à jouer *Lady be good*, œuvre du compositeur juif [...] Gershwin, en la rebaptisant, bénigne contrepèterie : *Les Bigoudis* [8]. »

Michelle et lui vont tout naturellement à la rencontre des GI, ces grands soldats kaki dont il écrit : « Ils étaient notre liberté. » Mais ces premiers échanges le laissent perplexe. Les militaires qu'il croise sont très peu conformes à l'image qu'on en donne : ils sont indisciplinés, décontractés, distribuent chewing-gums, chocolats et cigarettes au tout-venant et toujours à l'affût d'un coup à boire. Ils réclament à tout bout de champ des cocktails répugnants (moitié beaujolais, moitié lait condensé, *do you have?*). Certains recherchent des « marraines de guerre » ou des filles de rencontre (d'autres au contraire se montrent très puritains). Quelques-uns crachent leur mépris au passage de leurs officiers ou les accompagnent d'un *shit* sifflé entre les dents.

Michelle réussit à se faire embaucher au club du boulevard des Capucines, le Rainbow Corner — qui, en principe, proscrit les femmes mariées —, où des jeunes femmes du XVIᵉ arrondissement servent de guide ou d'hôtesses aux Alliés. Michelle parle parfaitement l'anglais et peut donc aider les GI dans leur visite de la capitale, toujours épaulée par le Major, qui devient vite un habitué des lieux. Un soir, Michelle et Boris invitent quelques Américains à Ville-d'Avray. On leur sert des légumes et les rares denrées disponibles. Le lendemain, les soldats reviennent les bras chargés de rations militaires pour un repas nettement plus copieux...

Ils sont sympas les Amerlauds, même s'ils ne savent pas danser. Pourtant, Michelle et Boris sont choqués par le racisme ordinaire dont font preuve les Blancs envers leurs frères noirs. Cette découverte ne sera pas étrangère au choix du thème de *J'irai cracher sur vos tombes*. Les Américains font également preuve d'une ignorance crasse en matière de jazz. Les membres du Hot Club de France sont bien plus au courant de la musique outre-Atlantique que les GI. Un tel constat aura sans doute une influence sur le fait que Boris, féru de littérature et de musique américaines, ne cherchera jamais à se rendre aux États-Unis (même s'il raconte un voyage imaginaire à New York dans une « Chronique du Menteur »). Comme l'écrit Gilbert Pestureau, « il choisit donc l'Amérique rêvée contre l'Amérique réelle, et ce rêve devance celui des modernes hippies [...] ; mais surtout son œuvre entière est une défense et illustration avant la lettre de la devise *Make Love, not War* [9] ».

En cette fin d'année 1944, l'œuvre romanesque de Boris est encore à venir. Mais tout ce qu'il vit, la prise de conscience des horreurs de la guerre, celle de la ségrégation raciale aux États-Unis, les beaux jours de la Libération, l'ennui profond à l'Afnor, la rencontre avec Claude Léon, les éternels exploits du Major constituent autant d'éléments fondateurs de cette œuvre future.

Enfin, la nuit du 22 au 23 novembre est marquée par un drame terrible, une catastrophe après laquelle Boris ne sera plus jamais tout à fait le même. Son père Paul est assassiné par des inconnus qui ont réussi à pénétrer par effraction rue Pradier. La Mère Pouche et sa sœur Tata, les enfants et Joëlle, la fille que Ninon a eue de son mariage avec Jean Lespitaon, dorment alors au premier étage. Paul, réveillé en sursaut par un bruit, descend l'escalier avec précaution. Le remue-ménage et la lumière devraient, selon lui, suffire à faire fuir les intrus. Mais Tata s'est réveillée aussi et elle s'empare d'un objet lourd. Croyant Paul menacé, elle vise un homme, surpris au bas de l'escalier. L'intrus tire et Paul s'effondre. Les maraudeurs, au nombre de trois, s'enfuient. On a dit qu'ils portaient des brassards des FFI. Difficile dans le chaos de la Libération de distinguer le bon grain de l'ivraie. On sait que des voyous et des cambrioleurs visitent les demeures isolées sous le prétexte de chasser le collabo. Quoi qu'il en soit, Paul a succombé à la balle d'un colt 45, l'arme des officiers américains, avant même son arrivée à l'hôpital.

Boris apprend la nouvelle alors qu'il rentre d'un concert pour les GI. Il ne reverra son père que mort. À l'époque, Lélio, Alain et Jean Lespitaon sont encore en Allemagne et personne n'a le courage de les prévenir. Ils ignoreront le décès de Paul jusqu'à leur retour. Boris se retrouve le seul garçon de la famille à accompagner sa mère, sa tante et sa sœur au cimetière de Marne-la-Coquette qui jouxte la ville.

L'enquête ouverte durant l'hiver 1944-1945 tourne court. Les crimes sont légion en ces premiers mois de la Libération. Faute de suspects, le dossier est déclaré clos le 17 janvier 1945.

Les Vian avaient passé leur vie à protéger leur famille du monde environnant, ils avaient peur de cet univers menaçant et se méfiaient de tout. Mais cet ennemi extérieur a fini par s'introduire et par détruire leur harmonie, ce que même la ruine ni la guerre n'avaient réussi à faire. Les Vian sont chassés du paradis qu'ils avaient construit avec tant d'amour. Ils doivent vendre Les Fauvettes ainsi que la maison du gardien qu'ils occupent toujours. Jean Rostand engage La Pipe à son service. Le beau-père de Ninon procure un appartement aux trois femmes, au 30 du boulevard Exelmans, dans le XVIe arrondissement. Il réussit également à leur faire obtenir des indemnités pour dommages de guerre.

Adieu la jeunesse, adieu le cercle Legateux et les surprises-parties. Boris reviendra parfois à Ville-d'Avray pour y disputer une partie d'échecs avec François. Mais les beaux dimanches de Ville-d'Avray sont révolus. Par la suite, Boris possédera toujours une arme à feu, au grand étonnement de ses proches. Il ne s'en expliquera pas.

« Après la mort de son père, pendant quinze jours, il n'a pas parlé, confiera Michelle Vian.

Ensuite, il n'a plus été tout à fait le même. Il avait perdu une part de sa gaîté[10]. »

Au fil du temps, les femmes de la famille Vian, qui ne se remettront jamais du drame, vont vivre une existence affligée. La Mère Pouche et sa sœur habiteront des logements de plus en plus petits, comme les héros des *Bâtisseurs d'empire*. La charmante et fragile Ninon divorcera d'avec Zizi. Atteinte de diabète, elle retournera vivre avec sa mère et sa fille. La charge du chef de famille revient à Boris. Son père la lui a léguée par testament.

# L'entrée en littérature

*Le temps perdu c'est le temps pendant lequel on est à la merci des autres.*

BORIS VIAN

Après la vente de Ville-d'Avray, Michelle et Boris s'installent dans l'appartement des Léglise, également occupé par Claude, le frère de Michelle. Celui-ci est revenu du Canada, où il travaillait dans les états-majors alliés.

Durant cet hiver froid, Boris se réchauffe à sa manière en bricolant des meubles et des étagères rue du Faubourg-Poissonnière. Cette saison amorce pour lui un tournant que signale son impatience chronique. Il n'est pas satisfait de sa vie. L'Afnor l'ennuie plus que jamais. Ses relations avec M. Lhoste, « un sinistre emmerdeur », sont loin d'être au beau fixe. Celui-ci n'apprécie pas à sa juste mesure l'humour de cet ingénieur qui a produit une norme insolite dite « Gamme d'injures normalisées pour Français moyen ». Boris y opère une classification selon le type de l'injurié : ecclésiastique, intellectuel, homme de loi, capitaine au long cours ou militaire. Malgré ces facéties qui amusent ses collègues, il ne saurait rester en place et se contenter de cette vie. Son salaire lui paraît insuffisant pour subvenir aux besoins du ménage.

La Libération est une période de vaches maigres pour le couple. À court d'argent, Michelle fait jouer ses relations, parmi lesquelles la couturière Simone Baron, pour trouver de l'argent. Elle pose pour les pages de *Plaire*, un magazine suisse, et apparaît dans quelques réclames. Elle poursuit aussi son activité de chroniqueuse de cinéma pour *Les Amis des Arts*. C'est d'ailleurs grâce à elle que Boris fait ses premiers pas de critique, une profession qu'il a pourtant conspuée toute sa vie. Sous le doux pseudonyme de Hugo Hachebuisson — inspiré du Dr Hackenbush des Marx Brothers dans *La Soupe au canard* —, il prend en main la rubrique littéraire, tandis que Raymond Fol chronique la musique. Vian rend ainsi un article sur les sources d'*Ubu roi*. L'article se présente comme une défense d'Alfred Jarry, accusé d'avoir pillé son personnage dans les écrits de deux potaches du lycée de Rennes.

Vian rendra vite son tablier de critique littéraire. Il n'est pas emballé par une publication qui l'oblige à produire des articles trop didactiques à son goût. De plus, et c'est une déplorable tradition dans le milieu culturel, les piges sont à peine rétribuées. À la suite d'une explication orageuse sur ce thème, le sieur Hachebuisson claque avec soulagement la porte des *Amis des Arts*.

Boris rêve toujours d'une autre vie. Il est sans

illusion sur son avenir de trompettiste. Cette passion restera un à-côté, il le sait. Et puis, jusqu'à quand sa santé lui permettra-t-elle de s'y adonner ? Il sait depuis toujours qu'il doit aller vite. Cela lui confère un côté «homme pressé». Et puis il rêve de retrouver l'aisance des beaux jours de Ville-d'Avray. Aisance matérielle mais aussi morale, joie de vivre et insouciance de cette époque révolue.

Cela fait quelque temps que Boris écrit des «œuvrettes», comme il dit, sans autre prétention que celle de «distraire [ses] copains». D'une certaine façon, il redoute l'épreuve du feu, le regard des professionnels, l'avis du public. Son passage de l'écrivain amateur à l'auteur publié se fera presque par hasard.

Son ami d'enfance, François Rostand, a lu le manuscrit de *Vercoquin et le plancton*, et a montré le livre à son père, Jean. Le ton grinçant et l'impertinence du texte ont intéressé le savant. À son tour, celui-ci a eu l'idée de le confier à l'éditeur de ses ouvrages scientifiques, qui n'est autre que Raymond Queneau. Le romancier occupe depuis 1941 le poste prestigieux de secrétaire général des éditions Gallimard. Il a justement le projet d'une nouvelle collection, «La Plume au vent», destinée à lancer de nouveaux talents comme Robert Scipion et Yves Gibeau, ses futurs poulains.

Le livre plaît à Queneau, qui demande quelques retouches mineures. Michelle retape le manuscrit, allégé par exemple d'une page de garde excessivement longue :

*Vercoquin et le plancton*. Grand roman poliçon [*sic*] en quatre parties réunies formant au total un seul roman par Bison Ravi chantre espécial du Major.

Suivi d'une épigraphe pour initiés :

Elle avait des goûts d'riche, Colombe... Paix à ses cendres. Vive le Major. Ainsi soit Thill (Marcel).

Avec un bon sens d'éditeur, Queneau fait remarquer à l'auteur que le nom de Boris Vian sonne un peu mieux que « Bison Ravi ».

Ravi, Boris l'est. Édité chez Gallimard, il va rencontrer son directeur de collection dont il a lu certains ouvrages et qu'il admire. À peine a-t-il fait sa connaissance qu'il entreprend une sorte de cour empressée pour plaire à ce nouveau maître en littérature. Il se procure les romans de Queneau qu'il n'a pas encore lus, chronique le dernier paru, *Loin de Rueil*, dans un article du 1er avril 1945 : « Il est difficile cependant de s'empêcher de penser à Joyce en lisant ces pages plaisantes », s'emporte Hugo Hachebuisson[1].

Cela ne lui interdit pas, dans une première lettre à Queneau au mois de juin, de faire preuve de sa liberté de ton habituelle, alors qu'il n'a encore rencontré Raymond que dans un contexte professionnel :

Je n'arrive pas à vous joindre au téléphone, et la lettre est le plus sûr moyen qui me reste de vous importuner. Je voudrais vous rapporter les deux romans policiers de *Wheatley* que vous m'aviez prêtés le 30 mai, et aussi *Vercoquin* qui est retapé. Voudriez-vous, par le moyen que vous voudrez, avoir l'obligeance de me faire savoir quel jour de quelle semaine vous pourriez les recevoir – je serai là aussi, malheureusement pour vous. Je m'excuse encore de vous déranger mais vous m'aviez si aimablement reçu que j'en conçois une grande impudence [2].

Une deuxième lettre, datée du 28 juin, est rédigée sur les portées de deux feuilles de papier à musique. Boris soumet alors à Queneau ses *Cent sonnets*, ses premiers poèmes qu'il a classés dans un cahier à spirale et que son beau-frère Claude Léglise a illustrés sous le pseudonyme de Peter Gna :

Cher Monsieur,
La lettre étant un moyen d'importuner beaucoup plus sûr que le téléphone, surtout quand on choisit mal, avec constance et perversité, ses heures d'appel, je me permets de vous signaler musicalement la conclusion du remaniement partiel de *Vercoquin*. [...] J'y joindrai pour le même prix cent sonnets inédits, mais d'un modèle classique et éprouvé, agrémentés de quelques fioritures et accessoires dont l'ineptie ne se peut comparer qu'à celle du principal [3].

En réponse à cette lettre, Queneau invite Boris à le retrouver dans un café, le 4 juillet. Boris note dans son agenda : « Parlé de Cheyney, de Miller, d'Aymé. »

Après cette rencontre bien dans les formes, le naturel de Boris reprend vite le dessus. Il passe voir Queneau chez Gallimard sans prévenir, l'accompagne dans ses longues flâneries à la recherche des coins insolites de Paris, fréquente avec lui les bouquinistes et va jusqu'à faire résonner sa trompinette dans les vénérables locaux de l'éditeur, rue Sébastien-Bottin. Tout est bon pour séduire son prestigieux aîné. Raymond sourit et se laisse entraîner dans les bars de la place Clichy, où il fait la rencontre de l'inévitable Major. Il se rend même avec son protégé chez les Rostand pour jouer aux échecs. Boris a l'art d'intégrer tout nouvel arrivant à son univers. Il ne cloisonne pas, ne compartimente rien dans sa vie. Ses copains de virée sont des amis de travail et il reste tel qu'en lui-même partout où il se trouve.

Mais, aux yeux de Boris, l'éditeur représente plus qu'un ami. Cet ancien compagnon des surréalistes et membre du Collège de 'Pataphysique est déjà un père spirituel.

Âgé à l'époque de 42 ans, Queneau est loin d'être l'auteur le plus en vue du moment. Il jouit toutefois d'une certaine considération dans le milieu littéraire, qui lui a décerné le prix des Deux-Magots en 1933 pour *Le Chiendent*, œuvre novatrice, d'une composition complexe. Flatté par l'admiration de Boris, l'écrivain l'a aussi apprécié d'emblée. Ils partagent de nombreux points communs, dont une affection chronique — Queneau est asthmatique —, et possèdent le même type d'esprit curieux et facétieux, ouvert à toutes formes d'art et de culture. Raymond, comme Boris, s'adonne à l'exploration de domaines variés. Il est, comme lui, un amateur multiforme. Ce terme d'amateur n'a rien d'injurieux ni pour l'un ni pour l'autre. Au contraire, selon Queneau, la notion d'amateurisme, si mal comprise dans la société actuelle, est noble en ce qu'elle s'assimile, comme l'expliqua Jacques Roubaud[4], à la « non-recherche d'une carrière » et qu'elle représente une « exigence de compréhension autant que de découverte ».

Le futur fondateur de l'Oulipo (Ouvroir de Littérature Potentielle) aime mêler science et poésie. Il est membre de la Société mathématique de France et abonné à diverses revues scientifiques américaines. Lui-même publie des chroniques pour des revues françaises. Il accorde une grande place à la peinture, qu'il pratique depuis des années, aime le cinéma, la chanson (il écrira *Si tu t'imagines* pour Juliette Gréco). Il fait de la radio et traduit des ouvrages anglais et américains, comme Boris le fera par la suite. Ce collectionneur de « fous littéraires » comprend d'emblée les possibilités de Boris et, par la suite, le défendra envers et contre tous. Ils ont tant de points communs, dont le même amour pour la langue et ses distorsions : langue verte pour Queneau, argot des casseurs de Colombes que Boris va découvrir deux ans plus tard. Ils possèdent également le même goût enfantin pour le calembour et la contrepèterie, la même passion surtout pour toute forme de jeux de langage. Tous deux écrivent des poèmes et, bien qu'il occupe un fauteuil respecté dans le monde des lettres, Queneau reste un esprit indépendant, impertinent et expérimentateur.

Boris arrive à point nommé dans sa vie. Car durant ce « rude hiver » 1945, où il vient de renoncer à la peinture et émerge d'une longue psychanalyse, Raymond a grand besoin de se distraire. Par ailleurs, s'il participe au comité de lecture de Gallimard, il s'y sent souvent un peu isolé.

Queneau présente son protégé à son ami Michel Leiris ainsi qu'au dramaturge Armand Salacrou. Il l'entraîne dans des vernissages. Bref, ils ne se quittent plus.

Boris n'est pas pour autant intronisé dans le petit milieu littéraire, car son roman ne paraîtra qu'en 1947. Mais, sur cette lancée prometteuse, il continue d'écrire. Cette fois pour être publié.

En cette année charnière, et comme à son habitude, Boris multiplie les activités et les expériences. Au cours de l'été, sans doute grâce aux relations d'Alain dans le milieu du cinéma, il participe à un film qui nécessite un orchestre de jazz, *Madame et son flirt* * de Jean de Marguerat, avec la comédienne Gisèle Pascal et Robert Dhéry, le créateur des « Branquignols ». Formé à l'école du cirque, ce dernier fera montre, au cours de ce tournage héroïque, de ses dons de danseur « à l'instinct ».

Boris téléphone à son ami Claude Léon, qui travaille à l'Office du papier. Il lui demande s'il peut prendre deux jours de congé pour figurer dans l'orchestre. Lui-même s'est débrouillé pour se libérer de l'Afnor car l'aventure l'amuse. Durant cet épisode qui inspirera à Boris sa nouvelle « Le Figurant », les deux frères, aidés par leur complice Dody, sèment une fameuse pagaille sur le tournage. Blessé à la main et affublé d'un énorme bandage,

* Un titre prémonitoire pour Boris, qui semble y avoir fait avec une jolie actrice la première entaille à son contrat de mariage.

Alain se dissimule derrière un autre musicien. Il fait semblant de jouer du saxophone, instrument qu'il n'a jamais touché de sa vie. Claude Léon raconte :

Contrairement à tous les autres orchestres qui s'exhibent dans les films, nous, nous aimions jouer ! On jouait partout et tout le temps, et les comédiens, les techniciens, les machinistes s'amusaient beaucoup : ils venaient nous voir, ils dansaient. On jouait dans les cintres, derrière les décors ; quand on nous expulsait du plateau, on nous retrouvait dans les loges. Notre séquence aurait dû représenter une journée ou deux de tournage : nous sommes restés une semaine ; les gens s'étaient habitués à nous, ils s'amusaient bien, sauf le metteur en scène qui devenait fou, mais comme il était déjà sérieusement entamé au départ, ça ne gênait personne [5].

Boris a un nouvel auditoire devant lequel il ne se prive pas, aidé par Claude Léon, de faire le pitre, l'air le plus sérieux du monde. Il sidère l'assistance par son art de tenir une conversation délirante, à bâtons rompus, à base de propos sérieux, mais sans queue ni tête. Il se lance avec le plus grand flegme, de sa voix rapide et haut perchée, dans des raisonnements paralogiques totalement impossibles à suivre et surtout à contrecarrer. À la fin du tournage, un jeune homme s'avance vers le tandem :

« Qu'est ce que vous faites après ? demande-t-il.
— Nous ? On retourne au bureau.
— Au bureau ? » s'étonne le figurant.

Claude Léon commente :

Nous avons tout de suite compris que nous tenions un sujet en or. Et nous avons passé un après-midi avec ce brave garçon pour lui expliquer qu'un figurant c'est une chose qui n'existe pas, un mythe, et je vous jure qu'il finissait par se demander s'il ne rêvait pas, s'il existait bien lui-même ; il finissait par douter de sa propre existence[6].

Boris est ravi. Non seulement il a réussi une belle démonstration par l'absurde mais il tient un sujet de nouvelle. Il adore ça, traiter de sujets graves, voire philosophiques, sur un mode ubuesque, tout cela dans un décor et une atmosphère dignes d'*Hellzapoppin'* *.

Le poète s'amuse. Il oublie la maladie, la mort de son père, les soucis financiers, l'ennui du bureau. Il est à l'aise dans le fouillis qu'il crée et qui n'est pas sans lui rappeler l'époque bénie de Ville-d'Avray.

Il y a un point sur lequel il ne s'est jamais trompé, ne se laissant jamais mener par la routine car le temps lui était compté : il savait que la vraie vie n'est jamais à remettre à plus tard. Il faut tenter de la vivre au plus fort chaque jour. Tout ce joyeux désordre préfigure la grande époque, l'ère de Saint-Germain-des-Prés, l'existentialisme, l'apogée de Boris, sa période mythique.

* Comédie réalisée en 1941 par Henry C. Potter (États-Unis).

# L'Écume et la Nausée

> *Vian mettait autant de feu à détester les « affreux »*
> *qu'à aimer ce qu'il aimait.*
>
> SIMONE DE BEAUVOIR

Après cette année tumultueuse, où l'orchestre Claude Abadie joue plus que jamais, Michelle et Boris décident de prendre quinze jours de vacances à Saint-Jean-de-Luz. Le Major doit les y rejoindre avec sa nouvelle petite amie. Se serait-il rangé, à présent qu'il vend des cravates pour aider sa mère ? La série aberrante de pannes et d'incidents qui jalonnent son arrivée au Pays basque avec plusieurs jours de retard prouve que non. Ces aventures du Major inspireront à Vian la nouvelle « Les Remparts du Sud ».

Boris possède en effet un grand nombre de ces *short stories* plus ou moins en chantier mais toujours rangées avec soin dans ses classeurs. Il signera d'ailleurs l'année suivante un contrat pour un recueil intitulé *Les Lunettes fourrées* sans avoir montré le début d'une seule nouvelle. Queneau a visiblement une confiance absolue en son protégé.

Ce dernier est galvanisé. Le voilà officiellement écrivain. Pas trop tôt pour un être qui semble avoir engagé une course contre la montre. C'est qu'il a déjà un quart de siècle ! Il résume ses impressions de l'époque et formule sa vision de la littérature dans son journal :

... J'avais attendu d'avoir 23 ans pour écrire. Hein, les jeunes. C'est de l'abnégation. Ensuite, j'ai essayé de raconter aux gens des histoires qu'ils n'avaient jamais lues. Connerie pure, double connerie : ils n'aiment que ce qu'ils connaissent déjà ; mais moi j'y prends pas plaisir, à ce que je connais, en littérature. Au fond, je me les racontais les histoires. J'aurais aimé les lire dans des livres d'autres. Mais maintenant, vous me direz, j'écris pourtant des trucs que je connais ; et ben, d'accord et chiche que vous n'appellerez pas ça de la littérature ; je dis vous au pluriel — y aura bien quelques personnes pour me lire, soyez décents, quoi. Et même si non. J'ai bien le droit de m'adresser à des gens qui n'entendent pas ? Bref, enfin, je n'ai pas raconté mes amours dans un premier roman, mon éducation dans un second, ma chaude-pisse dans un troisième, ma vie militaire dans un quatrième ; j'ai parlé que de trucs dont j'ignore véritablement tout. C'est ça la vraie honnêteté intellectuelle. On ne peut pas trahir son sujet quand on n'a pas de sujet — ou quand il n'est pas réel[1].

Une fois de plus, à la lecture de ces notes jetées au fil de la plume sur le papier, on est frappé par la pertinence de la pensée de l'auteur, son impertinence également vis-à-vis du milieu littéraire (« Ils n'aiment que ce qu'ils connaissent déjà » : s'agit-il du public ou des éditeurs ? les deux, à l'évidence, le premier lit ce que les seconds lui vendent). Cette manière frondeuse laisse malheureusement deviner des lendemains difficiles dans un univers aux règles très codifiées.

On est frappé par sa caricature des productions littéraires. Elle annonce de manière quasi visionnaire le phénomène à venir de l'autofiction. On imagine combien Boris aurait eu à s'amuser, et à fulminer à la fois, de cette profusion des « ego » sur le marché du livre...

Pour l'heure, il n'en est pas aux bilans. Il fourmille d'idées depuis qu'il est reconnu écrivain, note idées, projets de romans et de nouvelles en vrac sur ses carnets. À la fin de l'année 1945, il n'a cependant achevé que « Martin m'a téléphoné à cinq heures », le récit d'une soirée dans un club privé écrit à la manière des romans noirs américains (excepté la chute bien vianesque où le héros se change en canard). Cette nouvelle, comme bien d'autres, comme *Troubles dans les Andains*, et de nombreuses pièces de théâtre, ne sera publiée qu'à titre posthume. Mais Boris écrit si vite et a si peu de temps devant lui qu'il se contente souvent de griffonner des textes qu'il glisse dans des classeurs. Par ailleurs, en cet hiver 1945-1946, un projet de plus grande ampleur lui tient profondément à cœur. Celui-ci ne se concrétisera que l'année suivante. Cela s'appellera *L'Écume des jours*.

Boris le rêveur fonce tête baissée dans l'existence. Il en accélère la cadence. Il quitte enfin l'Afnor, sans qu'on sache vraiment si le sinistre M. Lhoste, excédé par ses insolences, l'a licencié ou si c'est lui qui a pris les devants. Doddy, qui travaille à l'Office du papier — sorte de temple dédié au culte des ronds-de-cuir —, a pris les choses en main. Claude Léon, de son propre aveu, n'y a strictement rien à faire. Aussi, lorsque son directeur lui demande s'il voit quelqu'un capable de le seconder, pense-t-il tout naturellement à son ami. « Me seconder à ne rien faire, pense Doddy, voilà qui conviendrait parfaitement à Boris. » D'autant que la rémunération de 20 000 francs de salaire brut mensuel est tout à fait confortable pour l'époque. Boris se présente au directeur, qui le trouve sympathique et l'engage sur-le-champ. On installe les deux compères dans le même bureau. Claude y est théoriquement affecté à la chimie et Boris à la mécanique et à la physique. Ni l'un ni l'autre n'abuseront de leur autorité sur l'industrie du papier, dont ils doivent surveiller le respect des règles techniques. Ils préféreront de loin s'amuser ou s'indigner du vocabulaire, des néologismes et des barbarismes qui sévissent dans le secteur.

Doddy a donné un coup de main précieux à Boris car, dans ce havre de paix qu'est l'Office du papier, il écrira ses œuvres les plus importantes en toute quiétude, sans les soucis matériels qu'il connaîtra par la suite. Bison a trouvé, comme on dit, une sinécure.

Dans un premier temps, il termine *L'Écume des jours*, à l'encre « bleu des mers du Sud », d'une écriture vive et sûre, totalement inspirée. Le manuscrit de deux cent vingt-deux pages comporte fort peu de retouches et de ratures. Boris connaît cette période heureuse des auteurs lorsqu'ils écrivent « sous dictée », généralement leurs meilleurs textes.

Ce roman est magique, inoubliable. On n'a rien lu de tel avant, on ne lira rien de semblable après.

Commencé au printemps, rédigé au dos d'imprimés de l'Afnor au mois de mars, le manuscrit est daté du 10 mars 1946, date du vingt-sixième anniversaire de l'auteur. Mais, comme le souligne Gilbert Pestureau[2], cette date est vraisemblablement fantaisiste, bien que Boris ait effectivement terminé son manuscrit en mars. Tout aussi fantaisiste, la mystérieuse mention finale « Memphis-Davenport », où l'auteur est censé avoir commencé et achevé son livre. Ces lieux imaginaires signalent à la fois sa fascination pour un pays qu'il préfère rêver que visiter. Pour le père de Chloé et de Colin, l'Amérique est avant tout la patrie du jazz qui insuffle à son texte des volutes de phrases sinueuses et bleutées.

L'avant-propos du livre peut être considéré comme une profession de foi de Boris, une définition de sa vision du monde et de sa conception de la littérature :

Dans la vie, l'essentiel est de porter sur tout des jugements *a priori*. Il apparaît en effet que les masses ont tort, et les individus toujours raison. Il faut se garder d'en déduire des règles de conduite : elles ne doivent pas avoir besoin d'être formulées pour qu'on les suive. Il y a seulement deux choses : c'est l'amour, de toutes les façons, avec des jolies filles, et la musique de La Nouvelle-Orléans ou de Duke Ellington. Le reste devrait disparaître, car le reste est laid, et les quelques pages de démonstration qui suivent tirent toute leur force du fait que l'histoire est entièrement vraie, puisque je l'ai imaginée d'un bout à l'autre. Sa réalisation matérielle proprement dite consiste essentiellement en une projection de la réalité, en

atmosphère biaise et chauffée, sur un plan de référence irré-
gulièrement ondulé et présentant de la distorsion. On le voit,
c'est un procédé avouable, s'il en fut[3].

Inoubliable, en effet, cette présentation « biai-
sée » d'un univers en perpétuelle expansion ou à
l'inverse en rétraction (la chambre rétrécit en même
temps que Chloé se meurt). L'insolite est une com-
posante essentielle du récit : les objets ont une âme
(les disques à « l'âme spiralée » attendent d'être
joués), les souris aux moustaches noires sont
douées de raison. On a dit de *L'Écume des jours*,
avec parfois une moue dédaigneuse, que c'était le
surréalisme dans la rue. André Breton et son
groupe avaient toujours manifesté une franche
aversion à l'égard du roman. Boris Vian ne s'est
jamais réclamé du mouvement surréaliste, mais il
est imprégné de cette atmosphère onirique prônée
par ses instigateurs et l'on retrouve également sa
vision distordue du monde dans ses quelques pein-
tures.

Cependant, ce qui fait la particularité de Vian,
c'est de n'être jamais réductible à une école, à une
époque ou à un style. Surréaliste, *L'Écume des
jours* est aussi un conte romantique qui s'ancre
dans une tradition des plus classiques du roman
d'amour. On peut le lire comme un avatar de Tris-
tan et Yseult. Queneau y voit ainsi « le plus poignant des romans d'amour contemporains », et le
juge « très en avance sur son temps ». Car le romantisme de Vian possède son antidote immédiat.
L'humour corrosif et l'absurde « cassent » en per-

manence l'émotion toujours présente. Et viennent souligner le merveilleux qui fonde l'esprit du texte. *L'Écume des jours* est une histoire simple, pourtant son analyse est d'une étrange complexité. Elle est même quasi impossible, tant sa « projection de la réalité » comporte de niveaux d'interprétation. Sur une trame traditionnelle, ce petit joyau invente un style inimitable de fantaisie, de créations littéraires, de *private jokes*, de références cocasses. Avec audace, l'œuvre littéraire revendique une composition jazzistique, des développements presque concentriques autour d'un thème récurrent.

Pour des générations et des générations, l'histoire de Colin et de Chloé reste un livre initiatique, voire un rite de passage de l'enfance à l'adolescence. Vian lui-même demeure l'un des modes d'accès à la littérature aux yeux de nombreux adolescents, qui, grâce à lui, traversent le miroir avec la légèreté et le poids de souffrance lucide qu'il faut pour accomplir ce passage.

Le monde dans lequel évolue Colin est un univers rêvé, entièrement créé par lui, voué aux plaisirs, aux amis, à la souris confidente, à sa coiffure, à ses sorties, au jazz, à la préparation de cocktails (d'où la fameuse invention du piano à cocktail, le « pianocktail * ») et à la recherche de l'amour. Le travail, la laideur y semblent indignes de l'homme. Cet univers idéal est fragile comme celui des adolescents. Une épée de Damoclès pèse sur lui. Vian

---

* Le « pianocktail », sans doute lui-même inspiré par « l'organe des liqueurs » imaginé par Huysmans dans *À rebours* en 1884, permet de réaliser des cocktails au moyen des mélodies composées au piano.

est l'écrivain de l'impermanence. Tout doit disparaître, et d'abord ce qui est beau. Lorsqu'on n'a pas le choix, il faut se résoudre à subir la dégradation par le travail. Et le temps qui passe mène fatalement à l'usure et à la mort. La jeunesse est menacée par le temps, l'amour est menacé par la vie de couple, l'intégrité de l'homme est menacée par la nécessité de gagner sa vie. Enfin, l'imprévu funeste, la maladie cachée achèvent cette œuvre de dégradation sournoise. En attendant, les amoureux dansent sur un fil.

Le nénuphar qui croît dans les poumons de Chloé confère au roman une tonalité mélancolique et fantastique à la fois. La découverte de la fleur blanche, virginale, symbole de la féminité offerte, reste une énigme. La fleur des étangs a inspiré bien des poètes — sans parler des peintres comme Monet —, dont Verlaine, Rilke et Mallarmé : « Résumer d'un regard la vierge absence éparse en cette solitude, et, comme on cueille, en mémoire d'un site, l'un de ces magiques nénuphars clos qui y surgissent tout à coup, enveloppant de leur creuse blancheur un rien, fait de songes intacts, du bonheur qui n'a pas lieu », écrit le poète\*. Image de l'œdème pulmonaire, de la magie létale des eaux mortes, la plante aquatique devient ce symbole du « bonheur qui n'a pas lieu ». Comment une nymphe du XXᵉ siècle pourrait-elle s'épanouir dans le quotidien ? Elle ira rejoindre les Ondines et les Ophé-

---

\* Article de Mallarmé intitulé « Le Nénuphar blanc » et publié le 22 août 1885 dans *L'Art et la Mode*.

lies dans le grand cortège des amoureuses trop pures pour le monde d'ici-bas.

Le couple formé par Chick et Alise propose une autre variation de l'amour saccagé. Le poison, cette fois, c'est la passion ruineuse et destructrice de Chick, collectionneur invétéré. Le fait que cette manie concerne Jean-Sol Partre donne un tour farcesque à ce drame. Chez Vian la vie est définitivement tragi-comique.

Une des originalités du livre est ainsi d'y camper ces personnages emblématiques que sont alors Sartre et Simone de Beauvoir, les deux figures du courant philosophique de l'époque, l'existentialisme. Une scène d'anthologie évoque une fameuse conférence de Jean-Sol Partre. Vian y dépeint avec excès l'enthousiasme excessif suscité par le penseur.

La scène s'inspire donc d'une conférence réellement accordée par le philosophe le 28 octobre 1945, au club Maintenant, rue Jean-Goujon. Dans ce fameux colloque, *L'existentialisme est un humanisme*, Sartre défendait ses engagements face aux critiques des chrétiens, d'une part, et aux attaques réitérées des communistes, d'autre part, qui l'accusaient de prôner une philosophie du désespoir. Très attendue, la soirée tourna vite à la bousculade. Trois cents personnes, soit beaucoup plus que la salle n'en pouvait contenir, s'étaient entassées pour écouter disserter, avec l'extraordinaire aisance et la fluidité qui le caractérisaient, le pape de l'existentialisme. Depuis la fin de la guerre, Sartre est une véritable star, en particulier chez les étudiants. Ses écrits, sa pensée, son personnage et son mode de vie suscitent un véritable engouement. La jeunesse estudiantine de la Libération prend pour modèle le couple libre qu'il forme avec Simone de Beauvoir. La « jeune fille rangée », futur auteur du *Deuxième Sexe*, est, à vingt et un ans, la plus jeune agrégée de philo en 1929, classée seconde juste derrière Sartre. Elle a refusé sa demande en mariage, comme elle a rejeté le rôle traditionnel assigné aux femmes, servitude ménagère et maternité. Le couple est déjà mythique. On commente ses faits et gestes, ses « lieux » sont célèbres, Saint-Germain-des-Prés, le café de Flore, La Coupole. La pipe et les lunettes de Sartre font partie de sa légende.

Le philosophe a été mobilisé au début de la guerre, après avoir publié *La Nausée*, puis fait prisonnier en Allemagne. De retour à Paris, il a participé avec Merleau-Ponty au groupe de Résistance Socialisme et liberté. Sa pièce de théâtre *Les Mouches* a été mise en scène par Charles Dullin en 1943. La même année, il a publié son monument, *L'Être et le Néant*, qui formule les grands thèmes de sa pensée. Autour de lui gravite une pléiade de jeunes gens, qui sont admirateurs, disciples, curieux et même « fans » avant l'heure.

Des sons de trompe d'éléphant se firent entendre dans la rue et Chick se pencha par la fenêtre de sa loge. Au loin, la silhouette de Jean-Sol émergeait d'un houdah blindé sous lequel le dos de l'éléphant, rugueux et ridé, prenait un aspect insolite à la lueur d'un phare rouge. À chaque angle du houdah, un tireur d'élite armé d'une hache se tenait prêt [4].

Ainsi Vian décrit-il l'arrivée majestueuse du guide intellectuel de la jeunesse lors de cette conférence triomphale qui consacre l'intellectuel. À la fin de la conférence, le plafond s'abat sur l'assistance :

Une épaisse poussière s'éleva. Dans les plâtras, des formes blanchâtres s'agitaient, titubaient et s'effondraient, asphyxiées par le nuage lourd qui planait au-dessus des débris. Partre s'était arrêté et riait de bon cœur en se tapant sur les cuisses, heureux de voir tant de gens engagés dans cette aventure [5].

Comme il a fait le portrait du zazou, Vian croque à présent l'existentialiste type. Celui-ci est d'un abord beaucoup moins jovial :

Ce n'étaient que visages fuyants à lunettes, cheveux hérissés, mégots jaunis, renvois de nougats et, pour les femmes, petites nattes miteuses ficelées autour du crâne et canadiennes portées à même la peau [6].

La passion que voue, dans le roman, Chick à Partre prend des proportions néfastes, d'autant qu'elle porte sur les objets relatifs au maître — ce qui caractérise l'idolâtrie — plus que sur ses idées. Il se ruine pour se procurer son fameux ouvrage *Le Vomi*, *La Lettre et le Néon*, son *Étude critique célèbre sur les enseignes lumineuses*. Sans oublier le *Paradoxe sur le Dégueulis*, le *Choix préalable avant le haut-le-cœur*, édité sur rouleau hygiénique non dentelé, le *Remugle* « relié de maroquin violet, aux armes de la Duchesse de Bovouard », et *Renvoi de Fleurs*. Dévoré d'obsession, Chick devient un vrai maniaque. Il va jusqu'à offrir à Alise une bague « en forme de nausée ».

S'agit-il d'une charge contre le philosophe ou d'une manière d'attirer son attention ? C'est la seconde hypothèse qui prévaut. Boris mise sur l'humour de Sartre et il a raison. Lui-même a un côté « Chick ». Il traverse une période « partrienne » et depuis quelques mois ne jure plus que par *La Nausée*. Comme l'explique son héros enthousiaste, Partre est « [c]apable d'écrire n'importe quoi, sur n'importe quel sujet, et avec quelle précision… ». Cette remarque est évidemment frappée du sceau de l'insolence vianesque. En même temps, un esprit comme le sien ne peut qu'admirer la profusion et l'ampleur de la production du penseur.

Dans cet après-guerre assoiffé d'idéologie, on peut vraiment parler de culte sartrien *. « En 1943, écrit le cinéaste Claude Lanzmann [7], un certain nombre de khâgneux, membres de la Résistance au lycée Blaise-Pascal de Clermont-Ferrand, occupé par les troupes allemandes, la Gestapo et la milice de Darnand, commençaient à déchiffrer pieusement et comme en tremblant un gros livre de philosophie qui venait de paraître. C'était *L'Être et le Néant*, d'un nommé Jean-Paul Sartre, ontologie révolutionnaire, que nous reçûmes comme une œuvre de Résistance et de liberté. »

Souvent qualifié par la presse de l'époque d'« enfant terrible de l'existentialisme », Boris s'est

---

* Un philosophe sartrien a confessé s'être entraîné, jeune, à loucher comme le maître.

très vite démarqué du mouvement d'une formule lapidaire : « Je ne suis pas un existentialiste. En effet, pour un existentialiste, l'existence précède l'essence. Pour moi, il n'y a pas d'essence[8]. »

Pourtant, la nébuleuse sartrienne attire Vian. Mais, s'il veut s'y mêler, ce n'est sûrement pas en tant que groupie mais plutôt en tant que contributeur, contradicteur, électron libre. Boris ne se place jamais dans une attitude de révérence envers qui que ce soit. Ce qui sidère certains hommes de lettres de l'époque. Pour Vian, tout interlocuteur est un égal. Parce qu'il a été élevé dans l'éducation « anti-autoritaire » de Paul et parce que sa personnalité est instinctivement rétive à toute forme de hiérarchie. Il y a là une attitude naturelle et une question de principe.

Lorsqu'il veut séduire quelqu'un, Boris lui lance toujours une forme de défi. Jean-Paul Sartre est trop intelligent pour s'offusquer de sa caricature. Et, après tout, le jeune Vian vient de faire de lui un personnage de roman.

En ce début d'année, le philosophe s'attarde aux États-Unis, où la passion qu'il vit avec Dolorès Vanetti compromet quelque peu le « pacte » conclu avec le Castor (c'est ainsi qu'il appelle Simone). Début 1946, Boris a déjà rencontré cette dernière au bar de l'hôtel du Pont-Royal, qui jouxte les éditions Gallimard. Queneau fait les présentations. L'impression de Simone est mitigée, comme elle le relate dans *La Force des choses* : « Je trouvais que Vian s'écoutait et qu'il cultivait trop complaisamment le paradoxe[9]. »

Au premier abord, ses interlocuteurs sont parfois surpris par la conversation à la fois spontanée et complexe de Vian, son coq-à-l'âne permanent, ses plaisanteries et son esprit d'escalier. En outre, sa timidité lui confère une certaine raideur, voire un côté arrogant qui agace ou intimide. « Je fais peur aux gens, s'étonnait-il. Pourtant, je suis très gentil. »

La « Duchesse » rectifie pourtant son jugement. Le 17 mars, les Vian donnent une « partie » chez eux. Y assistent tous les amis de l'orchestre Claude Abadie, avec d'autres musiciens et Charles Delaunay. Ninon, Lélio et les Rostand sont de la fête. Ainsi que Queneau et le cinéaste Alexandre Astruc accompagnés de quelques nouvelles connaissances rencontrées lors d'une précédente réception chez Armand Salacrou à laquelle les Vian étaient conviés. Bien sûr, le tableau ne serait pas complet sans la présence de l'indispensable Major. Simone s'y rend un peu tard et trouve tous les invités un peu ivres :

Michelle, ses longs cheveux de soie blanche répandus sur ses épaules, souriait aux anges. Astruc dormait sur le divan, pieds nus. Je bus vaillamment moi aussi tout en écoutant des disques venus d'Amérique. Vers deux heures, Boris me proposa une tasse de café ; nous nous sommes assis dans la cuisine et jusqu'à l'aube nous avons parlé : de son roman, du jazz, de la littérature, de son métier d'ingénieur. Je ne découvrais plus rien d'affecté dans ce long visage lisse et blanc mais une extrême gentillesse et une espèce de candeur têtue. Vian mettait autant de feu à détester « les affreux » qu'à aimer ce qu'il aimait ; il jouait de la trompette bien que son cœur le lui interdît. (« Si vous continuez, vous serez mort dans dix ans », lui avait dit le médecin.) Nous parlions et l'aube arriva trop vite ; j'accordais le plus haut prix, quand il m'était donné de les cueillir, à ces moments fugaces d'amitié éternelle [10].

Magnifique portrait, d'une justesse et d'une acuité saisissantes. Comme la plupart des personnes qui ont eu la chance d'approcher Boris dans son intimité, Simone est tombée sous le charme. Son intelligence, sa culture et son magnétisme envoûtent littéralement ses interlocuteurs, lorsque refait surface cette douceur qu'il ensevelit parfois sous des piques acerbes.

Au printemps 1946, Vian rencontre enfin Sartre qu'il appelle « le patron » pour l'agacer. Celui-ci l'accepte d'emblée comme collaborateur de sa revue des *Temps modernes* et se plonge dans le manuscrit de *L'Écume des jours*. Intéressé et amusé, le philosophe assure Queneau et Lemarchand qu'il accordera sa voix à *L'Écume des jours* pour le prix de la Pléiade, lequel est décerné sur manuscrit. Il donne également son accord pour une prépublication d'un passage des premières pages dans le numéro des *Temps modernes* qui paraîtra au mois d'octobre.

Boris est emballé. Il a l'assurance d'emporter la prestigieuse distinction, dotée de 100 000 francs, une fortune pour l'époque. Il sera ainsi intronisé dans ce milieu littéraire dont il ne connaît pas encore les arcanes. Peut-être même pourra-t-il abandonner son travail pour se consacrer à l'écriture. C'est la promesse de ce prix récent, créé en 1944, et dont le jeune Mouloudji a été le premier lauréat pour son roman *Enrico*. Jacques Lemarchand est le secrétaire du jury, lui-même composé d'une « pléiade » d'écrivains de renom : Sartre, Camus, Eluard, Malraux, Arland, Joë Bousquet, Paulhan, Queneau, Blanchot, Grenier et Roland Tual.

Encore novice dans ce microcosme, Boris ne doute pas une seconde que les nombreux soutiens dont on l'assure, et parmi eux ceux de Paulhan, lui vaudront la récompense attendue. *L'Écume des jours* est en concurrence avec *Terre du temps*, un recueil de poèmes religieux de Jean Grosjean, abbé défroqué et collaborateur à la NRF. Face à ce littérateur et fort de ses appuis, Vian est sûr de lui.

La déception sera à la hauteur de ses illusions. Le 25 juin, le prix de la Pléiade est décerné par huit voix à l'œuvre du prêtre, contre trois à Boris Vian et une à... Henri Pichette, qui n'était pas en lice. Paul Eluard a eu l'idée de voter pour lui afin d'esquiver la querelle qui oppose les partisans et les adversaires de *Terre du temps*. Grosjean a en effet bénéficié d'une campagne menée par son ami Malraux, dont il a préfacé les *Antimémoires*.

Boris est ulcéré. Il n'est pas encore rompu aux intrigues et aux manigances d'un milieu prompt à la flatterie autant qu'à la trahison. Il n'est pas prêt d'oublier cet affront et semble en vouloir particulièrement à Arland, comme en attestent les fameux « salaud d'Arland » dont il parsème son prochain roman, *L'Automne à Pékin*. Vian est également outré par l'attitude de Paulhan. Celui-ci a changé son fusil d'épaule après l'avoir assuré de son soutien. Il est probable que le « pape » de la NRF n'a que modérément apprécié son œuvre excentrique. Boris réagit avec la fougue de sa jeunesse, il ne digère pas l'humiliation. Il règle ses comptes avec l'éditeur dans un poème intitulé « J'ai pas gagné le prix de la Pléiade » :

Nous étions partis presque-z-équipollents
Hélas ! tu m'as pourfendu et cuit, Paulhan.
Vicime des pets d'un Marcel à relents
J'ai-z-été battu par l'Abbé Grosjean
Qui m'a consolé, c'est Jacques Lemarchand
Mais mon chagrin, je le garde en remâchant
Je pleure tout le temps
Que n'eau, que n'eau
Sartr'apprendra, qu'ils m'ont dit en rigolant
À ne pas écrire des poésies mystère[11].

Seuls Sartre, Queneau et Lemarchand auront donc soutenu leur poulain jusqu'au bout. Combien d'écrivains auraient rêvé parrains aussi illustres ! Mais Boris, convaincu de la valeur littéraire de son livre, ne décolère pas. Il se rend chez Gallimard, demande à rencontrer Gaston, parlemente, clame haut et fort ce qu'il pense de Paulhan, ce « sans-parole ». Réaction bien peu diplomatique qu'on lui fera payer par la suite. Embarrassé par cette affaire, Gaston accepte une proposition conciliatrice de Queneau : celle-ci consiste à accorder autant de publicité au livre de Boris qu'à celui de l'abbé Grosjean. Il lui fait même signer un nouveau contrat, le troisième en un an après *L'Écume des jours* et *Les Lunettes fourrées* ! Peu de jeunes auteurs obtiennent de tels privilèges et Gaston le lui fait comprendre. Mais rien ne réussit à amadouer Boris, qui réagit comme un enfant face à une injustice patente.

Dans une nouvelle intitulée « Les Bons Élèves », datée du 1er juillet, cette rancœur opiniâtre et immature tourne franchement à la farce lorsqu'il dépeint les agissements des disciples du « Parti conformiste ». Parmi eux, « Arrelent et Poland, deux des fliques les plus arriérés de l'École ».

En dépit de l'outrage fait à son talent, Boris vit une année exceptionnelle : 1946 marque en effet une sorte de pic dans son existence. Comme on l'a parfois souligné, il semble vivre à cette époque plusieurs années en une. Son emploi du temps est plus que chargé. Sa créativité, son activité mentale et aussi physique sont étonnantes : jouer de la trompinette des nuits durant est rude en soi, surtout lorsqu'on est malade. Mais c'est justement là que réside son secret. Comme beaucoup de cardiaques, Boris est devenu insomniaque [12]. Il ne dort plus sans médicaments, son sommeil est agité, il redoute même de s'étouffer en dormant. Michelle dit que les battements de son cœur sont si sonores qu'ils lui font peur et la réveillent. Boris prend l'habitude de se relever et de s'installer à son bureau. Il a tant de passions à satisfaire, de champs d'activité à investir.

Il fait partie désormais de l'équipe des *Temps modernes*, dont le numéro 9, daté du 1er juin, publie sa nouvelle « Les Fourmis ». À travers la description d'un charnier sur une plage du Débarquement,

Boris y témoigne de son antimilitarisme virulent. Le numéro publie également sa première « Chronique du Menteur ». Il est à noter que la revue, à ses débuts, est encore relativement éclectique dans ses choix idéologiques et que le caractère littéraire des articles y demeure une priorité.

Boris ne délaisse pas pour autant ses autres passions. Il se trouve même un nouvel exutoire dans la peinture. Comme Queneau. Où a-t-il appris à manier le pinceau ? Mystère. Car la dizaine de toiles qu'il peint en l'espace de quelques mois dénote une technique sûre ainsi qu'une réelle connaissance de la période surréaliste et cubiste. Un tableau comme *Les Hommes de fer* où des créatures molles déambulent sur un damier a de quoi susciter l'admiration d'authentiques peintres. Il va d'ailleurs exposer l'une de ses toiles à la fin de l'année. Le 2 décembre, Queneau organise une exposition malicieusement intitulée « Si vous savez écrire, vous savez dessiner ». Il a choisi pour cette manifestation artistique un lieu au nom prédestiné, la galerie de la Pléiade, au 17, rue de l'Université. Bien évidemment, Queneau y accroche ses propres aquarelles. Il y propose des œuvres d'écrivains, d'Apollinaire à Verlaine, qui sont également dessinateurs ou peintres. Vian a l'insigne honneur de figurer sur le carton alors qu'il n'a toujours rien publié.

Tout en travaillant, en écrivant, en peignant, il poursuit sa « carrière » de jazzman. Environ trois fois par semaine et quelques après-midi lorsqu'il le peut, Boris rejoint l'orchestre Abadie. La formation s'est récemment couverte de gloire au mois de novembre 1945 en remportant pas moins de quatre coupes! Sans oublier un prix et le titre de champion international au premier Tournoi international de jazz amateur à Bruxelles. Les musiciens joueront également pour les fêtes de fin d'année au Zénith de Bruxelles, la taverne-restaurant de Léo Campion. Ce qui offrira l'occasion aux musiciens d'emmener leurs épouses passer le réveillon en Belgique.

En dépit de leurs divers succès, tous restent des amateurs marrons. Franck Ténot explique combien le fait de jouer le soir les aide à tenir au travail pendant la semaine. « L'un est en train de travailler à son ministère, l'autre à sa banque, le troisième manipulant à la faculté, le quatrième écrivant un nouveau chapitre de son roman, un autre dans des équations d'ingénieur... Et si, durant la matinée dansante des Centraux, un "piston" les observe de son œil ahuri et scandalisé, ils ne le remarquent même pas. Leur musique s'élève, fraîche, joyeuse, scandée et truffée de trouvailles émouvantes. Ils s'écoutent. Ils sont heureux de jouer, pour eux, pour la musique, c'est leur vie [13]... »

En mars 1946, le neuvième Tournoi des amateurs leur permet d'effacer quelques défaites passées. L'orchestre remporte enfin le Grand Prix. Ce soir-là, Boris se fait annoncer sous le nom de « Professeur Dupiton et ses joyeuses mandolines ». Les musiciens sont tous affublés de longues barbes blanches et portent des casquettes d'orphéonistes. Ils joueront ainsi déguisés toute la soirée. Une manière burlesque de souligner leur ancienneté dans l'« amateurisme ».

Ainsi, l'enthousiasme des premiers jours est toujours présent. L'orchestre participe à des jam-sessions. Il joue à la maison des Centraux, se rend à des mariages, se produit lors de spectacles divers et variés. Boris Vian fait quelques escapades pour jouer avec Eddie Barclay au piano, mais il reste fidèle à sa formation initiale.

Au mois de juin, celle-ci anime le bal du Génie maritime au Pré-Catelan. Les musiciens sont sommés de porter l'habit et donc, la plupart n'en possédant pas, de le louer. Du coup, nos amateurs marrons se sentent traités comme des laquais. Ce n'est guère du goût de Boris, qui marque le coup en arborant toute la soirée un visage fermé. La moindre atteinte à sa liberté lui est insupportable. Bientôt, les nuits héroïques de Saint-Germain-des-Prés lui feront oublier ces rares brimades.

# L' Automne du canular

*Je vais te le faire moi, ton best-seller !*

BORIS VIAN
à JEAN D'HALLUIN

En cette année particulière, Boris, qui est alors essentiellement connu comme jazzman, se voit sollicité de toutes parts. Il pige à *Combat*, à *Opéra*. À *Jazz Hot*, surtout, la toute jeune revue du Hot Club de France où il commence sa collaboration gracieuse au mois de mars. Il ne refuse rien, donne quelques nouvelles à *La Rue*, la revue de Léo Sauvage, *L'Oie bleue* et *Le Ratichon baigneur*. En écrit d'autres qu'il préfère ranger dans ses tiroirs. La plupart seront publiées après sa mort.

Cette prolifération d'activités n'empêche pas Boris de rester disponible pour ses proches... et même pour le farniente. Ce qui ne laisse pas d'étonner. Comment fait-il pour traîner à la terrasse d'un café avec des amis ? C'est que Vian n'a rien d'un lambin besogneux, d'un débordé mal organisé. Le temps, il le trouve toujours pour les copains. Quitte à tirer sur la corde et se coucher à point d'heure. Il aime trop la compagnie, qui, paradoxalement, lui permet parfois de s'isoler dans ses pensées. Boris n'est jamais là où il paraît être.

Après ces mois survoltés, il aurait sans doute besoin de quelques vacances. Il s'apprête justement à partir avec Michelle et Patrick, dit « Le Bisonneau », à Saint-Jean-de-Monts pour y passer les quinze jours de congés payés dont disposent alors les salariés en France. Mais comment choisit-il d'occuper ces courts loisirs ? En écrivant un roman, bien sûr.

Georges d'Halluin, dit Zozo, le contrebassiste de l'orchestre Abadie, lui a présenté son frère Jean. Celui-ci dirige une petite maison d'édition, Le Scorpion, dont les affaires marchent mal, les finances sont au plus bas. Comme tout éditeur, Jean d'Halluin rêve de publier un best-seller.

Déjà les Français sont fascinés par tout ce qui vient d'Amérique, et en particulier pour un type de roman policier qui fera les beaux jours de la « Série Noire ». En cette après-guerre fascinée par le « made in USA », on ne se lasse pas de traduire Chandler ou Chase, dont le célèbre *Pas d'orchidées pour Miss Blandish* a fait un tabac. Or, la plupart de ses lecteurs l'ignorent, mais le James Hadley Chase en question s'appelle en réalité René Raymond, il est anglais et n'a jamais mis les pieds aux États-Unis. Cependant, il écrit dans le « pur » style new-yorkais parlé et cru qui fait fureur. De quoi donner des idées à un Vian toujours en mal d'argent. Et sans doute aussi animé d'un désir de revanche envers ce milieu littéraire qui n'a pas reconnu son originalité.

Boris avait commencé à se griller chez les « gendelettres » par ses réactions intempestives contre les tenants de ce petit monde. Mais tout cela n'est rien à côté de ce qui va suivre. À commencer par l'énorme canular de *J'irai cracher sur vos tombes*, signé par un certain Vernon Sullivan.

L'affaire débute comme une bonne plaisanterie, au cours d'une conversation sur un bout de trottoir avec Jean d'Halluin. À Boris, qui connaît bien la littérature américaine et qui peut même la lire dans le texte, l'éditeur demande de lui dénicher un bon roman. Boris réagit aussitôt : « Je vais te le faire moi, ton best-seller ! » Grand lecteur de romans noirs, il se fait fort d'en imiter le style et d'en tourner un en quelques jours. Ce serait aussi un bon tour à jouer à tous ceux qui l'ont snobé. De plus, ni *Vercoquin* ni *L'Écume des jours* ne sont encore publiés, et Boris s'impatiente. Il rêve en secret de quitter l'Office du papier pour une carrière plus glorieuse. Et surtout, il lui faut d'une manière ou d'une autre effacer la déception du prix de la Pléiade.

Michelle applaudit le projet. Cela fait même un certain temps qu'elle pousse Boris à produire un best-seller. Le couple avait déjà songé à s'atteler ensemble à un ouvrage purement commercial mais avait abandonné le projet.

C'est décidé, Vian s'engage à fournir un roman « américain » dans les plus brefs délais. L'écriture occupera donc les quinze jours à Saint-Jean-de-Monts. Boris, Michelle et Patrick partent le 5 août avec Georges d'Halluin et un jeune clarinettiste ami de Michelle, André Reweliotty. Bien sûr, les musiciens n'ont pas oublié leur instrument. Mais la priorité du séjour est donnée à l'écriture du fameux livre.

Boris « tient » un sujet explosif dont il a souvent parlé à Claude Léon. Celui-ci touche à la question de la ségrégation aux États-Unis. En tant que jazzman, il est particulièrement sensibilisé à la question noire. Il a été choqué, à la Libération, de découvrir le peu de culture des GI en matière de jazz. Et surtout, pour l'admirateur devant l'Éternel de Duke Ellington ou de Miles Davis, le racisme ordinaire dont font alors preuve les Américains moyens envers les Noirs est particulièrement choquant. Le sujet est précisément à l'ordre du jour en 1946. En effet, la politique raciste qui sévit dans le Sud sous l'impulsion du Sénateur Bilbo, et les nombreux lynchages qui s'ensuivirent ont attiré l'attention de la presse du monde entier. Le numéro d'été des *Temps modernes* est notamment consacré à la question.

Un article publié dans le magazine américain *Collier's*, en date du 3 août, fournit à Boris la trame de son thriller. L'enquête s'intitule « Who is a Negro ? ». L'auteur, Herbert Asbury, y explique qu'environ deux millions de Noirs américains auraient franchi *the color line* (en quelque sorte, « la ligne blanche »), ce qui leur permettrait d'obtenir le statut de Blanc par décret administratif. Au fil des années, ces sang-mêlé sont en effet devenus blancs de peau*. Le journaliste souligne en outre qu'en 1946 cinq à huit millions de Blancs possèdent du sang noir.

Après la mort de son frère, lynché pour avoir fréquenté une Blanche, un « Nègre blanc » avide de vengeance séduit deux jeunes filles de la bonne société américaine dans le dessein secret de les tuer. Voilà le sujet du « best-seller de Boris », qui pour l'occasion se choisit un nouveau pseudonyme : Vernon Sullivan. Son « alter negro », écrira un critique de l'époque**.

Dans un « prière d'insérer » prétendument rédigé par l'éditeur, Boris paie sa dette à l'enquêteur en situant, en toute modestie, Vernon Sullivan dans la lignée des plus grands :

Tous les ans 20 000 Noirs se transforment en Blancs. C'est ce qui ressort d'un récent article d'Herbert Asbury du *Collier's*.

Il ne s'agit pas, bien entendu, de nègres 100 % mais de métis à qui leur teint particulièrement clair permet de vivre parmi les Blancs sans être remarqués. Vernon Sullivan est un de ces Noirs et le drame de son héros, Lee Anderson, est né de ce malentendu racial, sur lequel les récents lynchages viennent, une fois de plus, d'attirer l'attention du monde civilisé.

*J'irai cracher sur vos tombes*, le premier roman de ce jeune auteur que nul Éditeur Américain n'osa publier, dénonce en des pages d'une violence inouïe et dont le style est égal à celui des grands prédécesseurs que sont Caldwell, Faulkner et Cain, l'injuste suspicion réservée aux Noirs dans certaines régions des États-Unis. [...]

Cette conception de la vie des adolescents américains est

* Le sujet inspirera bien des années plus tard Philip Roth dans *La Tache*, Gallimard, coll. « Du monde entier », 2002 ; rééd. coll. « Folio », 2004.
** Henry Magnan, dans un article du journal *Le Monde* en date du 18 avril 1950.

une peinture âpre, empreinte d'un érotisme cruel et total, qui fera sans doute autant de scandale que les pages les plus osées de Miller.

Un roman comme on n'en a jamais écrit[1].

À travers ce chef-d'œuvre d'autopromotion, Boris démontre qu'en littérature comme ailleurs on n'est jamais si bien servi que par soi-même. Ce lancement de son propre livre est un modèle du genre. Par ce texte, il ne se venge pas des éditeurs mais surtout, par avance, de la critique, en partie responsable à ses yeux de la dégradation des goûts des lecteurs en France. Il lui fournit une série de références ainsi qu'un argumentaire sur lequel fonder leur discours à venir.

Pour le titre, Boris affirme s'être inspiré de la Bible. Il n'en est rien. Bison Ravi a cherché quelque chose d'accrocheur et de frappant, dans l'esprit des premiers titres de la « Série Noire » créée par Marcel Duhamel l'année précédente. Si, en 1946, le grand succès de la collection est *Pas d'orchidée pour Miss Blandish*, un titre moins connu de Chase, *Faites danser le cadavre*, a frappé Boris et Michelle. Ils optent pour *J'irai danser sur vos tombes*, provocant et même choquant. Lorsque Michelle suggère de le corser et de remplacer « danser » par « cracher », Boris accepte dans un éclat de rire. Voilà qui est fait. Les frères d'Halluin, mis dans la confidence, s'amusent à l'avance de cette bonne plaisanterie.

Le choix de pseudonymes est une des marottes de Boris, qui commence à les collectionner. On suppose que le prénom de Vernon a été emprunté à son ami musicien Paul Vernon, de l'orchestre Abadie. Quant à Sullivan, il a plusieurs origines possibles. Vian a pu s'inspirer du patronyme du père de *Felix the Cat*, Pat Sullivan. Mais, surtout, de celui d'un grand pianiste de jazz, Joe Sullivan. Il est à noter également que Sullivan « contient » les lettres de Vian. Quoi qu'il en soit, le nom sonne bien, il frappe l'imagination. Bref, il est plus vrai que nature.

En Vendée, Boris écrit toute la journée, il pastiche à merveille le style sec et efficace et la forme du monologue intérieur propre au roman noir américain.

Personne ne me connaissait à Buckton. Clem avait choisi la ville à cause de cela ; et d'ailleurs, même si je m'étais dégonflé, il ne me restait pas assez d'essence pour continuer plus haut vers le Nord. À peine cinq litres. Avec mon dollar, la lettre de Clem, c'est tout ce que je possédais. Ma valise, n'en parlons pas. Pour ce qu'elle contenait. J'oublie : j'avais aussi dans le coffre de la voiture le petit revolver du gosse, un malheureux 6,35 bon marché ; il était encore dans sa poche quand le shérif était venu nous dire d'emporter le corps chez nous pour le faire enterrer [2].

En quelques phrases, à mille lieues des volutes féeriques de *L'Écume des jours*, Sullivan campe le cadre sombre et tendu d'un polar. Il démontre aussi combien le style est aisé à « fabriquer » autant qu'à lire. Dans un sens, la vengeance de Lee Anderson, c'est celle de l'écrivain. Le doux Boris va au cours de ce roman assez loin dans l'horreur. On peut dire qu'il met le « paquet » pour susciter le scandale espéré. Si les premières pages, dans leur évocation de la moiteur du Sud et des jeux adolescents, sont plutôt réussies, l'intrigue, qui cerne peu à peu le caractère obsessionnel et pervers du héros, propose des scènes érotiques de plus en plus répétitives. L'obsession de Lee et sa cruauté avec les femmes suscitent un écœurement progressif. Sa vengeance est facile, dérisoire et sans issue puisqu'elle perpétue le droit du plus fort sur le plus faible. La sensation de malaise et de dégoût culmine dans la scène, particulièrement éprouvante, du crime sadique perpétrée par cet antihéros. Enfin, le texte est, d'une certaine manière, sauvé par sa belle chute :

Ceux du village le pendirent tout de même parce que c'était un nègre. Sous son pantalon, son bas-ventre faisait encore une bosse dérisoire [3].

Durant son séjour, Vian travaille sans relâche à ce texte. Il veut relever le défi de terminer son livre en deux semaines. En fin d'après-midi, il rejoint ses amis à la plage. Ces vacances studieuses, quoique chaleureuses et gaies, sont assombries par la coqueluche de Patrick. Ses parents doivent rester à son chevet et ils le veillent chacun à leur tour. Boris reste longtemps à son chevet tout en avançant la rédaction du manuscrit. Puis la maladie du Bisonneau s'aggrave et Michelle doit le rapatrier à Paris. Boris n'en écrit que plus vite. Chaque soir, Georges a la primeur des aventures de Lee Anderson et les deux complices ne se lassent pas de rire de ce numéro d'« épate-bourgeois », selon les termes de Jean d'Halluin.

Pour rendre son récit vraisemblable, Boris, qui n'a jamais mis les pieds aux États-Unis, s'aide de cartes routières et des plans des grandes villes. Celles-ci lui ont été fournies par un ami juif américain, Milton Rosenthal. Cet ancien GI s'est installé à Paris. Il habite pendant un temps dans l'appartement des Vian et collabore lui aussi aux *Temps modernes*.

À son retour, le 20 août, Boris a gagné son pari. L'écriture du roman américain est achevée. Il n'y a plus qu'à patienter jusqu'à sa publication au mois de novembre.

Toutefois, Vian n'est pas du genre à attendre. Cette année, il a soif d'être publié. Désormais, il se vit comme un écrivain à part entière. Et se lance dans un nouveau projet : l'écriture d'un livre dont le titre est resté comme un modèle de non-sens. *L'Automne à Pékin*, d'une construction novatrice et complexe \*, a pour particularité de ne pas se passer à Pékin. Le roman ne se déroule pas non plus en automne. En revanche, il a bien été écrit de septembre à novembre 1946, donc durant l'automne.

Comme l'avait annoncé Claude Léon, Boris jouit d'une certaine quiétude à l'Office du papier. Lequel, depuis le mois de juillet 1946, est devenu

---

\* L'ouvrage sera salué par Queneau et plus tard par Robbe-Grillet, lequel s'avouera fasciné par la structure originale de l'ouvrage, parfois considéré comme précurseur du Nouveau Roman.

la « Section technique de la Fédération des syndicats de producteurs de papiers, cartons et celluloses ». Quel que soit le nouveau nom de l'officine, Vian peut y consacrer de riches heures à l'écriture. Et, tout comme l'Afnor lui a servi d'antre pour l'écriture de *Vercoquin*, il a terminé *L'Écume des jours* et rédige à présent la totalité de *L'Automne à Pékin* dans son nouveau bureau du boulevard Haussmann. Bénies soient les études d'ingénieur ! Grâce à elles, Vian a pu concilier une carrière artistique et un gagne-pain honorable.

Pour leur plus grand confort, les deux compères ont élaboré quelques principes de base à respecter. Ainsi, le tiroir inférieur d'un bureau doit toujours rester vide afin de pouvoir y faire reposer ses pieds. Cette position, selon Boris, offre également l'avantage d'accélérer la circulation sanguine. Et, qui sait, peut-être s'avère-t-elle propice à la création. Car l'ingénieur achève en deux mois ce nouveau roman, complexe dans son contenu et dans sa structure narrative. À son début, ce livre en plusieurs mouvements a des allures de farce. Le personnage d'Amadis Dudu commence par y prendre un autobus parisien qui n'arrive jamais à destination avant d'échouer dans le désert d'Exopotamie où un chemin de fer est en construction. Boris parsème son texte de plaisanteries potaches et d'éléments surréalistes qui cassent l'aspect sombre et hermétique de l'ensemble. *L'Automne à Pékin*, comme *L'Écume des jours,* se déroule sur fond de tragédie amoureuse. Celle-ci met en scène deux amis, Angel et Anne, qui forment sans doute, comme le souligne François Caradec[4], les deux aspects d'une même personnalité. Tous deux aiment la même femme, l'un en « use » de façon pragmatique, l'autre l'adore de manière platonique et désespérée.

La vision des rapports entre les hommes et les femmes est plus dure que dans *L'Écume des jours*. Les femmes semblent barrer l'horizon de l'homme, elles veulent les restreindre à leur relation et enfreindre leur liberté.

> En fait, on n'a besoin d'aucune femme, spécialement.
> — Physiquement, dit Angel, peut-être.
> — Non, dit Anne. Pas seulement physiquement ; même intellectuellement, aucune femme n'est indispensable. Elles sont trop carrées[5].

Il émane de ce roman un certain désenchantement face à l'amour romantique rêvé dans l'adolescence. C'est peut-être plus le couple et son caractère possessif qui est en cause que la femme ou les rapports amoureux. L'observation de la vie affective et sociale de Boris permet de supputer que, s'il était né deux ou trois décennies plus tard, il eût fait un charmant célibataire, toujours en vadrouille avec des musiciens, cultivant les passions romantiques. Et surtout esquivant les contraintes éprouvantes de la vie de famille. Chez sa femme, Boris a en effet fini par retrouver certains traits qu'il avait tenté de fuir chez sa mère. À cet élément s'est ajouté le constat d'une certaine incommunicabilité entre les sexes.

On l'a parfois taxé de misogynie. Il en possède

sans aucun doute une certaine dose. Michelle (l'ins-
piratrice de Rochelle ?) dit qu'il n'aimait pas qu'elle
parle en société. Comme s'il redoutait qu'elle ne
dise quelque bêtise ou émette quelque remarque
déplacée. Passé leur rêve d'écrire ensemble, il avait
également fini par lui déconseiller d'écrire car il
pensait qu'elle écrivait mal.

Ses œuvres signées Vernon Sullivan contiennent
de nombreux propos misogynes. Il y imite certes en
cela les auteurs de la « Série Noire », mais, à l'évidence, le genre sert d'exutoire à ses propres désillusions.

Un passage de la confession de Wolf, dans
*L'Herbe rouge*, est à ce titre éclairant :

> Je me suis marié parce que j'avais besoin d'une femme phy-
> siquement ; parce que ma répugnance à mentir et à faire la
> cour m'obligeait à me marier assez jeune pour plaire physi-
> quement, parce que j'en avais trouvé une que je pensais aimer
> et dont le milieu, les opinions, les caractéristiques étaient
> convenables. Je me suis marié presque sans connaître les
> femmes. Résultat de tout cela. Pas de passion, l'initiation lente
> d'une femme trop vierge, la lassitude de ma part [...]. Elle était
> jolie. Je l'aimais bien, je lui voulais du bien. Ce n'est pas suffi-
> sant[6].

D'une certaine façon, pour Boris, le novateur, les
femmes ne sont pas suffisamment libérées de leur
joug pour être aussi intéressantes que les hommes.
Toujours dans *L'Herbe rouge*, Wolf fait part de
son incompréhension des rapports stéréotypés de
galanterie qui régissent les rapports entre les

hommes et les femmes. Pour lui, « elles ne sont pas franches » :

> Comment seraient-elles aussi directes dans une société qui les brime ? dit Héloïse.
> — Vous êtes insensé, renchérit Aglaë. Vous voulez les traiter comme elles devraient être traitées si elles n'étaient pas conditionnées par des siècles d'esclavage.
> — Possible qu'elles soient pareilles aux hommes, dit Wolf, et c'est ce que je croyais lorsque je désirais qu'elles choisissent comme moi, mais elles sont habituées, hélas, à d'autres méthodes, et cet esclavage, elles n'en sortiront jamais si elles ne commencent pas à se conduire autrement [7].

Somme toute, à cette période de sa vie et après avoir rejeté les mirages de l'amour romantique, Boris semble rêver d'une femme qui serait une sorte de « bon copain » pour qui il éprouverait du désir et qui lui laisserait son entière liberté. Hélas, la période de Mai 68 qui fera de lui une figure de proue est encore loin, et il lui faut composer avec les schémas de son époque.

En attendant, son couple s'enlise peu à peu et son activité créatrice remédie à la réalité du quotidien, son principal ennemi. Son humour et sa fantaisie lui permettent de l'évincer en permanence, et de tenir à distance l'idée omniprésente de la mort.

Le jeu est une seconde nature pour lui, voire une première. Jouer d'un instrument, jouer au figurant, jouer à l'ingénieur, jouer avec les pseudonymes, jouer avec les mots surtout.

Dans *L'Automne à Pékin*, Vian s'amuse à habiller chaque chapitre d'exergues incompréhensibles qui accentuent le mystère du texte. Il s'agit en fait de citations extraites d'ouvrages aussi divers que *Le Tabou de l'inceste* de Lord Raglan, du *Précis de prestidigitation* de Bruce Elliott, d'un traité sur *Le Papier* de René Escourrou ou d'un autre sur le chauffage de M. Veron. Ou encore de citations de Boris Vian lui-même qui promet ainsi en exergue du chapitre IV : « Je ne mettrai plus de petits machins comme ça que de place en place, parce que cela devient emmerdant. »

Ces citations ajoutent à l'insolite et au charme de l'ensemble tout en contribuant à désorienter le lecteur bientôt aussi perdu dans le désert que les protagonistes du récit. Tandis qu'il écrit, Boris demande à Claude Léon de lui lire des passages d'ouvrages tirés de la bibliothèque du bureau, dont il extrait une phrase au hasard. Doddy, le joyeux chimiste, figure d'ailleurs en bonne place, si l'on peut dire, dans le roman. Il y apparaît en effet comme un malheureux gratte-papier terrorisé par un chef sadique, Saknussem, qui l'oblige à lécher les taches d'encre et à lui acheter une arme prohibée. Tandis qu'il transporte l'« égaliseur », Claude Léon est heurté par un cycliste qui le boxe. Un agent de police intervient, il le tue et se retrouve en prison. Il est alors frappé par la grâce et tiré de sa geôle par le caracolant abbé Petitjean (une réminiscence du fameux Grosjean, le poète biblique du prix de la Pléiade). Cet abbé paillard lui permet de se cacher dans un ermitage en Exopotamie. Là-bas, Claude Léon trouve le réconfort et goûte aux délices de la chair avec Lavande, la beauté noire.

Ainsi Claude, qui a fait embaucher Boris, se voit, après le major, promu personnage de roman, et bénéficie au jour le jour de l'évolution du texte. Vian lui en lit à haute voix des passages, ce qui stimule la verve épique de ce roman pataphysique et symphonique en trois mouvements. Marc Lapprand[8] note avec justesse que c'est « le seul roman circulaire, qui invite, une fois achevée sa lecture, à une relecture, à la manière d'un cycle répétitif et infini, alors que ses autres romans aboutissent toujours à une extrémité, le plus souvent marquée par la mort ou le départ. Dans *L'Automne à Pékin*, poursuit Lapprand, le récit divague, erre de place en place, quoique sous la férule d'un narrateur se justifiant lors des quatre "passages" qui constituent l'épine dorsale de la narration. Il est possible de voir dans sa composition des procédés qui rappellent le jazz, avec les mouvements, les passages et les improvisations *ad libitum* ».

Hélas, les éditeurs, même les plus grands, sont rarement avant-gardistes. Et surtout, ils possèdent une *vis comica* des plus limitées. En dépit du soutien de Queneau, le livre sera mal accueilli par le comité de lecture de Gallimard... Il faut dire que Boris n'est vraiment pas diplomate. Outre le caricatural abbé Petitjean, *L'Automne à Pékin* met en scène un contremaître infect nommé Arland, ce qui lui permet de ponctuer sa copie d'insultes à ce « salaud d'Arland ! ». Cet être abominable finit par ailleurs englouti dans les sables du désert d'Exopotamie. Le texte comprend également un apprenti policier stupide et vicieux nommé Poland. Bien sûr, l'ami Queneau a vivement conseillé à Boris de supprimer ces passages mais ce dernier a évidemment refusé de le faire. Outre ces piques, le manuscrit est jugé étrangement construit, trop touffu. Jacques Lemarchand, qui avait soutenu *L'Écume des jours*, rejette *L'Automne à Pékin* et d'autres lecteurs lui emboîtent le pas.

Pour Boris, qui se considérait déjà comme un auteur maison, le coup est rude. Il ne comprend pas et ne veut pas comprendre les règles de ce milieu littéraire très fermé qui se méfie des chiens fous. Pour lui, la saison des désillusions littéraires ne fait que commencer. Car le scandale Vernon Sullivan va lui porter un coup fatal.

# Vernon Sullivan et Mister Vian

*J'irai cracher sur vos tombes* sort le 21 novembre sous une jaquette blanche, façon Gallimard. Dans son introduction, le « traducteur » Boris Vian explique que son éditeur a rencontré Vernon Sullivan pendant l'été et qu'il a reçu son manuscrit deux jours plus tard. L'homme, écrit-il, éprouve « une espèce de mépris des "bons Noirs", de ceux dont les Blancs tapotent affectueusement le dos dans la littérature ». Auparavant, l'écrivain a eu l'idée de tester le manuscrit auprès de Marcel Duhamel, le directeur de la « Série Noire » : « Boris me remet un jour un manuscrit et me demande de lui dire si, à mon avis, il s'agit d'un original ou d'une traduction de l'américain. Je le lis ; c'est censé se passer à Harlem et la violence systématique, une certaine attitude envers les Noirs me paraissent fabriquées et me rebutent un peu. Mais pour moi, Vernon Sullivan, l'auteur, est bien un Américain. Boris semble assez content et le livre paraît un peu après aux

Éditions du Scorpion. Gros succès : *J'irai cracher sur vos tombes* ! Il m'a eu [1]. »

Comme il fallait s'y attendre, la sortie est saluée dans *La Dépêche de Paris* d'une note brève mais assassine : « Il paraît que nul éditeur américain n'a osé publier cette élucubration maladive d'un métis. C'est à l'honneur de l'édition américaine, et il faut déplorer qu'il se soit trouvé en France un traducteur et une firme pour diffuser cette incivilité sénile et malhonnête. C'est sur le livre qu'on peut cracher [2]. »

Sullivan semble avoir atteint son but. Le 26, *Franc-Tireur*, journal issu de la Résistance, publie les bonnes feuilles du roman que lui a vendues Jean d'Halluin. Celui-ci, après avoir bombardé les libraires d'annonce faisant référence au sulfureux Henry Miller, a choisi un extrait plutôt chaste pour illustrer cette histoire de vengeance raciale aux États-Unis : un passage du chapitre VIII dans lequel le héros Lee Anderson revoit son frère Tom, passé à tabac par les hommes du sénateur Bilbo. Dans sa présentation, le jeune éditeur parle d'un « livre brutal jusqu'à la sauvagerie ». Plus loin, il précise que « ces pages terribles et qui défient toute argumentation atténuante risquent d'horrifier un public qui admet au demeurant sans broncher qu'on lynche un Nègre pour un crime qu'il n'a pas commis [3] ».

Le même jour, Robert Kanters publie un article sérieux et objectif sur le livre dans l'hebdomadaire *Spectateur*. Cet excellent critique de la *NRF* a visiblement quelques doutes — et peut-être quelques informations sur l'auteur. Il demande à attendre la publication du texte original.

Quelques semaines plus tard, ce même Kanters précise son pressentiment dans *Carrefour* :

« Boris Vian ne serait-il pas, par hasard, l'auteur du roman dont il se dit traducteur, *J'irai cracher sur vos tombes* ? N'oublions pas qu'il a créé à *Temps Modernes* la "Chronique du Menteur". »

Cette insinuation bien fondée fait long feu. Elle est reprise çà et là, sans que l'on puisse avancer quelque preuve sur la paternité réelle du texte. La presse de droite, en particulier, s'intéresse de près à l'affaire. Mais aussi les spécialistes de la littérature anglo-américaine comme Maurice Nadeau. Celui-ci souligne le caractère fabriqué mais talentueux du livre et évoque la possibilité d'un « pastiche de roman américain ». L'éditeur et critique possède, il est vrai, des sources sûres, proche qu'il est de l'entourage de Sartre.

Boris n'en attendait pas tant. La mystification a fonctionné à merveille. L'ébullition parisienne est à son comble. Chaque semaine de cette nouvelle année 1947 lui apporte un nouveau lot de supputations. Avec Jean d'Halluin, il lit la presse en riant de bon cœur. D'article en article, la rumeur enfle à Paris que l'auteur du « roman le plus osé de l'année » serait Boris Vian, son prétendu traducteur, comme finit par l'écrire, noir sur blanc, *France-Dimanche* du 19 janvier. Un journaliste y a enquêté sur Boris Vian, dont il analyse déjà l'œuvre complète : « L'obscénité exaspérée du livre touche à l'humour par son caractère forcené. On retrouve la même folie douce dans la "chronique du menteur" où Boris Vian propose, par exemple, de faire (pour la revue) des couvertures odorantes : pain brûlé, vomi, catleya de Renoir, chien mouillé, entre-cuisse de nymphe, aisselles après l'orage et un tirage spécial sur rouleau hygiénique numéroté, pour lire aux cabinets. [...] Boris Vian traduit, en ce moment, un roman de Peter Cheyney, conclut le reporter. Il n'ose espérer qu'on lui prêtera la paternité de cette œuvre[4]. »

Chaque publication examine à la loupe les écrits du sieur Vian. Le 1er février, lorsque *Vercoquin* sort en librairie, *Samedi-Soir* titre : « Vernon Sullivan n'a pas signé le dernier livre de Boris Vian ». Après son concurrent, il examine les « curieuses similitudes » de style entre le « roman américain d'inspiration érotico-sadique » et cette histoire de surprises-parties « beaucoup plus fantaisiste ».

Autour du livre à scandale, l'excitation ne semble pas vouloir retomber, mais « tout cela n'empêche pas Boris Vian d'aller sagement à son bureau d'ingénieur chaque jour, souligne le journaliste, d'écrire ses chroniques dans une revue, de jouer de la trompette dans une cave enfumée où se réunissent les fervents du hot et d'être le père d'un petit garçon de quatre ans, Patrick, qui donne toute satisfaction à son papa depuis qu'il a déclaré qu'il n'aimait pas du tout François Mauriac[5] ».

Même le Bisonneau est pointé du doigt ! C'est le revers de la médiatisation subite de son père. Boris et ses complices, Doddy et les frères d'Halluin s'amusent toujours comme des fous. « Je serai content quand on dira au téléphone V comme Vian », écrit Boris, le 3 février. Sans jamais se prendre pour un génie, il a toujours pressenti sa célébrité et, au fond de lui, espère qu'il marquera son temps.

Il ne manquait plus que l'entrée en scène, quelque peu ubuesque, du Comité d'action sociale et morale. Il s'agit d'une association puritaine dont le président, Daniel Parker, a déjà porté plainte contre Gaston Gallimard pour la publication d'ouvrages d'Henry Miller. Parker va devenir le principal détracteur de Vernon Sullivan. Le 7 février, il demande l'interdiction et la saisie de l'ouvrage, et assigne Jean d'Halluin à comparaître devant un tribunal correctionnel. Un inspecteur de la Sûreté lui a rendu visite aux éditions du Scorpion et l'a averti de la demande de saisie du livre. Il l'a également invité à se rendre aux bureaux de la police judiciaire, à la section de la Brigade mondaine, fait rare pour un éditeur. Car, comme il l'apprend par l'officier de police qui l'a convoqué, la plainte contre ouvrage de caractère pornographique signifie un « outrage aux bonnes mœurs ». Un tel livre peut de même constituer une incitation à des actes de débauche et de sadisme.

Devant la presse, d'Halluin se montre théâtral. Il invoque les grands noms du roman américain, Chase, Faulkner, Caldwell. Chez tous, on retrouve des personnages de débauchés et de sadiques plus impressionnants que chez Sullivan.

Boris, sommé de se rendre également à la

« Mondaine », devra donc comparaître en justice en qualité de traducteur. Il réfléchit au moyen de corser sa mystification en faisant venir à Paris Mr Sullivan *himself*, ou du moins une personne supposée telle. Mais le temps presse. Il doit d'urgence fournir le manuscrit authentique de Vernon Sullivan, c'est-à-dire... traduire le manuscrit en anglais. Dans le même temps, Boris demande à ses proches des témoignages qui attestent sa qualité de traducteur.

En attendant, il peut se réjouir de voir les ventes du livre décoller. Des milliers d'exemplaires du Vernon Sullivan ont déjà été vendus. Pour le récompenser de ses efforts, qui lui ont tout de même coûté ses vacances, Jean d'Halluin offre à Boris et Michelle quelques jours à Megève.

Incapable de se reposer ici comme ailleurs, Boris profite du séjour pour mettre en route un deuxième Vernon Sullivan, *Les morts ont tous la même peau*, dont le héros, un videur de boîte de nuit, porte le nom de Dan Parker, hommage du Vice (Sullivan) à la Vertu (le président du Cartel).

Les intellectuels de la revue *Esprit* se penchent à leur tour sur le texte. Dans le numéro de février, Bernard d'Astorg étudie les « Faussaires de l'obscénité » :

« L'impression de supercherie vient à la lecture par cent traits de récit ou de conversation raffinée dans l'ordure qui ne sont guère dans la manière américaine, brutale et naïve. Elle vient aussi de la préface du "traducteur" que l'on voit assez bien se délectant à l'écrire, comme une de ces "Chroniques du Menteur" qu'il tient si talentueusement aux *Temps modernes*[6]. »

Mais le chroniqueur, pourtant défenseur d'Henry Miller, ajoute sans le vouloir du grain à moudre au moulin de Daniel Parker :

« Car voilà le problème ; il s'agit de vendre sa salade. Le tour est simple ; vous écrivez une cochonnerie quelconque, vous y semez quelques termes couleur locale (*whisky*, *drugstore*, *bobby-soxers*), deux ou trois idées à prétention sociale [...]. [V]ous choisissez un titre raccrocheur et ajoutez "Traduit de l'américain". Car l'américain s'achète, la vente est garantie. La vente est libre aussi et c'est ici qu'apparaît le problème social. La littérature pornographique (je ne dis même plus obscène) a toujours existé. Mais avant-guerre, elle se cachait dans des librairies spéciales que seuls les "amateurs" fréquentaient [...]. Aujourd'hui, la pornographie est à la portée de toutes les mains, même de celles qui ne la cherchent pas systématiquement ; en vente dans toutes les bonnes librairies[7]. »

Dans la presse quotidienne, on évoque les plaintes déposées par le Cartel. « La prison guette quatre éditeurs accusés d'attentat à la pudeur », titre *Samedi-Soir* du 22 mars. En effet, outre Jean d'Halluin et les Éditions du Scorpion, Daniel Parker a dans son orbite Gaston Gallimard pour sa publication de *Printemps noir* d'Henry Miller, mais aussi Maximilien Vox, administrateur des éditions Denoël qui a publié *Tropique du Cancer*, également d'Henry Miller, et enfin Girodias, directeur des éditions du Chêne, qui a publié *Tropique du Capricorne*, toujours du même auteur.

Certains intellectuels commencent à s'indigner du climat de puritanisme et d'ordre moral que fait régner le Cartel. Daniel Parker a entraîné dans son sillage des personnalités comme Marthe Richard, l'instigatrice de la fermeture des maisons closes : « J'approuve totalement l'œuvre d'assainissement entreprise par le Cartel d'action sociale », déclare la célèbre « espionne au service de la France ». « Miller est un fou que seuls des fous peuvent lire [8]. »

Soucieux de défendre la liberté d'expression des auteurs, Maurice Nadeau constitue un comité de défense d'Henry Miller, mais il boude Vernon Sullivan. Pour lui, son livre n'est pas de la littérature. C'est aussi l'avis de François Mauriac. Jean Cocteau, toujours léger, s'étonne, lui, de « ces querelles médiévales ».

Le titre de Vernon Sullivan ne doit rien à la Bible. En revanche, on y trouve cet anathème : « Malheur à celui par qui le scandale arrive. » Vernon Sullivan va bientôt dépasser son créateur, comme la créature de Frankenstein. Il est fier de la mystification et jouit de sa notoriété soudaine mais ne mesure pas encore les conséquences du canular.

Pourtant, les rumeurs qui courent dans Paris lui nuisent déjà. Chez Gallimard, elles servent ses détracteurs, qui lui signifient un refus définitif de publication pour *L'Automne à Pékin*. La publicité tapageuse autour de l'affaire Sullivan commence à déplaire rue Sébastien-Bottin. *Vercoquin* a eu des ventes confidentielles. Quant aux critiques, ils sont mesurés. Ils semblent lire l'ouvrage dans le seul but de confirmer leurs soupçons sur le véritable auteur de *J'irai cracher sur vos tombes*. En bref, Sullivan, l'auteur fabriqué, nuit au vrai romancier Boris Vian.

Queneau est le seul chez Gallimard à s'amuser de la bonne farce. Il ne parvient pas à faire avouer Boris mais n'est pas dupe « C'est toi, non ? lui demande-t-il au cours de leurs promenades dans Paris. C'est très drôle [9]. »

Tandis que la presse échauffe les esprits autour d'un procès jugé « très parisien », un fait divers sordide survient qui donne un tour glaçant à cette réjouissante mystification.

Le 28 mars, un dénommé Edmond Rougé, représentant de commerce, étrangle un soir sa compagne Marie-Anne dans un hôtel de la rue du Départ, qui jouxte la gare Montparnasse. Le meurtrier a laissé ses aveux en marge d'un journal du soir. Il explique que son amie le trompait et qu'il va « rejoindre son âme ». Sur un meuble, on retrouve un exemplaire de *J'irai cracher sur vos tombes*, laissé ouvert sur la description du crime sadique.

Dans la presse du lendemain, l'émoi est général. « Ma main s'est refermée sur sa gorge sans que je puisse m'en empêcher », titre *Libération*, d'une phrase empruntée à la scène du roman où Lee Anderson tue Jean Asquith. Le journal publie un fac-similé de l'extrait incriminé et poursuit, en gros titre : « Ayant lu ces mots Edmond a étranglé Marie-Anne ».

La sobriété éditoriale n'est pas de mise en cette période d'après-guerre : « Hanté par ses lectures un homme étrangle sa maîtresse », titre à son tour *France-Libre*, qui, au passage, attribue *J'irai cracher sur vos tombes* à Kafka. *France-Soir* de son côté affirme :

« Un crime banal en apparence. Drame classique de la rupture, mais extraordinaire par ses circonstances et qui met, une fois de plus, en question la responsabilité de l'écrivain, s'est déroulé hier à Montparnasse.

Esprit faible, malade moral, soumis plus qu'un autre à la puissance de suggestion d'un livre, l'assassin a répété le geste du triste héros de l'œuvre qui a achevé de bouleverser son cerveau, déréglé déjà par la douleur de perdre une maîtresse pour laquelle il a gâché sa vie [10]. »

Boris et Jean d'Halluin cherchaient la publicité mais, cette fois, c'est trop. Boris s'inquiète. Il est ulcéré par ces accusations. Toutefois, il n'en laissera rien paraître. Michelle fait promettre à son mari de continuer de nier la paternité du texte. Plus pragmatique, l'éditeur en profite pour réimprimer et, ravi de voir ses ventes friser le best-seller, appelle son auteur tous les jours. Cette fois, leurs intérêts divergent. La plaisanterie tourne court.

Le 30 mars, l'assassin se pend en forêt de Saint-Germain. *France-soir* titre en gros caractère : « Edmond Rougé n'ira pas "cracher sur la tombe" de Marie-Anne Masson ».

Tandis que le scandale décuple les ventes du

livre, certains reporters traquent Boris aux Lorientais, où il joue le soir, et la presse populaire se repaît de ce triste fait divers. La majorité des journaux abondent dans le sens de Daniel Parker. Le vertueux architecte jubile. Il a obtenu le renfort d'une association d'anciens combattants de 14-18. On nage en plein délire. Le 4 mai, *France-Dimanche* en remet dans le sordide en osant proclamer : « Boris Vian assassin (par procuration) se condamne à mort ». L'hebdomadaire rapporte les propos de l'écrivain :

« Quand il apprit le crime dont il était l'inspirateur et même en quelque sorte l'auteur par procuration, le jeune romancier se mit à sourire et nous fit la curieuse déclaration suivante :

— Un roman est fait pour soulager (*sic*). Ce crime prouve donc que mon livre n'a pas été assez violent. Celui que je vais écrire sera beaucoup plus virulent.

Mais si ce drame semble affecter assez peu Boris Vian (c'est pour lui une excellente publicité), il y a dans la vie du jeune romancier un autre drame.

Il est, en effet, cardiaque (dit-il) et trompette dans un orchestre. L'essoufflement lui est interdit.

— Si je continue, je serai mort dans dix ans, précise-t-il. Mais j'aime mieux mourir et jouer de la trompette.

Ainsi (si on l'en croit), Boris Vian, assassin par procuration, se condamne lui-même à mort : on se demande si cela encore, c'est de la publicité [11]. »

Face à ce déluge d'insinuations et de supputations qui entachent sa réputation, Boris, qui a pris un avocat, M$^e$ Guitard, est obligé de répondre. Le 8 mai, *Point de vue* remet les pendules à l'heure et prend parti pour Boris Vian. Il lui consacre un reportage de deux pages, où on le voit à la trompette, avec l'orchestre Abadie, et également en compagnie de Queneau, de Sartre, de Michelle et d'autres « existentialistes ». Le magazine brosse un portrait plutôt juste d'un personnage qui, dans le même temps que sa notoriété grandit, attise déjà les légendes : « Boris Vian, que l'on pourrait prendre à tort pour un flatteur, est, au contraire, un garçon parfaitement organisé. Il a fait de son existence trois compartiments bien étanches dont l'un est consacré à son métier d'ingénieur des Arts et Manufactures, l'autre à la littérature, le troisième à la trompinette. » Le magazine publie une mise au point de l'écrivain intitulée « Je ne suis pas un assassin ».

Boris commence par s'excuser auprès de Martine Carol, la star absolue de l'époque, pour la place qu'il va utiliser à son détriment dans ces colonnes. « J'espère qu'elle ne m'en voudra pas, écrit-il ; je puis l'assurer que j'aurais en tout cas préféré voir sa jolie figure plutôt que ma poire chevaline reproduite sur ces pages. »

Puis il recense les accusations stupides lancées à son encontre, le sensationnalisme de la presse qui fait de son livre le « manuel du parfait étrangleur ». Il se dit aussi « le premier désolé de ne pas être Sullivan » et, enfin, revient sur la responsabilité de l'écrivain. « Un auteur est le type même de l'irresponsable. C'est lui qui accomplit les volte-face les plus brillantes (Aragon, Gide, etc.), qui prête l'oreille à ses moindres désordres moraux ou physiologiques, qui s'empresse d'en faire un plat et de charger ce plat de tartines, d'invoquer le « drame » de l'écrivain, de grossir, en somme, à tout bout de champ, son petit remue-ménage intime. Petit ? Même pas : pareil à celui des autres [...]. [T]out ceci relève d'une seule cause, le narcissisme de l'écrivain. Certains qui s'imaginent qu'un livre, qu'un poème peuvent quelque chose, sont des poseurs. Un lecteur peut quelque chose ; il peut même invoquer le livre comme prétexte, avant l'action, ou comme justification après elle. Mais c'est nier la liberté et donner des armes dangereuses aux avocats des crapules que d'écrire « ayant lu ces lignes, il étrangla son amie », comme l'imprime, noir sur blanc, un distingué journal du matin dont le titre est une contradiction pénible *. »

Loin d'apaiser le débat, l'article contribue à le faire rebondir. Car Boris a réussi à maintenir envers et contre tous l'ambiguïté et le déni. Milton Rosenthal, collaborateur des *Temps modernes* qu'il a mis dans la confidence, l'aide à peaufiner l'« original » du texte *I Shall Spite on your Graves*, c'est-à-dire à traduire le texte français en anglais. Parfois, ces péripéties littéraires deviennent un peu compliquées à suivre, même pour le mystificateur. Boris s'égare dans le flot de mensonges que cette

* Vian met ici en cause *France-Libre*, qui a, le premier, lancé l'accusation de meurtre par procuration.

affaire l'oblige à proférer. Jean d'Halluin et lui se sont accordés sur la version à donner à la presse : le mystérieux Sullivan est toujours retenu à l'étranger, il ne souhaite pas affronter la polémique parisienne et préfère y répondre par courrier (écrit par Boris). L'écrivain finit par s'y perdre, et note dans ses carnets le 18 mai : « Écrire à Sullivan en lui demandant d'envoyer une lettre [12]. » La surchauffe n'est pas loin. Toute cette agitation ne vaut rien à son cœur. Le 26 juin, il note encore : « apporter à G… * les coupures de journaux. Certificat médical comme quoi c'est très mauvais pour moi les émotions ».

Certains jours, Boris a envie de tout avouer, mais ce serait renoncer à Sullivan et à ses bénéfices financiers conséquents **.

Boris, désormais, va devoir vivre de sa plume. Le 26 mai, il est licencié de l'Office du papier avec deux mois de préavis. Il donne diverses versions floues de l'événement. Le scandale a sans doute précipité la décision de sa direction de se séparer de lui. À moins que lui-même, comme il le laisse entendre, n'ait encouragé cette rupture. Quoi qu'il en soit, Vian a renoncé définitivement — et avec soulagement — à la vie de bureau et à ses activités d'ingénieur. Il se lance dans la traduction, avec

* Me Guitard, son avocat.
** *J'irai cracher sur vos tombes* sera tiré à 600 000 exemplaires (à l'époque, un livre ayant obtenu le prix Goncourt atteignait 100 000 exemplaires) et Boris touchait 12 % sur les 100 000 premiers et 15 % au-delà (en principe, c'est 10 % et 15 % au-delà). Ces informations sont fournies par Jacques Duchateau, *Boris Vian ou les Facéties du destin*, La Table Ronde, 1982.

l'aide de Michelle qui maîtrise parfaitement l'anglais, met en chantier de nombreux textes, et termine en particulier sa première pièce de théâtre, *L'Équarrissage pour tous*. Il jette enfin sur papier divers scénarios de films. Tout est en place pour démarrer une nouvelle vie d'homme de lettres. Cependant, le scandale autour de *J'irai cracher sur vos tombes* devrait lui laisser craindre pour la suite. Tandis que le deuxième Sullivan est annoncé pour la rentrée de septembre aux éditions du Scorpion, et attendu de pied ferme par les curieux, *L'Automne à Pékin*, signé Boris Vian, sort chez le même éditeur dans l'indifférence générale.

Une bonne nouvelle néanmoins suspend provisoirement toute menace de procès et apaise les esprits : le 16 août, une loi d'amnistie est votée, qui fait échapper aux poursuites toutes les publications parues avant le 16 janvier 1947. Voilà qui sauve les écrits de Miller et le roman de Vernon Sullivan. Mais, comme il est écrit dans les feuilletons populaires, Daniel Parker n'a pas dit son dernier mot.

La pression se relâche momentanément sur Boris, qui, le 4 juillet, s'est présenté au commissaire de la 1re section des Renseignements généraux muni des faux témoignages de ses proches, le Major, Alain Vian, et Colette Lacroix, la compagne de Milton Rosenthal.

L'affaire Sullivan est suspendue. Boris peut souffler un peu… dans sa trompette. Car le jazzman commence également à faire beaucoup parler de lui depuis le printemps. Le 11 avril, en effet, a vu la naissance, au 33 de la rue Dauphine à Paris, du club du Tabou. Boris et son frère Alain vont devenir les animateurs de cette nouvelle cave à la mode. La grande époque de Saint-Germain-des-Prés vient de s'ouvrir. Boris est son héraut.

# Histoires de caves

*Boris Vian est grand et Saint-Germain-des-Prés est son prophète : Amen !*

JACQUES PRÉVERT

Le nom de Boris Vian reste à jamais associé à la légende de Saint-Germain-des-Prés. C'est vrai qu'il marqua le quartier de son nom, qu'il y joua de nombreux soirs, qu'il y fit la fête, mais, à la différence d'un Prévert ou d'une Gréco et de tant d'autres rats d'hôtel de l'époque, il n'y habita jamais. Son frère Alain finit, lui, par y installer une boutique d'instruments anciens rue Grégoire-de-Tours, mais il sera le seul Vian à hanter les lieux jusqu'à sa mort.

Pour Boris Vian, Saint-Germain restera une parenthèse enchantée, l'ère tumultueuse du be-bop et de la liberté retrouvée. Interrogé par la RDG, la chaîne de radio nationale, sur le choix de cet arrondissement pour y jouer du jazz, Boris, que l'animateur présente avec humour comme « [l]'âme damnée des lanceurs de mode, le romancier scandaleux », répond simplement : « Vous savez, il n'y a guère que cet endroit-là où on puisse faire de la musique de jazz et y conserver un public. À la Bastille, si vous jouez autre chose que de l'accordéon, vous vous faites tuer. Aux Champs-Élysées, soit vous jouez autre chose que de la musique douce, soit vous vous faites tuer. Et dans les autres endroits, en général, si vous jouez autre chose que des sambas, vous vous faites tuer. Il ne reste guère que Saint-Germain-des-Prés [1]. »

Quant à savoir pourquoi tous ces musiciens de jazz se sont entassés dans des caves, Boris poursuit : « Je crois que ça date de l'Occupation, des bombardements. [...] on a tellement pris l'habitude de descendre la nuit dans les caves [2]... » L'écrivain ne termine pas sa phrase mais on complétera. Il attribue en somme cette mode à une sorte de tropisme. Les jeunes, « mis au trou » contre leur gré durant la guerre, ont continué après, cette fois par jeu, par défi. Dans ces antres désormais dédiés à la liberté, ils ont célébré une musique venue des États-Unis. Le be-bop est en quelque sorte l'hymne à la joie de la Libération. Dans son *Manuel de Saint-Germain-des-Prés*, une commande qu'il tardait tant à honorer, Boris se fait l'historien de cette époque bénie et tente d'expliquer comment, vers 1947, le vieux quartier devint subitement « un des pôles d'attraction du monde intellectuel ».

Car, on a peine à l'imaginer aujourd'hui, Saint-Germain n'était alors qu'un petit morceau d'arrondissement aux allures provinciales. Un coin de Paris peuplé de bars, d'échoppes, un bout de pavé sans histoire, loin de la flamboyance du Montparnasse des années 1930. Certes, les éditeurs, imprimeurs et libraires y avaient déjà leurs habitudes et leurs cafés, mais rien d'extravagant, rien de tape-à-l'œil. Certes, Breton avait installé ses tablées de surréalistes aux Deux-Magots, certes Jarry tira au revolver contre le plafond du même café, mais rien de plus qu'une série d'anecdotes circonscrites au triangle formé par la brasserie Lipp, les Deux-Magots, déjà cités, et le café de Flore.

Précision utile : l'afflux des artistes et des écrivains autour de cette fameuse triade ne tenait en aucun cas au luxe des lieux. Saint-Germain-des-Prés était un vieux quartier... pas cher. C'est une des raisons pour lesquelles les Gréco et autres Prévert y vivaient dans de petits hôtels inconfortables et que, dès le matin venu, ils se retrouvaient au café pour y discuter ou pour travailler.

Chez Lipp, dans les années 1920, « on se tapait la cloche pour douze francs », nous assure Boris. L'ardoise avait dû grimper un peu mais guère plus, quelque vingt-cinq ans plus tard. Jouvet y dînait alors tous les soirs, Gaston Gallimard, Gide et Léon-Paul Fargue étaient des habitués, Desnos, perché sur une table, se prenait le bec avec un avocat de l'Action française. Il y eut toujours de fameuses bagarres chez Lipp, « sans doute parce qu'il était souvent fréquenté par les gens d'A.F. », selon Raymond Queneau. Lui-même prit part à une rixe en compagnie de Prévert, sans se souvenir aucunement du motif, sinon qu'ils finirent tous au poste de police.

Au chapitre « Peuplement de Saint-Germain-

des-Prés » de son *Manuel*, Boris étudie les « races »
qui occupent le petit arrondissement dont la nature
« plutonienne » a donné naissance à une floraison
de cavernes. En 1946, explique-t-il, la population
de Saint-Germain se répartit en trois catégories. Il
y a d'abord les autochtones. Ceux-là se cantonnent
sur les hauteurs. Ils travaillent le jour et dorment
la nuit, sont mariés et font des économies. « Il est
assez peu fréquent d'en observer en liberté : extrêmement orgueilleux, ils ne se mêlent pas au reste
de la population qu'ils englobent sous la déno-
mination générale d' "existentialistes" ». Proches
d'eux, les « assimilés », « qui ne sont pas nés à
Saint-Germain mais ont fini par se persuader du
contraire », sont néanmoins « plus nationalistes
que les autochtones malgré leur absence totale
d'hérédité germanopratine. Originaires d'un peu
partout, ils se spécialisent selon leur provenance :
les Auvergnats, en particulier, s'établissent dans
les "bars", ces "régions grouillantes où règne une
soif continuelle" ».

La deuxième catégorie, Boris l'appelle les « enva-
hisseurs permanents » . Elle se compose, selon lui,
d'une importante proportion d'Américains et de
Suédois, de quelques Anglais et d'une poignée de
Slaves. On la retrouve le soir aux alentours de la
place Saint-Germain. L'écrivain distingue encore
les « incursionnistes », de « race pure », citoyens
d'autres arrondissements de Paris. Ceux-là apparaissent à la fin de l'après-midi, se répartissent le
soir dans deux ou trois caves pour quitter l'« île »
vers trois heures du matin. Enfin, les « troglodytes »

sont les « habitants permanents du sous-sol ». Ils envahissent les caves le soir et sont difficiles à localiser le jour (peut-être dorment-ils tout simplement).

Dans la journée justement, la clientèle des hauteurs se répartit dans trois hauts lieux, selon Sartre : « Flore : en jeune littérature ; Deux-Magots : vieux littérateurs ; Lipp : politique ».

Loin de son raffinement actuel, le café de Flore est, avant guerre, un lieu paisible. C'est la « bande à Prévert » qui le lance dans les années 1930 à l'époque du groupe Octobre *. Ses membres, comédiens, cinéastes, artistes, occupent plusieurs tables où ils consomment du vin rouge. La troupe se compose des frères Prévert, Jacques et Pierre, mais aussi des comédiens Jean-Louis Barrault, Raymond Bussières, Roger Blin, Maurice Baquet, Paul Frankeur, des cinéastes Jean-Paul Le Chanois et Yves Allégret, de Marcel Duhamel, le maître de la « Série Noire », de Sylvia Bataille et du petit Mouloudji.

Pendant la guerre, vers 1942, Sartre et Simone de Beauvoir ont reflué vers Saint-Germain. Montparnasse commence alors à leur donner la nausée. Sartre, qui avait ses habitudes au Dôme, ne supporte plus cette brasserie : elle n'est pas chauffée, et la station Vavin est fermée. Mais, surtout, le Dôme est désormais aux mains des auxiliaires de la Werhrmacht. « Jean-Sol » et Simone adoptent le

* « Le groupe Octobre s'est imposé dès 1932 comme le représentant français du théâtre d'agit-prop qui se définit essentiellement par son militantisme ouvrier proche du Parti communiste. Le mouvement a touché toute l'Europe d'entre les deux guerres », in Jacques Julliard et Michel Winock, *Dictionnaire des intellectuels français*, Le Seuil, 2002.

café de Flore. Celui-ci devient leur nouveau port d'attache pour des raisons relativement prosaïques : le café, géré par le fameux Boubal, auvergnat, commerçant poète, est l'un des seuls du quartier à posséder un poêle sous l'Occupation. Jean-Paul et Simone disposent chacun d'une table, toujours dans le même coin en bas. Pendant longtemps, Paul Boubal, le patron, « le président du Conseil », comme l'appelle Vian, ignore qui sont ces deux jeunes gens, jusqu'au jour où une personne au téléphone demande M. Sartre en assurant qu'il se trouve dans la salle. Boubal découvre l'identité de son habitué et se lie avec lui : « Par la suite, il fit équipe avec une bande d'amis qui gravitaient autour de lui, jusqu'au jour où, devant la cohue de ses admirateurs et emm… qui le prenaient pour un phénomène, il a quitté le Flore pour des lieux moins courus, tout en ayant plaisir à y revenir de temps en temps boire un verre[3]. » Pendant la guerre, durant les alertes, Boubal vidait tout l'établissement et laissait Sartre et le Castor monter au premier pour y travailler tranquillement.

Le Flore devient peu à peu un club anglais où tout le monde se connaît, où chacun connaît également les habitudes et la vie privée des autres clients, où l'apparition d'une nouvelle tête suscite questions et commentaires. Boubal n'était pas toujours emballé par sa clientèle d'intellectuels fauchés. « Ce ne sont pas des consommateurs, ils ne boivent rien », s'exclame-t-il. Ces écrivains ont l'art de s'attabler une journée entière devant un unique café. D'autres ont une de ces allures ! Il se plaint de

Mouloudji, ce gosse vêtu comme un clochard, qui traîne avec la bande à Prévert. Il n'imagine pas que ce crève-la-faim puisse être acteur, écrivain, peintre et chanteur. Il y en a vraiment qui ne savent pas se tenir, comme Nathalie Sorokine, une amie de Sartre et Beauvoir, qui se peigne au café !

Le succès grandissant du Flore, qui est devenu pendant la guerre un « café littéraire » et un « passage obligé », lui vaut quelques désagréments. « En 48, on m'a fauché six mètres de tuyau de plomb dans les cabinets, et le ventilateur ; je ne l'ai pas fait remettre », confia Boubal. Il se flatte cependant de cette clientèle sans le sou, et en particulier de la compagnie des frères Prévert. Voyant des notables, magistrats et colonels s'attabler devant un demi, Jacques bondissait en criant : « Sauve qui peut ! voilà les barbus ! »

Peu à peu, Saint-Germain-des-Prés, devenu le quartier de Sartre et des existentialistes, voit débouler une nouvelle faune, celle des « rats de cave » qui prennent pour point de ralliement le mythique Tabou. Situé au 33 de la rue Dauphine, l'endroit n'a pourtant rien de rare. Aujourd'hui disparu *, le café va devenir le symbole de Saint-Germain.

Au printemps 1947, le Tabou est un petit bistrot tenu depuis 1945 par deux Toulousains. Le couple avait tenté de créer un café-concert puis renoncé.

---

* Détruit en 1996 en dépit des protestations des riverains et malgré une tentative pour le classer monument historique, le club est aujourd'hui remplacé par un hôtel de luxe où l'on joue… du jazz.

Depuis, leur bar tenait grâce aux Messageries de la Presse, installées rue Christine, c'est-à-dire à deux pas. Ses employés fournissaient la principale clientèle du Tabou, qui avait obtenu une autorisation de nuit. C'est ainsi que certains noctambules prirent l'habitude d'y terminer leur tournée. Au milieu d'eux, ouvriers au zinc, on pouvait parfois croiser Sartre, Queneau ou Camus dissertant à l'aube devant un café crème. Un soir, Gréco et sa bande, qui ne savaient où finir la nuit, y entrèrent pour se réchauffer. Juliette posa son manteau sur la rampe de l'escalier. Et parce qu'il tomba et qu'elle dut le ramasser, elle aperçut une cave humide aux allures médiévales. La future interprète de *Belphégor* éprouva alors une sorte de coup de foudre pour cet étrange tunnel orné de masques africains. Aussitôt, elle imagina d'en faire l'antre de sa bande. Son ami Bernard Lucas, le barman du Bar vert, le premier bar américain du quartier, proposa donc aux propriétaires du Tabou d'utiliser leur cave pour y créer un club. Voyant un moyen d'attirer une clientèle jeune, le patron donna son accord. Les premières soirées s'organiseront autour d'un simple pick-up.

En quelques semaines, le Tabou — pourquoi ce nom, on l'ignore toujours — devient la cave à la mode. Au mois de juin, Lucas reprend le Bar vert et confie la direction du club du Tabou à Frédéric Chauvelot. Celui-ci y réalise aussitôt quelques aménagements. Il remplace le pick-up par un véritable orchestre et fait appel à Boris le sulfureux pour attirer la clientèle. Depuis le 5 octobre, celui-ci joue au

Lorientais, lancé par son ami Claude Luter, l'un des rénovateurs du jazz New Orleans. Avec Claude Abadie, il a même réussi à y entraîner Sartre, Queneau et Pontalis au mois de janvier.

Située rue des Carmes dans le V$^e$ arrondissement, le Lorientais est donc l'ancêtre des caves. *Les Rendez-vous de juillet*, film de Jacques Becker, a rendu l'atmosphère de ce petit club qui annonce celle, plus déchaînée, du Tabou. « C'est sans doute au Lorientais que commença à se préciser le style vestimentaire dit Tabou ; Luter et ses copains, régulièrement fauchés, s'habillaient volontiers de leurs propres mains et il en résultait des accoutrements surprenants mais non dénués d'intérêt, allant de la combinaison lapone aux carreaux les plus abrutissants, le tout agrémenté parfois d'œillets, de ficelles et de détails multiples [4]. »

Appelé à animer le Tabou — qui reléguera le Lorientais aux oubliettes de l'histoire du jazz — Boris se montre au début réticent face à l'escalier raide, l'atmosphère enfumée et l'humidité des lieux. Il accepte pourtant d'y venir avec sa trompinette, bien que son médecin lui ait interdit les solos. Mais certains de ses copains d'orchestre sont plus enthousiastes, en particulier ses frères Lélio et Alain. Guy Longnon, un autre trompettiste, Guy Montassut, saxophone ténor, se joignent à eux. Sans oublier Timsy Pimsy, un chanteur de jazz et joueur de banjo connu pour grimper aux réverbères à la sortie du club. L'orchestre Vian s'entasse au fond dans ce long boyau voûté. Il joue en bras de chemise, sans s'occuper des noctambules, et anime des soirées inoubliables autant qu'inracontables, durant lesquelles se produisent musiciens, poètes — dont un certain Nicolas Vergencèdre, qui n'est autre qu'Alain Vian —, des humoristes comme « les frères Brothers », véritables ancêtres des Frères ennemis, ou Gabriel Arnaud, « chanteur à textes ». Il y a aussi Gabriel Pomerand, dit Gabriel l'Archange, le disciple tuberculeux d'Isidore Isou. Grande figure du Tabou, il contribua largement à la réputation de crasse des occupants des lieux. Pauvre comme Job, il dort souvent sur place, faute de moyens… « Il fut successivement parasite, prisonnier, étudiant, résistant, écrivain, gigolo, puis époux, écrit Boris. Il avait une façon bien personnelle de vociférer ses œuvres lettristes à la face du monde, et on se demandait à chaque instant d'où il sortait sa voix et s'il en resterait pour le mot suivant[5]. » Autre grand braillard du Tabou, Tarzan, un géant blond amateur de dames âgées, qui se figura un jour être doué pour chanter le blues. « Quand sa crise le prenait, il s'avançait devant l'orchestre et se mettait à barrir des "Ouadi Ouadi Ouadi" absolument indépendants de tout support rythmique ; de l'orchestre, ça finissait par être assez fascinant[6]. »

Dans ce haut lieu de la musique noire, le public reste composé de Blancs, à l'exception notable de Hot d'Dée[*] ou « petit d'Dée à coudre ». Fin, beau,

[*] Il préside aujourd'hui la fondation Boris-Vian avec Ursula Vian-Kübler, veuve de Boris Vian.

musclé, cet étudiant des Beaux-Arts danse avec sa femme Suzanne, sans jamais se fatiguer.

Au milieu de tous, il y a enfin Boris Vian, « le prince du Tabou ». Il fascine et attire les foules. Chacun sait qu'il peut mourir au milieu d'un solo de trompette car les journaux ont glosé sur sa maladie et lui-même n'en fait pas mystère. Si Juliette Gréco est la muse de Saint-Germain, Boris Vian est son musicien. Tous deux s'entendent à merveille. Ils se sont rencontrés en 1946, et leur amitié fut immédiate : « En moi, il a beaucoup apprivoisé l'animal, écrit Juliette Gréco. Sans Boris, à cette époque, j'aurais eu plus de mal à vivre. Boris Vian était beau, d'une beauté romantique due à la pâleur extrême de son teint et à son air rêveur. Tout cela cachait aussi une terrible inquiétude. Sous un sourire féroce couvaient les grimaces. Il était grand et penchait la tête sur le côté pour vous écouter parler, ou rire, ou pleurer. Avec la même gravité que celle qui assombrissait son visage quand il regardait sa trompinette dans le creux de sa main trop blanche[7]. »

Boris a ce don, comme Gatsby, le personnage de Fitzgerald, de donner à chacun de ses interlocuteurs l'impression d'être la personne la plus importante au monde. C'est pourquoi, bien après sa mort, beaucoup de gens qui l'ont croisé en parlent encore avec ferveur, parfois les larmes aux yeux, comme s'ils venaient d'apprendre sa disparition. Il réussit à se rendre, momentanément, totalement disponible aux autres.

Boris semble être partout à la fois, il n'a pourtant pas le don d'ubiquité. Cela intrigue. En réalité, c'est qu'il ne passe pas exactement toutes ses nuits au Tabou. Il y fait des apparitions, assez tard, pour jouer ou faire le bœuf avec d'autres musiciens. Il lui arrive de s'y amuser bien, d'y boire un verre ou deux, de discuter d'un peu près avec une jolie jeune femme. Mais le Tabou, pour lui, sert surtout à célébrer et à faire vivre le be-bop. C'est lui qui l'a imposé dans cette cave et, lorsqu'un danseur imprudent réclame un tango ou une rumba, il désigne la porte et dit simplement : « Sortez ! »

Le 11 octobre 1947, lors d'une émission, « Jazz au Quartier latin », la radio nationale se transporte au Tabou. Un exercice périlleux depuis la descente de l'escalier suintant jusqu'à l'installation du matériel dans les locaux humides. Le 5 décembre de la même année, Boris présente le jazzman Rex Stewart et son orchestre à la meute du club. Pour eux, il s'est improvisé guide de Saint-Germain. L'année suivant, il va attendre Dizzy Gillespie à la gare du Nord et lui sert également de chauffeur. Pour *Combat*, Boris a également assuré le premier festival de jazz à Nice en février 1948. Ce qui reste pour lui un événement mémorable. Il y rencontre en effet le grand Armstrong, « the Genius ». Claude Rabanit, trompettiste de l'orchestre Luter, se souvient de l'euphorie qui animait Boris : « Il voulait tout voir, tout entendre ; le jour de leur arrivée, nous avions accompagné des musiciens de l'orchestre Armstrong à leur hôtel, au Négresco. Et Boris me dit : "On y retourne ?" On demande au concierge le numéro de leur chambre. On arrive au bout d'un long couloir. La porte de la chambre était ouverte. On entendait d'immenses éclats de rire. Je reverrai toujours ça. Deux hommes de soixante ans, à cheveux blancs, qui faisaient des cabrioles sur leur lit. Boris et moi, on est restés interdits. On aurait dit de grands enfants. Ils nous ont fait entrer. Boris avait son papier et son crayon à la main ; il voulait leur poser de graves questions sur le be-bop, l'évolution du jazz, les polémiques[8]... »

À l'époque, Armstrong est considéré comme le numéro un du jazz. Cependant, malgré l'admiration qu'il porte à « Pop's », Boris voue une passion presque exclusive à Duke Ellington, le « Duke ». Il va bientôt le rencontrer.

En attendant, le récit des folles soirées du Tabou, dont il est plus que jamais la figure de proue, fascine la presse et agace le bourgeois. La plupart de ces nuits restent pourtant assez chastes pour ne pas risquer une descente de la Mondaine.

Peu à peu Boris, le fantaisiste, l'homme à la trompinette, le héraut de Saint-Germain, tend à éclipser l'image de l'écrivain. D'autant qu'il persiste dans son attitude de défi vis-à-vis du monde littéraire. Pour parodier le prix de la Pléiade, il crée ainsi un prix du Tabou « décerné par les auteurs du Scorpion, aux auteurs du Scorpion et arrosé par le directeur du Scorpion ». Celui-ci est attribué le 25 février 1948 à une certaine Sally Mara, pseudonyme de Queneau, par un jury composé de Boris, de Michelle et d'Alain Vian, de François Chevais de *France-Dimanche* et de Guyonnet, le patron du Tabou. Absente de Paris pour des raisons évidentes, Sally Mara s'est faite représenter par Queneau. Encore un os à ronger pour la presse, qui se penche sur ce prix plus qu'elle ne s'est jamais intéressée à celui de la Pléiade.

Interrogé à l'issue de cette cérémonie, Boris déclare, imperturbable, au *Canard enchaîné* :

« 1. Qu'il n'avait pas lu le livre concerné.

2. Que le lauréat avait été tiré au sort.

3. Que le Prix du Tabou n'était qu'une occasion de boire gratuitement l'apéritif. »

« Nous le remercions de son honnêteté intellectuelle, commente alors l'hebdomadaire satirique. Ce qu'il a dit est valable pour tous les prix littéraires. Mais Boris Vian est le seul à le dire [9]. »

Même s'il se moque des mœurs des « gendelettres », Boris écrit toujours. À trois heures du matin, lorsqu'il rentre chez lui, c'est pour s'asseoir à sa table de travail. La première ébauche de *L'Arrache-cœur* date de cette époque. Et le deuxième Sullivan, achevé en février, s'apprête à paraître tandis que le premier continue de se vendre par milliers. Ses nuits courtes, sa rapidité d'esprit, et son sens du cloisonnement dans ses activités autant que dans certaines de ses relations lui permettent de vivre toutes ces vies à la fois.

Durant la folle et courte époque de Saint-Germain, le couple Vian connaît une période de liberté durant laquelle les liens se distendent. Chacun semble recouvrer son adolescence volée par la guerre. Michelle, « la dernière blonde platinée de Saint-Germain-des-Prés », comme l'appelle un échotier, danse et s'amuse. Ils se retrouvent au petit matin.

Il faut dire que l'existence est exaltante, et les « habitants » du Tabou inoubliables. Juliette Gréco surtout, qui reste la maîtresse des lieux même si elle n'y chante pas. Moulée dans un pull et un pantalon noirs, l'allure féline, un teint laiteux encadré et accentué par une belle chevelure noire, « La Toutoune », comme on l'appelle, incarne une nouvelle sorte de femme fatale. « Pour l'effet maximum : à considérer de profil, les mains aux hanches, la tête tournée vers vous. Prévoir des soigneurs pour vous recueillir [10] », écrit Boris. Toutes les filles admirent ce style rebelle et avant-gardiste, et tentent de s'en inspirer.

À cette époque, Juliette Gréco, dite aussi « Jujube », est indissociable d'une autre égérie du Tabou, celle qui l'a prise en charge et fait de cette orpheline perdue une muse : la malicieuse poétesse Anne-Marie Cazalis, qui tient le rôle d'« attachée de presse » de la cave. Gréco, la brune mutique, et Anne-Marie, l'ange blond, ne se quittent pas. Un troisième larron les accompagne, il s'appelle Marc Doelnitz. C'est un acteur et un mime, « léger comme un papillon (et tout aussi volage) [11] », note Boris. Doelnitz est le grand ordonnateur des fêtes qui rendront le lieu inoubliable.

Les soirées s'y succèdent, le style s'affine. Les jeunes filles arborent des jupes larges pour danser et des socquettes blanches ; les garçons des chemises à carreaux, des baskets et les cheveux coupés en brosse. Les marinières rayées ont également la cote, le passage des GI a laissé des traces…

On danse en couple au Tabou, mais à condition de savoir jouer des coudes. Les banquettes sont repoussées, les gens se collent aux murs par grappes. «Le brouillard des cigarettes était quasi londonien, et le vacarme si intense que, par réaction, on n'y voyait rien[12].» Boris a du mérite de descendre dans un endroit aussi malsain. Pourtant, il ne peut résister à cette déferlante. L'orchestre se tient sur une petite estrade contre l'étrange grille du fond. Encouragé par le succès fracassant de son bar, le patron des lieux décide de faire rénover sa petite cave au mois de juin. Il est parfois débordé par l'afflux d'une jeune clientèle et par les plaintes des habitants du quartier, excédés par le tapage nocturne qui s'ensuit. Les voisins écrivent à la Préfecture pour se plaindre. Le Tabou menacé de fermeture? Voilà qui attire de nouveaux badauds!

Depuis qu'elle a découvert ces «troglodytes», la presse tient pour «existentialiste» tout ce qui bouge dans et autour du Tabou. Ce qui aura pour effet d'agacer Sartre («L'existentialisme n'est pas une mode mais une philosophie», s'exclame-t-il à la radio). À la une de l'hebdomadaire *Samedi-Soir* daté du 3 mai 1948, une photo scelle définitivement la légende du Tabou : elle campe Roger Vadim et Juliette Gréco, une bougie à la main devant un escalier obscur. «Toute une jeunesse aime, dort et rêve de bikini dans les caves de Saint-Germain-des-Prés», précise la légende du cliché. «Il ne faut plus chercher les existentialistes au

café de Flore, ils se sont réfugiés dans les caves »,
explique Jacques Robert, un journaliste qu'Anne-
Marie Cazalis a aidé dans sa descente aux enfers.
« Les existentialistes pauvres sont extrêmement
pauvres, poursuit le spéléologue amateur. Ils ont
entre seize et vingt-deux ans. Ils sont généralement
de bonne famille. Presque tous ont été maudits par
leur père [...]. L'un des principaux soucis des existentialistes pauvres est [...] le logement. En général, les existentialistes pauvres emploient pour
dormir le moyen suivant : après être resté un mois
dans un hôtel, l'existentialiste déclare, quand la
note lui est présentée, qu'il ne paiera pas. » Pince-
sans-rire, le journaliste décrit l'aspect inquiétant de
ces individus qui dansent en hurlant, mais qui, le
plus souvent, restent « complètement prostrés [...]
assis, en regardant leur verre d'eau tiède ». Il souligne la pâleur, le découragement de ces jeunes affamés. L'existentialisme version *Samedi-Soir* est au
fond un romantisme torturé avec lectures désespé-
rantes à la clef : « L'existentialiste, n'ayant pas de
chevet, ne se sépare jamais du livre de Sullivan :
*J'irai cracher sur vos tombes*[13]. »

Après une telle publicité, la cave, déjà trop petite,
ne peut plus accueillir tout le monde. Ce club, de
plus en plus privé, se restreint aux célébrités du
moment : on y croise Marie-Laure de Noailles,
Jean Cocteau, Jean Marais, Pierre Brasseur, Martine Carol, Christian Dior, Jean Cau. Maurice Chevalier y fait une apparition. De passage à Paris,
Orson Welles, Humphrey Bogart et Lauren Bacall
vont au Tabou. Les habitués des cabarets de la Rive

droite, politiques, couturiers, hommes d'affaires, viennent observer le phénomène. Quant aux «gendelettres» de la Rive gauche, ils y passent en voisin. En habitués, comme le philosophe Albert Cossery, qui restera l'un des seuls à ne pas déserter le quartier après la vague *. Albert Camus, Roger Vailland, Raymond Queneau, Simone de Beauvoir, Prévert et même François Mauriac viennent y flairer l'air du temps. Merleau-Ponty y esquisse quelques pas de danse. Échaudé par le concept de «cave existentialiste», Sartre prétendra ne jamais y avoir mis les pieds. En réalité, il a participé à l'inauguration du club et, par la suite, y a fait une nouvelle et courte incursion.

Parmi les temps forts du Tabou, la «Carte blanche à Boris Vian», accordée, dans un moment d'inconscience, par la radio nationale, est un morceau de roi. Elle est enregistrée le 21 octobre à 20 h 50, un «créneau» de grande écoute. L'orchestre y joue sur un texte délirant de l'écrivain. Les speakers s'y insultent, le Major hurle, Nicolas Vergencèdre récite un poème, on commente sur un hypothétique hippodrome de Longchamp, transformé en autodrome, une course de voitures conduites par «les représentants les plus marquants de la littérature actuelle» :

Raymond Queneau monte une Richard-Brasier 1875, type Constitution, modifiée par Gallimard en 1907, un modèle d'une grande puissance, et le numéro 2, fringant et piaffant, notre ami Jean-Paul Sartre, dans une Léon-Bollée existentia-

* Il habitera toute sa vie à l'hôtel Louisiana, rue de Buci.

liste à pont-arrière royal et embrayage par engagement. [...] Le numéro 4, Albert Camus, paraît maussade. Il chevauche une voiture étrangère, à la suite d'un malentendu, et peste tant qu'il peut. Mais voici le numéro 5, Jean Cocteau, dans une ravissante Decauville surbaissée. On vient de lui apporter un escabeau et il réussit à grimper sur le siège. Le starter lève son pistolet. C'est le départ... Non, ce n'est pas le départ [14]...

Boris, qui se présente comme le directeur général de la Radiodiffusion française, prononce une allocution dans ce style qui n'appartient qu'à lui :

Je serai bref, net et circoncis. Nous avons décidé de donner à la radio l'éclat qui lui convient et la tenue qui lui manque. Malheureusement, personne n'aime ça. Aussi, nous essaierons, dans l'avenir, de réaliser la plus belle pétaudière que l'on ait jamais pu voir. Nous aurons du mal à faire mieux que nos anciens, mais nous vaincrons parce que nous sommes les plus forts. Aucune fuite n'est possible, car la route du fer est coupée. Souvenez-vous que je tiendrai toutes vos promesses, mais pas les miennes ; la parole est d'argent et l'argent ne fait pas le bonheur, aussi je me tais [15]. »

À la fin de cette superbe cacophonie pataphysique où le Führer apparaît sur une Cadillac tandis que le peuple l'acclame aux cris de « Banzaï ! Banzaï ! », le directeur général Boris Vian est licencié et il se voit remplacé par le Major en personne, qui a pactisé avec l'ennemi, et que ça fait beaucoup rire. Et qui lâche des bordées d'injures : « Macarelle ! Fille de pute ! »

L'émission provoque de nombreux remous. La presse dénonce la « musique de sauvages » des dégénérés du Tabou. Le vrai directeur de la radio, le cinquième en quelques mois, est limogé. Le titre de *Radio-Massacre* était bien choisi.

La période du Tabou, dont le *Radio-Massacre* constitua un des nombreux points d'orgue, fut aussi dense que brève. Très vite, les agences de touristes inscrivent le club sur leurs itinéraires des lieux pittoresques. Les prix du quartier montent, les consommations de la cave également. L'afflux est trop intense. Bref, la cave a perdu de sa pureté primitive pour devenir une bonne affaire. Le gérant, Frédéric Chauvelot, décide d'abandonner les lieux, trop étroits depuis le début, pour monter le club Saint-Germain-des-Prés. Boris le suit, il n'est pas homme à s'attarder où que ce soit. Il a une autre bonne raison de le faire. Son « merdecin », comme il dit, l'a franchement alerté : passer ses nuits à souffler dans une trompette est un pari qui risque de lui coûter cher. Mais Alain Vian veut rester. Il tient à demeurer l'animateur boute-en-train du Tabou dont il souhaite préserver l'esprit d'origine.

Bien sûr, le nouveau club, ouvert le 11 juin 1948, ne vaudra jamais l'original. Les jazzmen qui s'y produisent sont de plus en plus professionnels et l'endroit devient un club chic. Tous les moyens sont bons pour y attirer une clientèle select. Marc Doelnitz reprend l'idée des nuits à thème inaugurées au club des Champs-Élysées. La première a lieu un mois tout juste après l'inauguration, c'est une fête 1925, une soirée rétro où les clients se rendent déguisés en costumes des Années folles, robes à paillettes et longs colliers. Le couturier Pierre Balmain a prêté main-forte aux organisateurs, en habillant les chanteurs de l'opérette *Pas sur la bouche* qui est alors à l'affiche. Ce soir-là, Boris, dont la présence à Saint-Germain ne consiste d'ailleurs plus qu'en une « figuration intelligente [*] », accepte, pour une fois, de jouer du charleston. Va pour *Tea for Two* ! L'esprit Tabou part en fumée. Suivra une parodique « Nuit de l'innocence », une nouvelle fête costumée avec, pour clou de la soirée, l'élection d'une « rosière de Saint-Germain-des-Prés » par un jury composé des journalistes France Roche, François Chalais, Jacques Robert, du peintre Félix Labisse, et de Pierre Brasseur. Boris, qui adore les costumes et les masques, est déguisé en page.

Une guerre feutrée s'ensuit avec les propriétaires du Tabou — et parmi eux Alain Vian —, qui, en guise de représailles, lancent une élection de Miss Vice, avec défilé de jeunes femmes en petites culottes. La fête est filmée et le reportage laisse entrevoir quelques poils pubiens. S'ensuit un nouveau scandale, et une nouvelle fermeture du club. En réalité, la raison de cette interdiction ne relève pas de l'atteinte aux bonnes mœurs : la caméra de Freddy Baume a tout simplement enregistré à son insu le visage du directeur de la DST, présent à la soirée, et la Préfecture ne tient pas à ce que les bobines du film circulent ! Le Tabou animera encore une fameuse soirée, « Fête au village », avec

---

[*] L'expression revient à François Chevais qui l'a utilisée dans son article, publié en novembre 1948, dans *Hebdo-Latin*.

déclamation de poèmes ruraux et descente forcée d'une malheureuse chèvre dans les tréfonds enfumés. Mais ce seront ses dernières facéties. Le déclin est inéluctable. La folle époque du Tabou, si présente dans la mémoire collective, n'aura duré qu'une saison, de l'été 1947 à l'été 1948. Quant au club Saint-Germain, qui a pris la relève, il ne brillera lui aussi qu'une saison. Et son éclat ne peut en aucun cas soutenir la comparaison avec le feu d'artifice de folie et d'insolence qu'a représenté la petite boîte de la rue Dauphine.

Toujours menées par Marc Doelnitz, les soirées à thème du nouveau club se destinent, pour l'essentiel, à attirer la jet-set et la presse. Elles préfigurent une période plus snob du quartier. Le club sera encore, le temps de quelques soirées mémorables, un haut lieu du jazz. C'est là que Boris, le 19 juillet 1949, va accueillir « The Duke ». Quatre jours durant, il promène son héros dans tout Paris, l'emmène au cocktail Gallimard, dîne au restaurant avec lui avant de le raccompagner au Claridge. Le club recevra aussi Charlie Parker, Miles Davis, Kenny Clarke. Très vite, Boris délaisse l'animation pour devenir un simple client. Désormais, Saint-Germain est devenu une étape pour touristes chic. Les noctambules parisiens refluent, eux, vers les Champs-Élysées tandis que les V$^e$ et VI$^e$ arrondissements reviennent à leur vocation initiale, c'est-à-dire aux cabarets. Gréco est devenue une grande vedette. Elle chantera *Si tu t'imagines* de Queneau et *Il n'y a plus d'après* de Guy Béart. Sa bande est dispersée. Trop vite mythifié, le quartier semble déjà classé et ses animateurs, *dixit* Marc Doelnitz, se sentent devenus « une vision d'archives ». De quoi les faire fuir. Ce qu'ils font.

# Rouleur de mécaniques

*De nos jours, les voyages déforment la jeunesse, sauf dans une Brasier.*

BORIS VIAN

L'année de ses vingt-sept ans est pour Vian une période pétaradante, haute en couleur, en sons et en mouvement. On peut dire qu'il commença vraiment d'être lui-même à cette époque. Le 21 mai, le diplômé de Centrale réussit un nouvel examen d'importance : le permis de conduire. Comme son père Paul, Boris éprouve depuis toujours une passion pour les belles voitures. Et s'il a attendu cette période pour passer son permis, c'est que, jusqu'en 1947, l'essence comme d'autres denrées — la viande, le tabac, les chaussures en cuir et le vin — sont restées « contingentées », en raison d'une reprise économique encore faible.

Les rebuts de l'armée allemande attirent l'attention de Boris, qui a une certaine prédilection pour les chefs-d'œuvre en péril. Pour la somme dérisoire de 10 000 francs anciens, il se porte acquéreur d'une BMW six cylindres. Celle-ci lui coûtera un temps et une attention considérables mais, après tout, il adore la mécanique.

Il va être servi. Car il faut sans cesse réparer cette ruine acquise dans un élan d'enthousiasme juvénile. Boris fait les beaux jours de garagistes peu scrupuleux qui indexent bientôt le prix de leurs factures sur la cote du romancier à scandale lorsqu'ils repèrent à qui ils ont à faire.

Au terme d'une série de factures ruineuses, Vian, le « fameux bricoleur », décide de procéder lui-même aux réparations. Ce qu'il va effectuer grâce à Maurice Gournelle, pilier de Saint-Germain et inventeur de son état, qui a installé pour son plaisir un petit atelier de mécanique à Colombes. La mécanique rapproche les hommes ; ils finissent par sceller une véritable amitié grâce aux soins qu'ils dispensent à la calamiteuse BMW, qui se révèle, en dépit de leurs attentions obstinées, quasiment inutilisable. Après un voyage en Allemagne parsemé de multiples pannes, Boris décide de s'en séparer. Il la confie à un copain de Colombes, Peiny, qui dispose d'un garage. Celui-ci prend le volant pour faire entrer la voiture en marche arrière, un arbre de roue casse aussitôt. « C'est la première fois que j'ai de la veine avec cette voiture, remarque Boris. Enfin elle casse dans un garage. »

Avec l'aide de Peiny, Boris et Gournelle démontent la roue et s'attachent à trouver un revendeur de voitures d'occasion assez naïf pour racheter pareille vieillerie. Contre toute attente, ils réussissent à le faire. Depuis que Boris l'a achetée, la BMW a tout de même plus d'allure et, en raison des sommes astronomiques englouties dans ses réparations, elle a même pris un peu de valeur. Le seul problème, c'est qu'elle ne marche pas ! Gournelle et Vian parviennent cependant à la traîner jusqu'à la place Pereire, où les attend le revendeur inconscient qui, sans plus attendre, signe un chèque à son propriétaire avant de l'appeler dès le lendemain matin en hurlant. Mais il est trop tard : Boris a réussi son exploit : rouler un vendeur de voitures d'occasion [1]. D'ordinaire grand seigneur, il en avait sans doute assez de se faire exploiter par la confrérie des garagistes d'Île-de-France.

Les calamités mécaniques ne s'arrêtent pas pour autant. Après la BMW, Boris achète à Peiny une superbe Panhard qui le conduit jusqu'à Lyon… avant de le lâcher justement devant une agence Panhard. Alertés, Peiny et Gournelle viennent le chercher et le dépannent. Cela permet au passage aux trois copains de se sustenter dans les meilleurs restaurants de Lyon et de Mâcon. Boris, qui n'a toujours pas payé sa voiture à Peiny, tient à régler sa dette, en dépit de la boîte de vitesses détruite. L'autre accepte de la lui vendre, mais… pour vingt sous. Encore une belle affaire pour Boris. Huit mois plus tard, il récupère sa mise en revendant quarante sous sa magnifique Panhard à Peiny qui la refourgue à la casse.

Ces péripéties sont merveilleuses car elles laissent à penser que Boris n'a rien d'autre à faire dans la vie que de se rendre en banlieue pour acheter et vendre des épaves pour le plaisir de les réparer. En réalité, il adore cet univers sain et joyeux où il redevient anonyme. Une fois par semaine, il débarque chez Peiny les bras chargés de charcutailles pour festoyer avec ses employés, Thomas le mécanicien, un Parigot pur jus, Vassard, le peintre de carrosserie, et Paul Bodemer, le fabricant de batteries. Loin des cénacles parisiens, ils saucissonnent dès dix heures du matin, et parfois le festin se prolonge jusqu'au soir avec des huîtres et des crevettes arrosées de Martini dont Boris raffole. Il possède depuis l'enfance un appétit d'ogre et il ne rechigne pas à boire un verre entre amis. Et comme les amis en question sont de bons vivants, ils rient et trinquent beaucoup. Les « casseurs de Colombes » exagèrent leur vocabulaire et leurs exploits pour amuser Boris. Celui-ci décompresse, comme on dit, au cours de ces soirées de copains où on le considère comme un gentil pote parisien, rien d'autre. Il se fait parfois reconduire chez lui, rue du Faubourg-Poissonnière, sur le dos de Maurice Gournelle qui le charge dans sa voiture. Cependant, en général, Vian est plutôt sobre.

Une autre raison de son attirance pour Colombes, c'est la langue verte. Thomas, Vassard et Bodemer parlent un langage riche et imagé qui lui inspire l'idée d'un roman, simplement ébauché, qui devait s'appeler *Les Casseurs de Colombes*. On y retrouvait Paul Bodemer sous le nom de Paul Merdebo, et l'écrivain Ivan Doublezon, lequel, « entraîné par un ami à l'achat d'une voiture d'occasion […] s'était laissé, sans rien oser faire, acculer à de somptuaires dépenses par l'astuce des carrossiers, des casseurs et des garagistes de

Colombes. Pour tout dire, on l'avait plumé comme un pigeon[2] ».

Toute sa vie, Boris aimera l'automobile. Chaque année, il se rendait aux Grands Prix, dont les Vingt-Quatre Heures du Mans, qu'il suivit un jour sous une pluie battante en imperméable et casquette, non pour y voir les pilotes mais pour y admirer les automobiles et discuter de leurs qualités respectives. Toute sa vie, il fera l'acquisition de voitures aussi belles que peu fonctionnelles, dont, notamment, une Ford cabriolet, une Austin Healey blanche et une Morgan bleue.

Mais surtout, il y eut « la » voiture. Sa préférée, la Brasier 1911 qu'il rachète à un octogénaire, en 1950, à Antony. Il adore sa mécanique bien conservée, son confort, son luxe. Ce genre de détails comptaient pour lui : l'antique véhicule était doté de pièces de rechange, d'une cuvette pour se laver les mains, d'une trousse munie d'un cure-ongles et Boris découvre même un pot de chambre sous le siège arrière. Avant de s'en séparer, le vieil homme lui demande, contre l'avis de ses enfants, de faire une dernière promenade dans sa belle Brasier. Boris réussit à convaincre la descendance. Ensemble, ils effectuent un petit tour à dix à l'heure avant que le propriétaire la lui cède pour 40 000 francs.

Bien sûr, l'automobile cale à quelques mètres de la remise. Après une petite réparation, une nouvelle fuite survient. Après une nouvelle réparation, cette fois c'est la panne d'allumage. Après une nouvelle réparation, c'est un pneu qui crève. Après une énième réparation et un redémarrage, un deuxième pneu rend l'âme. Mais Boris ne regrette pas le moins du monde son achat. Il commence une véritable lune de miel avec cette vieille décapotable rutilante. Il est heureux.

Après avoir quitté Antony à quatre heures de l'après-midi, Boris et Maurice arrivent épuisés rue Saint-Benoît au club Saint-Germain, à onze heures du soir. Cette apparition triomphale fait grand bruit, une foule s'amasse et détaille l'antiquité. La Brasier 1911 va devenir une des curiosités du quartier. À l'aube d'une décennie obsédée par la vitesse, ou chaque « Français moyen » rêve d'acquérir le dernier modèle à la mode, Boris roule à quarante-cinq à l'heure. Sa vieille automobile lui inspira même une série d'articles humoristiques. L'un d'eux, signé Claude Varnier, un de ses multiples pseudonymes, décrit ainsi l'objet de son amour :

> Ma voiture a quarante ans tout juste : elle a été construite en 1911. Avant de l'avoir trouvée, j'en ai conduit beaucoup d'autres [...]. Ma Brasier n'a pas de démarreur ; pas de batterie non plus : un simple magnéto. Mais, qu'il pleuve ou qu'il gèle, il suffit d'un quart de tour sur la manivelle, une belle pièce de forge avec une poignée de laiton, qui, en position de repos, s'engage dans un fourreau de cuir, pour que le moteur se mette à ronronner gentiment. [...]
>
> Avec ma Brasier, j'ai retrouvé la joie de conduire. À cinquante à l'heure (allure que je peux dépasser largement), assis à un mètre du sol, capote baissée, rafraîchi par l'air délicieux de la campagne matinale[3].

Boris est intarissable sur les avantages et les charmes de cet engin à volant qui fait s'émouvoir les vieillards chevrotants, que nul ne songe jamais à voler, qui permet de discuter avec les cyclistes, bref qui lui a permis « de croire de nouveau en la fraternité humaine[4] ». Et surtout, au milieu de tous les modèles courants, la Brasier lui fait « l'effet d'un cygne dans la mare au canard[5] ». Ce qui peut être aussi une bonne définition de Boris Vian.

Dans un autre article, celui-ci se propose de refaire les étapes recommandées par un guide touristique de 1905 avec sa Brasier. Rangée dans un garage pendant la saison froide, celle-ci attend, telle « une belle au bois dormant », que son prince charmant la réveille de sa longue torpeur pour lui faire respirer l'air des grandes routes. En chemin, Boris retrouve sur son passage la curiosité habituelle. Les « réflexions d'un député en voyage me reviennent automatiquement : c'est bon de voir la foule apprécier spontanément l'effort d'un isolé pour mettre l'accent sur la qualité française ». Il s'insurge de nouveau contre les « tristes amateurs de vitesse pure » :

C'est tout ce qui leur reste ; ils se rendent bien compte, coincés dans leurs étroites cages à mouche, que, de nos jours, les voyages déforment la jeunesse, sauf dans une Brasier[6].

Ce joyau automobile présente tout de même quelques inconvénients, il l'avoue. Par exemple, sa consommation extravagante et sa tendance à s'écarter de la route pour emboutir tous les arbres sur son passage. Enfin, après un charmant voyage, quelques jours de route suivis d'une petit incident technique, le narrateur s'emporte :

Ne me parlez plus d'une voiture qui ne peut pas rouler qua-
rante-deux ans sans panne. Ça suffit à la classer, je crois. Grâce
à tous mes vieux documents, je suis pourtant arrivé à une solution ; mon véhicule est trop rapide, ça vibre et ça casse. Je vais
acheter une charrue. C'est un peu lent, d'accord, mais ça tient
la route et ça s'accroche dans les virages. Je sais, il y a deux che-
vaux, évidemment. Ma foi, tant pis si j'ai l'air d'un snob ! Cou-
rons chez Mac Cornick. Et vivent les vacances 1900 [7].

Ainsi, Boris entre à sa façon dans la société de
consommation des années 1950. Par un pied de nez
à ses valeurs : la rapidité, la nouveauté, la fabrication en série. Sa définition d'une vie de luxe, ce
dandy la donne ailleurs. Le luxe, pour lui, ne
consiste pas à s'acheter des châteaux et des terres
« là où il y a de la place » :

Ça, c'est un luxe de paysan enrichi, un luxe de gagne-petit.
Non... Le luxe, ce serait d'acheter les immeubles de tout un côté
de l'avenue de l'Opéra et de les raser, puis de les remplacer par
un énorme champ de pois de senteur avec, au milieu, une maisonnette extrêmement confortable, mais d'une seule
chambre [8].

Le luxe selon Boris, c'est « l'imagination au pouvoir », et non l'argent au service du conformisme.
Pour cet éternel rêveur, souvent au seuil de la ban-
queroute, les belles voitures d'antan vont symboli-
ser sa conception de la beauté et du raffinement. Il
en aura d'autres après son tacot de 1911. Mais
aucune dans son cœur ne pourra remplacer la fière
Brasier et ses cuivres rutilants.

# Le retour de Vernon Sullivan

> *À quoi bon soulever des montagnes quand il est si simple de passer par-dessus ?*
>
> BORIS VIAN

Sa gaieté, Boris l'entretient avec ses copains, ses voitures, le jazz. Il vit dans un tourbillon. Il éprouve un besoin perpétuel d'oublier le quotidien.

Dans la seule année 1947, tandis qu'il anime les folles soirées du Tabou, il a mis la main à un canevas de *L'Arrache-cœur* ; écrit un deuxième Vernon Sullivan ; fait, pour le plaisir, du reportage sportif à Saint-Gervais-les-Bains, Megève et Chamonix ; achève sa première pièce de théâtre ; effectue sa première vraie traduction (*Le Grand Horloger* de Kenneth Fearing) ; jette sur le papier quelques scénarios de films, effectue une courte escapade à Londres avec Michelle et Claude Léon pour s'acheter des disques et des vêtements chic ; fonde avec Queneau et Michel Arnaud une société de films, Arquevit, qui n'aura guère d'autre production tangible qu'un scénario, *Zoneilles*, écrit à trois mains *.

* Il sera publié en 1961 par le Collège de 'Pataphysique.

Cette année-là, Boris a également donné sa première revue de presse à *Jazz Hot*. Cette activité bénévole, qu'il poursuivra presque jusqu'à la fin de ses jours, constitue pour lui une véritable tribune où s'exprime, entre autres, la querelle qui oppose désormais les fondateurs du Hot Club de France. Une scission historique s'est opérée entre Hugues Panassié et Charles Delaunay. Le premier défend le jazz traditionnel, le second l'ouverture à de nouvelles formes. Le 2 octobre 1947, « Hugues le Montalbanais », comme l'appelle Boris, a évincé Delaunay de son poste de secrétaire général du Hot Club de France, tandis que le Hot Club de Paris — le plus important — lui renouvelle sa confiance. Boris se range du côté de Delaunay et du renouveau. Il estime qu'« une nouvelle époque de la lutte pour le jazz commence[1] », même s'il estime « regrettable de voir de vieux amis s'estrapadouiller en public ».

Cette activité bénévole est toutefois relativement prenante. Une décennie durant, il a rendu à ses rédacteurs en chef successifs des articles toujours surprenants et originaux. Il lui est arrivé de râler, de se plaindre du temps perdu à le faire, de menacer d'abandonner, mais, le mois suivant, il se remettait à la tâche.

Franck Ténot, qui fut le secrétaire de rédaction de *Jazz Hot*, mensuel à petit tirage, comme il le souligne, mais de réputation internationale, se souvient des difficiles remises de copie de Vian :

« J'allais parfois réveiller Boris pour qu'il me remette son texte à l'extrême limite d'une "deadline" qu'il avait beaucoup de peine à respecter car il était surchargé de travail : romans, traductions, scénarios, pièces de théâtre, opéras, ballets, et en plus il passait une grande partie de ses nuits avec ses amis de Saint-Germain-des-Prés. Fasciné, j'assistais à une création rapide sans aucune interruption. L'écriture était toujours très lisible, élégante, la plume glissait sans peine sur le papier. Tout en consultant les extraits de presse qui avaient été rassemblés pour lui faciliter la tâche, il écrivait en proférant avec le sourire des sarcasmes railleurs sur les auteurs qu'il étrillait allègrement, enveloppant toujours ses coups de poignard d'un humour à la fois anesthésiant et corrosif. Émerveillé par sa facilité, car à la relecture les corrections étaient très rares, je l'offensai un jour en lui disant sottement : "[T]u es vraiment très doué." La réponse fusa : "Doué, moi ? Pas tellement. C'est le résultat de vingt ans de travail acharné[2]." »

Pour Boris, écrire sur le jazz tient du militantisme. C'est pourquoi il ne déroge pas à cette mission sacrée. Ténot le considère comme l'un des meilleurs journalistes français de jazz. « Son style, proche de la parole, dénué de toute pédanterie, utilisant parfois des mots forgés pour l'occasion, fit école. Aujourd'hui on retrouve, et pas seulement dans la presse spécialisée, l'influence de Boris Vian chez beaucoup de chroniqueurs et pas des moindres[3] », selon Ténot, qui créera avec Daniel Filipacchi l'émission quotidienne « Pour ceux qui aiment le jazz », diffusée sur Europe 1 de 1955 à 1971. Boris Vian n'avait rien d'un doctrinaire. Cependant, il partait de deux postulats : 1° les Français s'y connaissent mieux en jazz que les Américains, 2° à cause du racisme et de la ségrégation, les Noirs n'ont jamais eu l'importance qu'ils méritaient. « Les Noirs ont forcément raison quand il s'agit de jazz », écrit Boris dans *Jazz Hot* en 1948.

À cette période, l'homme à la trompinette donne également des chroniques de jazz à *Combat*. Enfin, il démarre son activité de conférencier, le 4 décembre à la salle du Conservatoire, sur le thème « Cinquante ans de jazz ». Ses complices Hubert Fol et Claude Luter accompagnent sa prestation en musique.

L'année s'achève sur ce beau désordre orchestré, cette savante pagaille créatrice, ce feu d'artifice de mots et de sons. « Pourvu qu'ils me laissent le temps », écrira-t-il dans l'un de ses poèmes fameux.

Le début de l'année 1948 est marqué par une nouvelle terrible. Le 7 janvier, le Major meurt à trois heures du matin en tombant d'un balcon.

Dans une nouvelle publiée le 12 juillet 1947 dans *Samedi-Soir*, « Surprise-partie chez Léobille », Boris décrivait la chute de son héros à travers les vitres du salon : « Quant au Major, son corps ondula rapidement dans l'air et, grâce à quelques rotations judicieuses, il parvint à se remettre d'aplomb ; mais il eut la maladresse de tomber dans un taxi rouge et noir à toit ouvrant qui l'emporta au loin avant qu'il ait le temps de s'en rendre compte. »

Dans la vie hélas, les héros tombent pour de vrai. La mort de Jacques Loustalot, tout comme sa vie, reste une énigme. Il avait certes l'habitude de quitter les soirées par la fenêtre. Mais il parlait aussi souvent de suicide.

Au cours de cette soirée très arrosée — mais toutes ses soirées étaient très arrosées —, le Major a demandé à une fille de l'embrasser et elle a refusé. Le Major aurait alors menacé de sauter par la fenêtre, sans doute par jeu. Et l'acrobate a manqué son numéro. Ou il s'est laissé tomber par lassitude. Peut-on savoir avec lui ?

Le Major a fait une belle sortie, néanmoins Boris est inconsolable. Après coup, il se reproche d'avoir écrit « Surprise-partie chez Léobille », nouvelle qui n'était pourtant qu'une pure farce. Son ami est inhumé le 14 janvier au cimetière de Pantin. Cette perte est un crève-cœur.

Et même si Michelle s'apprête à accoucher de la petite Carole, le début de l'année 1948 est difficile. Boris attend beaucoup de la création de sa pièce *L'Équarissage pour tous*. Une farce ubuesque, pataphysique, à l'humour grinçant, qui se situe le jour du débarquement à Arromanches. Tandis que le monde vole en éclats, le personnage principal de la pièce, équarrisseur de son état, ne songe qu'au mariage de sa fille qui s'apprête à épouser un soldat allemand. Il invite à la fête son fils, parachutiste dans l'Armée américaine, et son autre fille, parachutiste dans l'Armée rouge. Durant la noce, les soldats américains et allemands se saoulent ensemble avant de finir dans la fosse commune de leur hôte.

Boris se tourne vers différents metteurs en scène qui semblent hésiter. En cet après-guerre, le caractère férocement antimilitariste du divertissement les fait reculer. Ils craignent une réaction hostile du public. Jean-Louis Barrault finit par l'inscrire à son programme puis recule lui aussi. Toujours têtu, Vian refuse d'apporter la moindre retouche à sa pièce. Jacques Lemarchand l'avait prévenu qu'il aurait du mal à la faire accepter. Jean Paulhan, bon prince malgré leurs petites dissensions, lui a fait savoir qu'il appréciait le texte et lui a demandé de le condenser en un acte pour le publier dans sa revue. Boris accepte et la pièce ainsi réduite paraît dans le numéro de printemps des *Cahiers de la Pléiade*. Ce qui la sauve momentanément de l'oubli, car elle devra attendre trois ans pour être montée sur une scène.

Boris renoue ainsi avec la maison Gallimard au moment où sa notoriété littéraire est au point mort. Même Vernon Sullivan ne captive plus les foules. *Les morts ont tous la même peau* marche beaucoup moins bien que le livre précédent. Quant à la fausse version américaine de *J'irai cracher sur vos tombes*, intitulée *I Shall Spit on your Graves*, elle n'intéresse plus personne. Le « soufflé » Sullivan est retombé. Boris n'a pas abandonné ce filon qui était censé lui assurer une sécurité financière depuis son départ de l'Office du papier. Au début de l'année, *France-Dimanche* l'a sollicité pour publier en feuilleton et dans une version expurgée *Et on tuera tous les*

*affreux*, le troisième et sûrement le meilleur Sullivan. Boris livre ses pages mais, au fil des remises,
il abandonne la narration à la Sullivan pour déra-
per vers le délire imaginatif vianesque, et le burlesque et le surréalisme l'emportent...

L'action se situe en Californie, où Rock Bailey,
qui vient d'être élu « Mr Los Angeles », a décidé de
rester puceau jusqu'à l'âge de vingt ans. Il doit sans
cesse résister aux avances d'un grand nombre de
femmes tandis qu'il mène une enquête sur la disparition d'une série de jolies jeunes filles. Ses
recherches le conduisent sur les traces du Dr Markus Schulz, une sorte de docteur Moreau d'opérette
« qui cultive des plantes humaines comme d'autres
cultivent des orchidées ». Le vieux fou vit dans son
île « comme un roi sans couronne ». Il s'y livre en
toute tranquillité à des expériences en vue d'amé-
liorer la race humaine. En incitant à se reproduire
de beaux garçons et de belles filles, il obtient des
robots d'une beauté et d'une intelligence décuplées,
à part quelques échecs comme le cadavre retrouvé
par Rock Bailey qui porte une pancarte « Défaut
d'aspect » ou un robot trop cuit qui se masturbe
continuellement. Le docteur a conçu le projet de
remplacer tous les laiderons de la planète par ses
superbes créatures. Celles-ci commencent déjà à
dominer le cinéma et la politique *.

Boris avoue avoir écrit le livre pour « emmerder »

---

* La relecture de ce roman fait ressortir son étonnante *vista*. Boris y prévoit les
ravages de la chirurgie esthétique, le narcissisme et l'emprise de l'apparence sur la
société.

son commanditaire. Mais il ne déplaît pas qu'à ce dernier. Le récit très moderne, qui mêle polar et science-fiction, n'est pas du goût de tous. En avril, à la suite de protestations de lecteurs, le journal interrompt la publication hebdomadaire du texte. Boris est fou de rage. Heureusement, le fidèle d'Halluin reprend le manuscrit pour en publier l'intégralité au Scorpion au mois de juin.

Même s'il pousse toujours l'insolence trop loin, Boris supporte mal les rebuffades et sa santé s'en ressent. Il compense par un surcroît d'activité qui le consume : traductions, poésies, nouvelles, articles de commande. Il s'épuise. De plus en plus souvent, il affiche une mine mélancolique mais personne ne s'en étonne. Boris est un être mystérieux et indéchiffrable. On continue de le voir comme un plaisantin. Lui souffre de n'être reconnu ni par la critique ni par le public.

Comme d'habitude, Sullivan, son mauvais génie, revient le tirer par la manche. On lui propose d'adapter *J'irai cracher sur vos tombes* au théâtre, il accepte. C'est finalement le seul titre qui marche pour lui. Michelle s'insurge et critique cette décision qu'elle juge nuisible à sa carrière. Queneau se fâche carrément et dit à son protégé sa façon de penser. La blague a assez duré. L'auteur de *L'Écume des jours* ne doit pas continuer de brader son talent. Face aux réactions de ses proches, l'écrivain, qui avait dit oui par bravade, regrette sa décision. Pourtant, sa pièce va être créée. Elle sera cette fois signée Boris Vian, qui ne cherche même plus à se dissimuler derrière Vernon Sullivan. Il est vrai

1 Vers 1948.

2 Yvonne Ravenez-Vian et Paul Vian, les parents, en 1922 à Landemer.

3 À Ville-d'Avray, Yvonne et ses enfants, de gauche droite Lélio, Alain, Boris et Ninon.

4 À quinze ans dans le jardin de Ville-d'Avray.

5 À Ville-d'Avray en 1938 avec des amis dont François Missoffe (à droite).

6 Avec le Major en 1940.

2
3

4 5
6

7

8

7 L'orchestre Abadie-Vian en 1944 : Boris à la trompette, Lélio Vian à la guitare, Jacques Daubois (pianiste), Alain Vian à la batterie, Édouard Lassal à la contrebasse et Claude Abadie à la clarinette.

8 Avec Miles Davis en 1948.

9 Duke Ellington, Vian, Juliette Gréco et Anne-Marie Cazalis au club Saint-Germain en juillet 1948.

10 Sartre et Beauvoir, Boris et Michelle Vian au Procope vers 1948.

9
10

« Aussi longtemps qu'il existe un endroit où il y a de l'air, du soleil et de l'herbe, on doit avoir regret de ne point y être. Surtout quand on est jeune. »

11 Cité Véron, vers 1957.
Collage de Boris Vian.

12 Cité Véron en 1956.

13 Avec Ursula Kübler
à Saint-Tropez en 1952.

14 Avec Ursula dans
la Richard-Brasier 1911,
en 1952.

13
14

« Je passe le plus clair de mon temps
à l'obscurcir parce que la lumière
me gêne. »

**15** Boris Vian et Raymond Queneau en 1959 lors d'une rencontre du Collège de Pataphysique.

**16** Avec Eugène Ionesco pour un hommage à Alfred Jarry en 1957.

qu'il ne renie pas tout chez son double et revendique en particulier le caractère antiraciste de son
texte. En un sens, la pièce, qui va redonner du grain
à moudre à Daniel Parker, constitue une prise de
position claire et nette contre la politique de ségrégation prônée aux États-Unis. Boris, si peu politisé
encore à cette époque, est très virulent sur la question noire. Il va profiter de l'occasion pour se laver
des accusations de pornographie qui pleuvent sur
lui en édulcorant sa pièce des scènes jugées trop
scandaleuses.

L'annonce d'une d'adaptation du roman émoustille déjà la presse. D'autant qu'on annonce Martine Carol — l'idole de Boris — et Yves Montand
dans les rôles principaux. Pure rumeur mais le projet fait tourner les rotatives. « Une vive inquiétude
règne dans les milieux théâtraux parisiens, dramatise *France-Dimanche*. On se demande où va être
jouée la pièce que Boris Vian vient de tirer du
roman *J'irai cracher sur vos tombes* (qu'il signa
sous le pseudonyme de Vernon Sullivan). L'un des
clous de cette pièce sera, en effet, une surprise-partie telle qu'en pratique couramment la jeunesse
moderne, avec scène d'ivresse, brutalités, bris de
vaisselle, et, pour clore le tout, tir réel à la
mitraillette[4]. » *L'Aurore* renchérit dans son édition
du lendemain : « M. Daniel Parker veut mobiliser
les brigades de la vertu contre Boris Vian et le
Théâtre Pigalle[5]. »

C'est reparti pour un tour ! Vernon a toujours
amusé les journalistes, son aura scandaleuse semble
garantir un succès. On avance de nouveaux noms

de comédiennes : Gréco, Doral Doll, Josette Daydé, Gaby Andreu et Simone Signoret seraient pressenties tour à tour. Certains critiques remettent en cause le bien-fondé d'une telle création et le talent de l'auteur. Boris riposte par voie de presse ou en recevant les reporters. À chaque interview, il insiste sur le caractère avant tout antiraciste de son texte. Gêné aux entournures, pas si fier de son nouveau coup, il prévient les curieux que la pièce se démarquera du roman. Cela vaut mieux pour lui d'ailleurs car la retranscription des scènes érotiques risquerait de lui attirer les foudres du préfet de police, si ce n'est une interdiction de jouer. Cela n'empêche pas la presse grand public de fantasmer sur les scènes osées auxquelles le public va être exposé. Notamment la scène du viol.

Le 7 avril, l'AFP diffuse la distribution de la pièce, mise en scène par Pasquali au théâtre Verlaine avec Daniel Iverney dans le rôle principal de Lee, le Nègre blanc. Les deux sœurs seront incarnées par Anne Campion et Danielle Godet. Pour appuyer le caractère antiségrégationniste de la représentation, Boris a ajouté deux personnages noirs qui n'apparaissent pas dans le roman, Doudou Babet et Alexino.

La petite Carole voit le jour le 16 avril, au milieu de ce tohu-bohu médiatique et à six jours de la générale. Sa naissance est annoncée dans les échos. On fait mine de s'étonner de découvrir derrière Boris Vian « un père de famille sérieux et rangé[6] ».

Père de famille, certes. Sérieux et rangé... pas tout à fait. La beauté des jolies comédiennes ne laisse pas indifférent le jeune papa. En particulier celle d'Anne Campion, que la presse qualifie de « vamp nordique et sauvage de dix-neuf ans », une belle blonde comme Boris les aime et qui, de son côté, succombera aux yeux bleus profonds de l'écrivain. Une brève liaison s'ensuit, sans conséquence.

La « couturière » est un événement très attendu. Alléché par le parfum de scandale, aucun journaliste n'a oublié le rendez-vous. Pourtant cette représentation est remise pour cause de différend entre Boris Vian et le comédien Daniel Ivernel. Cela commence mal.

La générale sera une véritable catastrophe. Les incidents techniques se succèdent, le rideau ne se lève pas à l'heure, les portes et les strapontins grincent, les éclairages sont déréglés, le phonographe déraille, les acteurs sont inaudibles. Les retardataires gênent la représentation au point que l'on doit descendre le rideau et, celui-ci une fois relevé, reprendre la pièce au début. Quant au contenu lui-même, il est jugé très décevant. Comme l'explique le journaliste Pierre Lagarde dans *Libération* le 24 avril : « Certes, il se passe encore pas mal de choses sur la scène : on y boit, on s'y saoule, on s'y embrasse, on s'y étreint, on s'y vautre, on s'y tue… Mais le rideau tombe habilement au moment où… disons : ça allait devenir intéressant. De sorte que l'essentiel…, si essentiel il y a, se passe pendant les entractes. »

Même réaction désappointée chez le chroniqueur de *Paris-Presse* qui espérait visiblement un spectacle moins chaste : « Si l'auteur de l'immortel roman qui porte ce titre a pensé, en le transportant sur la scène, qu'il obtiendrait un succès de scandale, il s'est trompé lourdement. Il faudrait alors que l'animal qui dort au fond de chacun de nous ait le sommeil bien léger. » Le critique déplore également qu'Anne Campion, « une Véronika Lake qui sortirait du hammam », n'exhibe qu'une épaule. Mis à part ces considérations hautement culturelles, le fond de la pièce est mal jugé. « C'est le crachin sur les tombes », remarque Martine de Breteuil. « Après cet enterrement de première classe, personne n'est forcé d'aller jusqu'au cimetière », persifle *Paris-Presse*.

Le lynchage est général. Il ne se trouve guère pour défendre la pièce que l'ami Jacques Lemarchand dans *Combat*. « *J'irai cracher* pouvait être un bonne leçon, ce n'est qu'un mauvais pensum. Personne n'ira cracher sur Boris Vian ; on le regrette un peu pour l'amitié qu'il nous inspire », écrit François Chalais dans *Aux écoutes*. Quant à Georges Huysman dans *La France au combat*, il déplore qu'« un écrivain de la classe de Boris Vian n'ait pas voulu nous donner une œuvre dramatique de classe ». Pour contrebalancer cette remarque négative, le critique trace néanmoins le portrait juste et bienveillant d'« un humoriste extraordinaire qui sait créer les mots, les types et les situations, jongler avec les coq-à-l'âne et construire un univers totalement louftingue qui lui appartient en propre ». Finalement, la pièce ne fait scandale qu'à... la RATP. La régie interdit en effet que le titre *J'irai cracher sur vos tombes* figure sur les affiches de ses stations et des couloirs. La compagnie, qui a déjà transformé *La Putain respectueuse* de Sartre en *La... respectueuse*, annonce en ces termes le spectacle du théâtre Verlaine : « La pièce de Boris Vian ».

Celui-ci est atterré. Il juge lui aussi l'adaptation quelconque et ne sait que faire pour se sortir de ce guêpier. La direction du théâtre voit venir le four. Car le public est déçu par la chasteté de la mise en scène. On décide donc de retarder un peu le tomber du rideau sur la scène de viol. Puis on engage une jeune femme « spécialiste du nu » pour se dévêtir en silence au fond de la scène. On tente enfin la publicité affriolante : « La pièce la plus audacieuse de la saison ! » Mais rien n'y fait. La déconvenue est totale. « Boris Vian a même déclaré qu'il ne savait plus, maintenant, à quel... sein se vouer ! » commente *Aux écoutes*. Il est grand temps que le rideau tombe définitivement sur ce drame à tous les sens du terme. Le 24 juillet, trois mois après sa création, les papillons « Dernières » couvrent les affiches à la devanture du théâtre. La pièce est remplacée avec bonheur par *La Cantatrice chauve* de Ionesco.

# Boris Vian, le malentendu

> *Il n'y a pas de littérature érotique. Ou plus précisément [...] toute littérature peut être considérée comme érotique.*
>
> BORIS VIAN

Parmi ses multiples dons, Boris possédait et maîtrisait celui de l'éloquence. En cette tumultueuse année 1948, il s'essaie donc à une nouvelle activité. À croire qu'il manque d'occupations… Le 4 juin, il est appelé à s'exprimer sur « L'objet et la poésie » au musée du Louvre, dans le cadre d'un cycle de conférences organisé par Mme Lise Deharme. Au programme : Maurice Merleau-Ponty, Jacques Lacan, Max-Pol Fouchet et Roland Manuel. Boris a choisi pour thème « Approche discrète de l'objet ». Pour préparer son intervention, il a dû lire un certain nombre d'ouvrages de philosophie, et il commente avec fureur les idées très en vogue de Jaspers. Il cite Bachelard (« Dans la pensée scientifique, la méditation de l'objet par le sujet prend toujours la forme du projet ») et tente une classification des objets : objets naturels, objets d'investi-

gation, objets de modification et objets artificiels…
avant d'aboutir à un constat d'échec intégral de
cette tentative de classification et de conclure à
« l'interpénétration complète et réversible des
quatre classes d'objets » qu'il avait cru isoler. Tout
comme sa pièce *L'Équarrissage pour tous*, cette
intervention fantaisiste de Boris Vian sera considérée comme un apport pataphysique*.

En l'invitant parmi d'autres intellectuels, l'Union
centrale des Arts décoratifs panse les plaies d'un
homme que l'image de plaisantin et de pornographe accolée à son nom commençait à déprimer.

C'est encore pour discuter de ce malentendu avec
le public et pour tenter de se défaire de cette réputation qu'il traite de « L'utilité de la littérature érotique » le même mois, au club Saint-James de
l'avenue Montaigne. Boris, dont les écrits érotiques
se résumeront à cinq ou six poèmes salaces et à un
conte, « Drencula », y exprime, une fois pour
toutes, sa vision du sujet. Car Boris Vian n'a jamais
aimé la pornographie. Son discours commence par
« faire un sort » aux œuvres de Sade, qui, à ses
yeux, « méritent tout juste le nom de littérature ».

L'érotisme des *Cent Vingt Journées de Sodome*, quand il ne
tombe pas dans un ridicule assez comique, ne va guère au-delà
de celui d'un *Petit Larousse* perverti ; et les préparatifs de l'or-
gie qui durent des pages et des pages sont assommants et bien
inférieurs en intérêt au *Catalogue général de la Manufacture
d'Armes et Cycles de Saint-Étienne*, ou plutôt aux annonces
matrimoniales du *Chasseur français*[1].

---

* Elle sera d'ailleurs reproduite dans le *Cahier de 'Pataphysique*, n° 12, 1955.

Après cette attaque en règle contre le marquis, Boris, qui a beaucoup lu et aimé la comtesse de Ségur, se souvient des coups de fouet administrés par le général Dourakine sur la personne de Torchonnet ou de ceux, très suggestifs, administrés à Mme Papofski, lorsqu'elle est emprisonnée dans une trappe à mi-corps et « où l'on fouette ce qui dépasse dans la pièce au-dessous ». Voilà qui relève du sadisme et, selon lui, « si une fustigation peut être agréable et présenter un intérêt érotiquement parlant, c'est à la condition qu'elle reste amoureuse et s'exerce avec le consentement du ou de la partenaire. Néanmoins, je ne suis pas personnellement renseigné sur cette pratique et je laisse la comtesse et le marquis se débrouiller avec leur Knout [2] ».

Boris se penche aussi sur le pseudo-érotisme des romans à l'eau de rose de l'époque symbolisés par Delly et Max du Veuzit, dont, dit-il :

la tâche principale semble être de fabriquer, à longueur de journée, de nouveaux complexes à l'usage des jeunes filles catholiques [3].

Le conférencier en vient aux ennemis de la littérature érotique :

les Daniel Parker, les scouts, les organisations de jeunesse, les associations de parents d'élèves, les producteurs de films américains, les gardiens de square, la police, les adjudants [4]...

Et de remarquer au passage, à propos de son ennemi juré Daniel Parker :

Peu de gens ont fait plus que lui pour la diffusion des ouvrages à caractère particulier[5].

Après avoir réglé ses comptes avec le président du Cartel, Vian en vient aux romans érotiques comme il les aime. *Le Blé en herbe* de Colette, qui lui semble l'un des plus merveilleux qui existent même si l'auteur a été

assez habile pour présenter son œuvre sous une apparence peu susceptible d'attirer l'œil des censeurs[6].

Le conférencier prône ainsi un érotisme suggéré, tout en subtilité. Le contraire de ce qu'on lui reproche.

Pour répondre enfin au titre de la conférence, Boris assigne à la littérature érotique un rôle éducatif. Elle doit être

une préparation, une incitation et une initiation pour tous ceux que des circonstances défavorables, un milieu social inadéquat ou des nécessités diverses ont privés d'une cousine de seize printemps ou d'une jeune maîtresse de piano ; pour tous ceux dont les parents n'avaient qu'une bonne de soixante-quinze ans depuis cinq lustres dans la famille. [...] Elle peut également tenir l'emploi de palliatif ; un capitaine de méharistes perdu dans le désert sans la moindre Antinéa à l'horizon et qui posséderait une bonne bibliothèque érotique trouverait certes le temps moins long que s'il était laissé à lui-même ou en tête à tête avec les œuvres complètes d'Henry Bordeaux[7].

Au terme de toutes sortes de considérations drolatiques, Boris en arrive à cette conclusion :

> Il n'y a pas de littérature érotique. Ou plus précisément [...] toute littérature peut être considérée comme érotique. [...] Et oui, la vérité est là... il n'y a de littérature érotique que dans l'esprit de l'érotomane [...]. Esprit qui est sans aucun doute, celui de toutes les personnes présentes, le conférencier compris [8].

Ces considérations n'infléchiront pas son détracteur, Daniel Parker. Boris avait été sauvé *in extremis* de ses menées purificatrices par l'élection du nouveau président de la République, Vincent Auriol, et par la loi d'amnistie qui avait suivi cette élection. Mais, au cours d'une seconde manche qui pourrait s'intituler « Parker persiste et signe », le sinistre porte-parole du Cartel d'action morale récidive. Le troisième Sullivan, *Et on tuera tous les affreux*, qui a paru le 20 juin aux éditions du Scorpion, beaucoup moins scandaleux que les précédents, aurait dû le dissuader de poursuivre sa croisade. Rien ne saurait toutefois détourner un Daniel Parker de sa mission sacrée. Il profite de la réédition de *J'irai cracher sur vos tombes* pour déposer une nouvelle plainte. Celle-ci porte également sur *Les morts ont tous la même peau*. Comme l'annonce *Le Populaire* du 22 septembre, « une deuxième croisade anti-pornographique » est engagée. La presse guette avec une certaine fébrilité ce nouveau procès littéraire.

Vernon est vraiment le mauvais ange de Boris, une vraie pieuvre, séduisante de prime abord, mais qui ne fait que l'envahir et l'étouffer. Là où Sullivan passe, Boris trépasse. Au cours d'un voyage en Allemagne avec son copain Jean-François Devay, il a pourtant ébauché son superbe roman autobiographique, *L'Herbe rouge*. Cependant, une fois de plus, il doit remettre son masque de Sullivan, ce « moi public » qui l'a dévoré. Il ne se fait aucune illusion sur les motivations de son éditeur et ami Jean d'Halluin. Ce dernier ne s'intéresse qu'à ses écrits sulfureux. S'il a consenti à publier *L'Automne à Pékin* puis *Les Fourmis*, un recueil de onze nouvelles, c'est pour pouvoir conserver la manne financière que représente Sullivan.

Le 22 novembre, il comparaît devant le juge. Le chef d'inculpation retenu contre Vernon Sullivan est celui d'outrages aux bonnes mœurs. Boris reconnaît qu'il est l'auteur des deux livres incriminés. Interviewé le 1er décembre dans *Paris-Normandie* sur le premier, il déclare :

> C'est mauvais, c'est très mauvais. Commercialement, c'est bien construit. Je le sais. Je ne suis pas ingénieur pour rien. Car je suis ingénieur. Un sale métier qui ne rapporte pas. Alors je leur ai foutu *J'irai cracher sur vos tombes* et j'ai appris à souffler dans une trompette [9].

De la lassitude, sans doute de la tristesse, affleure dans ses déclarations. Boris est sur une pente glissante. Sa vie ne lui convient plus. À propos de *Et on tuera tous les affreux*, paru dans *France-Dimanche*, il déclare : « Il est de la qualité du journal qui l'a publié. »

La condamnation qui lui pend au nez n'est pas

bénigne. Car la loi du « 29 juillet 1939 relative à la famille française » lui fait alors encourir le risque de deux ans de prison et de 300 000 francs d'amende. Cela ne l'empêche pas de repeindre son salon en jaune d'or, sa couleur préférée, comme le relève *Samedi-Soir*, à qui il déclare qu'il se demande « si des carreaux verts n'auraient pas été plus jolis ».

Ses moindres faits et gestes font l'objet de commentaires amusés. Quoi qu'il fasse, pour l'opinion publique, Boris reste un farceur, un trompinettiste en vogue, un chroniqueur délirant, un joyeux noctambule, un auteur à scandale. La célébrité trace une voie semée de malentendus.

# L'usure du couple

> La douleur est une chose que l'on n'a le droit d'infliger
> qu'à soi-même.
>
> BORIS VIAN

Le thème de l'usure de l'amour est récurrent dans l'œuvre de Vian. Et c'est bien cette érosion que son couple subit à l'aube des années 1950. De plus en plus, depuis la fin de la guerre, Michelle et Boris mènent des vies indépendantes. Durant la folle année de Saint-Germain-des-Prés, Michelle est apparue partout dans la presse aux côtés de Boris. Mais celui-ci n'est pas un mari idéal et, depuis longtemps, leur idylle romantique a tourné à la camaraderie amoureuse. Boris, qui aimait la sophistication de Michelle, « blonde platine et mutine », critique à présent ce côté apprêté. Il dit qu'ils sont libres mais cela vaut surtout pour lui. Il lui reproche le caractère affiché de ses conquêtes, en particulier de sa liaison avec le musicien André Rewelliotty. Il avait pourtant accepté qu'elle l'emmène en vacances avec eux à Saint-Jean-de-Monts en 1946.

Le style de vie à la Sartre-Beauvoir est attirant

mais difficile à mettre en pratique. Michelle, de son côté, n'a pas pardonné à son mari son infidélité avec Béatrice, une comédienne rencontrée sur le tournage de *Madame et son flirt*. De part et d'autre, les accrocs au contrat de mariage se sont multipliés depuis la Libération. Boris et Michelle semblent alors vivre l'adolescence qu'ils n'ont pas eue. La séduction magnétique du premier attire les femmes, fascinées par sa prestance. Dans ses carnets, il souligne parfois leurs attitudes « frôleuses ». Cela ne l'a pas empêché de succomber régulièrement à leur charme. On cite une championne de ski croisée à Megève, de jolies « rates de caves » ou encore la belle comédienne Anne Campion[1].

Tandis qu'il papillonne dans tous les domaines de sa vie, Michelle, qui est une intellectuelle et se revendique existentialiste, se rapproche de Sartre. Moins beau que Boris, certes, mais passionnant pour tous ceux qui le côtoient à l'époque. En outre, les pérégrinations de Vernon Sullivan et les démêlés de son mari avec la presse et la justice commencent à la lasser. Elle ne l'admire plus et le juge même sans grand avenir s'il continue à brader ses talents.

Lui joue encore et toujours les bateleurs, au hasard des invitations qu'il semble incapable de décliner. Certaines méritent sa présence. Ainsi, au début de l'année 1949, le 28 janvier exactement, Boris participe au club d'essai de Paris-Inter dans l'émission « Procès des pontifes ». Celle-ci est conçue comme un tribunal parodique. Le rôle d'accusateur est tenu par François-Régis Bastide. Boris prend la défense de Jean Cocteau : « [J]e l'aime parce qu'il a envie qu'on l'aime. »

À l'écrivain-cinéaste de *La Belle et la Bête* il est reproché, entre autres lourds griefs, la gratuité de sa morale, la sécheresse de son style et ses clins d'œil au public. « C'est cela que j'aime, moi, plaide Vian, la fausse poésie, le faux lyrisme, la fausse morale... Tout cela... parce que toute cette fausseté, c'est du vrai Cocteau[2]... »

Au mois de mars, Eddie Barclay, qui a lancé une revue, *Jazz News*, en confie, non sans une certaine insouciance, la rédaction en chef à Vian. Afin sans doute d'aller plus vite et de ne pas s'embarrasser de collaborateurs inutiles, celui-ci rédige tous les articles sous divers pseudonymes. Pour l'amour de l'art et surtout pour celui du grand Duke, son idole à vie. Comme il l'a écrit la même année dans *Combat* : « Il y a une telle différence d'envergure entre Duke Ellington et tous les autres musiciens de jazz, sans exception, qu'on se demande pourquoi on parle des autres[3]. »

Ce héros, il l'a vu la première fois de sa vie en chair et en os au palais de Chaillot le 3 avril 1939. Il garde toujours le programme de ce concert comme une relique. La deuxième rencontre a lieu le 19 juillet 1948. Boris a le bonheur, avec d'autres musiciens, dont Claude Bolling, d'accueillir le maître à Paris pour un court séjour. Il lui sert de chauffeur, l'emmène dîner au restaurant puis le guide dans la capitale, du club Saint-Germain aux studios de la radio, où il lui a servi de traducteur.

Un soir, Duke partage même son plat préféré, le steak-frites, chez lui, avec Michelle et quelques amis. Après avoir passé la nuit à écouter des disques, le Duke demande à être raccompagné à son hôtel, le Claridge. À sept heures du matin, il est encore frais comme une rose. Délicatesse ou oubli ? Il laisse chez son disciple une cravate bleue à pois blancs. Boris la conservera soigneusement dans du coton. Autre relique. « Ce n'est pas que je sois fanatique, écrit-il, laconique, mais Duke, tout de même, c'est quelqu'un[4]. »

Le jazz est la bande-son de sa vie. Mais cet art ne l'a jamais nourri. Quant au journalisme musical, il l'a également pratiqué en amateur. Au bout de trois mois, il a déjà réussi à couler *Jazz News*...

La poésie constitue également pour lui une activité continuelle bien que peu lucrative. Boris écrit des alexandrins à volonté mais, la plupart du temps, il jette sur le papier des vers libres dont la veine fantaisiste et anarchisante le rapproche de ses grands contemporains — mais non moins amis — Prévert et Queneau. Cette année, il se décide à publier chez Jean Rougerie, éditeur à Limoges et fervent amateur de jazz, vingt de ses textes poétiques réunis sous le titre générique de *Cantilènes en gelée*. Peu avant, Boris avait déjà fait imprimer, à compte d'auteur, une plaquette intitulée *Barnum's Digest*, « dix monstres » illustrés par son complice Jean Boullet, qui avait élaboré avec lui l'édition de luxe de *J'irai cracher sur vos tombes* en 1947.

Un très court texte intitulé « Le fond de mon

cœur » apparaît comme une profession de foi qui
révèle, sous la carapace du fantaisiste, un personnage qui sait où il va et qui croit en son œuvre, et
sans doute à la pérennité de celle-ci :

Je vais être sincère — une fois n'est pas coutume —
Voilà :
Je serai content quand on dira
Au téléphone — s'il y en a encore
Quand on dira
V comme Vian...

Les *Cantilènes en gelée* seront présentées le
14 mai à la librairie du club Saint-Germain. Tous
les noctambules des caves parisiennes ont reçu
une invitation au cocktail de lancement. Elle est
signée par Boris et agrémentée d'un dessin érotique
de Christiane Alanore, qui a illustré le recueil. Les
amateurs sont invités à « l'absorption par voie buc-
cale de mélanges alcoolisés ». Quelques moments
de cette soirée fort arrosée ont été immortalisés.
Boris y a posé avec le peintre Oscar Dominguez et
avec Miles Davis. Il vient de présenter son livre
avant de s'éclipser mystérieusement.

Six mois après cet événement mémorable, les
éditions Rougerie avaient vendu vingt exemplaires
de la brochure de luxe, dont quinze avaient déjà
été réglés. Un résultat décevant mais l'ouvrage était
un peu cher.

À la fin de l'année, le ministère des Affaires
étrangères donne un coup de pouce à la distribution en se procurant une vingtaine d'exemplaires
de *Cantilènes en gelée* avant d'en interdire l'envoi

à l'étranger pour y éviter tout scandale. Au fil du temps, ces poèmes finiront par rencontrer leur public et les deux cents exemplaires mis en place trouveront acquéreur...

L'activité artistique de Boris est intense autant qu'éclectique. Il nourrit toujours une passion pour le cinéma, s'est rendu au Festival du film amateur à Cannes et y a siégé au jury. Il collabore également à la revue *St-Cinéma-des-Prés* où l'on retrouve, entre autres, les signatures de Cocteau, les dessins de Jean Boullet. Son recueil de nouvelles *Les Fourmis* paraît au Scorpion...

Depuis peu aussi, Boris écrit des chansons. Son premier succès *C'est le be-bop*, est créé par Henri Salvador, qui deviendra plus tard un vrai copain, une sorte de frère.

Pour l'heure, Boris ne se passionne pas vraiment pour la variété, laquelle, au fil des ans, prendra pourtant une importance primordiale. Durant sa courte vie, Boris n'écrira pas moins de quatre cents chansons, dont quatre-vingt-deux avec son complice Henri Salvador ; tous deux composeront le célébrissime *Blouse du dentiste*...

Toute cette effervescence, cet éparpillement avide et papillonnant qui correspond à la nature profonde de Boris — c'est son « éthique agissante », sa « po-éthique » —, ne séduit plus du tout Michelle. Elle passe de plus en plus de temps avec Sartre, marche avec lui de longues heures en discutant. Elle est également l'amie de Maurice Merleau-Ponty. Pas plus que Boris, elle n'est désormais pressée de rentrer à la maison.

Le ménage se fissure et s'appauvrit. Car l'argent de *J'irai cracher sur vos tombes* a fondu comme neige au soleil, et les petits mots que Michelle laisse à Boris ont souvent trait aux impayés qui s'amassent sur son bureau. Une autre particularité de Boris, c'est qu'il n'a jamais jugé bon de régler ses impôts. Son esprit libertaire se rebelle devant cette idée de soumission au percepteur. Mais celui-ci commence à menacer sérieusement et lui réclame d'énormes sommes. Depuis le succès public de Vernon Sullivan, l'écrivain ne peut plus se dérober à ses obligations citoyennes et ses lettres véhémentes au Trésor public n'y font rien. Les réalités le rattrapent. La vie quotidienne est son fardeau. La vie de famille lui pèse.

Boris rêve de disposer d'un bureau à lui, loin de cet appartement qu'il n'a jamais aimé, qu'il songe souvent à réaménager sans vraiment le faire et où il étouffe depuis le retour de ses beaux-parents.

Par réaction, il est insaisissable. Ses allées et venues sont imprévisibles, ses retours tardifs avec des copains sont parfois pénibles pour sa femme. Ses deux enfants le voient filer comme un météore.

De son côté, Michelle poursuit son travail de traductrice, si mal payé. Tout comme l'âge d'or de Saint-Germain est derrière, la lune de miel des amoureux est loin. Les disputes se profilent.

La famille se réunit pour partir en vacances sur la Côte d'Azur, comme l'année précédente à Saint-Tropez, qui est encore un petit port de pêche mais plus pour longtemps. Cette année, leur ami Frédéric Chauvelot compte sur eux car il vient d'ouvrir une annexe du club Saint-Germain. Au sein de cette boîte à l'atmosphère chaude et décontractée, on retrouve un peu de l'enthousiasme et de la fantaisie qui avaient présidé aux débuts du Tabou. Boris y vient tous les soirs et souffle à l'occasion dans sa trompinette. Pas trop cependant car le médecin est formel, il lui faut renoncer à cet instrument qui peut lui être fatal *. La vedette du club est alors le chanteur Jacques Douai, dont le répertoire poétique provoque une grande affluence. Les nuits se prolongent jusqu'à l'aube. Les derniers fêtards se dirigent vers le port pour y prendre un petit déjeuner au Bateau ivre. Andrée Icard se souvient :

En 1944, le port avait sauté. En 1946, on avait reconstruit. 1947-1948, quelques boîtes ouvrent mais c'était timide. C'est vraiment en 1949 avec le Club Saint-Germain que nous avons retrouvé l'atmosphère d'avant-guerre. Ce n'était plus Henry Garat et son yacht, mais c'était Errol Flynn. Car avant-guerre, on n'en parlait pas, pourtant Saint-Tropez était déjà l'endroit à la mode[5].

Boris se sent bien, avec les siens, dans cette ambiance. Michelle et lui sont descendus avec l'orchestre à l'hôtel Sube, puis ils ont trouvé une petite maison à louer, La Ponche. Par un coup de chance inouïe pour eux en cette période de disette, la propriétaire, Andrée Icard, leur concède la jouissance des lieux pour dix ans à condition qu'ils financent les réparations. La maison se compose d'un rez-de-

* En 1951, il en fait cadeau au fils de Claude Léon, mais il semble qu'il en ait racheté une autre.

chaussée et de deux étages. Le couple y installe des lits de camp et pose des rideaux. Boris est heureux, il prend sa Carole dans les bras, la promène, elle marche alors à peine.

Il adore la mer depuis son enfance et aime cette vie de flânerie et de soirées dansantes, même si les sorties sont l'occasion de nouvelles tensions avec Michelle. À cause des jeunes filles qui s'égaient autour de lui et qu'il commence à collectionner sans d'ailleurs donner suite à ses brusques emballements.

Boris ne se repose pas comme il le devrait. Le médecin lui a déconseillé les expositions au soleil ainsi que la natation prolongée. Il n'en tient pas compte et nage sous l'eau. De plus, il écrit sans relâche et sa santé en pâtit. Mais il ne veut pas vivre comme un petit vieux. Qui peut lui donner tort ?

# Le dernier des métiers

> *Un humoriste n'a pas le droit d'être gai. Il peut rire, certes, mais il doit toujours traîner dans son rire un écho du grelot funèbre des prophètes.*
>
> BORIS VIAN

En 1950, Boris entre dans une période de turbulences dans tous les domaines. Au sein de son couple d'abord, où la crise couve depuis au moins deux ans. Depuis quelque temps, Boris, qui avait pris des distances avec sa famille et son enfance, revoit plus fréquemment la Mère Pouche — avec elle les rapports demeurent néanmoins tendus, sans que l'on comprenne toujours bien les motifs de la rancœur tenace qui semble habiter Boris. Celle-ci vit toujours avec sa sœur Tata, Ninon et sa fille dans un petit appartement. Lors des rencontres, chez les Vian, la pudeur est de mise, les confidences sont rares, on ne parle pas de soi. Il voit encore ses deux frères mais pas aussi souvent qu'autrefois. Le cercle Legateux est bien loin. Boris rend quelques visites à Jean Rostand et à son fils François à Ville-d'Avray. Cependant, il sait combien le savant a été déçu par *J'irai cracher sur vos tombes*. Ensemble, ils jouent donc aux échecs pour éviter tout sujet polémique.

Les amis de Saint-Germain s'éloignent, chacun revient à sa vie. Le Major n'est plus. En dehors des fidèles Queneau, Claude Léon et Jean Boullet, il n'y a finalement qu'avec les casseurs de Colombes que Boris se sent pleinement heureux. Son mariage sombre. En 1950, il arrive à un tournant critique de sa vie. Il n'a que trente ans mais paraît déjà en avoir vécu quinze de plus.

Au printemps, il ressent pourtant l'amorce d'un renouveau. Sa pièce *L'Équarrissage pour tous* va enfin être montée. Le metteur en scène André Reybaz et sa compagnie du Myrmidon y travaillent depuis le début de l'année. Comme pour *J'irai cracher sur vos tombes*, Boris se heurte à des difficultés diverses, du refus d'Elsa Triolet de lui accorder une subvention au titre des Arts et Lettres jusqu'aux lâchages de ses amis, les comédiens qu'il fréquentait dans des caves de Saint-Germain. Les uns après les autres, ils refusent tout simplement de suivre Vian dans cette aventure lorsqu'il leur propose de les engager dans sa pièce. Peur du parfum de scandale qui entoure ce « vaudeville paramilitaire » ? Décidemment, comme le chante Gréco, « Il n'y a plus d'après, à Saint-Germain-des-Prés ». Boris est ulcéré mais garde son sang-froid.

Sa pièce est présentée au théâtre des Noctambules. La direction la juge un peu courte, on demande à l'auteur de lui adjoindre un texte bref. Boris écrit à la hâte *Le Dernier des métiers*, sous-titré *Saynète pour patronages*, une farce dans la tradition anticléricale sous-tendue d'allusions pédophiles. Cela sent le souffre comme toujours. Le directeur du théâtre s'en inquiète et rejette sa commande. Elle sera remplacée, avec l'accord de l'auteur, par une pièce en un acte de Jacques Audiberti : *Sa peau*.

Jean Cocteau reste fidèle à Boris Vian. C'est un juste retour des choses car Boris l'a défendu dans le « Procès des Pontifes ». L'auteur des *Enfants terribles* lui écrit plusieurs lettres de soutien, dont celle du 23 avril 1950 qui figurera sous le titre « Salut à Boris Vian » dans le numéro du 3 mai du magazine *Opéra*[1].

« Boris Vian vient de nous donner, avec *L'Équarrissage pour tous*, une pièce étonnante, aussi solitaire en son époque confuse que le furent à la leur *Les Mamelles de Tirésias*, de Guillaume Apollinaire et mes *Mariés de la tour Eiffel*. Cette pièce, ou ballet vocal, est d'une insolence exquise, légère, lourde, semblable aux rythmes syncopés dont Boris Vian possède le privilège. »

C'est l'un des premiers hommages publics au talent d'écrivain de Vian. Avec la création de sa pièce, celui-ci espère accéder à un plus large auditoire, cette fois sous son nom.

Tout semble soudain aller mieux. Pour couronner le tout, le Duke est de retour en France et donnera un premier concert au Havre. Boris prend la route pour le revoir. Michelle, toujours fervente amatrice de jazz, a tenu à l'accompagner. Le couple retrouve le grand musicien et son orchestre à l'hôtel Roubaix, et la soirée dure tard dans la nuit. Le lendemain, tous rentrent à Paris. Duke Ellington y a ses habitudes au Claridge. Fan absolu, Boris délaisse les répétitions de sa pièce ou n'y passe qu'en coup de vent, pour suivre le grand musicien dans ses pérégrinations. Il assiste à ses répétitions, boit un verre avec ses musiciens ou observe le maître dans une séance de moulage de ses mains.

De ce fait, il arrive in extremis le soir de sa première. Celle-ci est un triomphe. Cette fois, de nombreux copains de Saint-Germain sont dans la salle. Les rires, acclamations, applaudissements fusent au point de freiner les comédiens. Boris affiche un sourire ravi, presque niais. Après le spectacle, Queneau, enthousiaste, invite toute la troupe à dîner. Cela n'empêche pas Boris de filer après le repas retrouver Duke dans un autre restaurant. Le lendemain, il le véhicule de nouveau dans toute la capitale et le soir au club Saint-Germain avant de reprendre le chemin de son propre spectacle. Il vient de passer deux jours sur un nuage.

La lecture de la presse du lendemain va le faire atterrir. Il compte trois articles élogieux : celui de Marc Beigbeder qui évoque ses « audaces pleines de bon sens » dans *Le Parisien libéré* ; celui de Michel Déon dans *Aspects de la France* qui invoque Rabelais et Jarry ; et celui de René Barjavel qui, dans *Carrefour*, parle de « bouillonnement ubuesque », dans un article titré « Boris Vian se réhabilite ». Tous les autres critiques opèrent une véritable descente en flammes de la pièce. « Et pourquoi pas une opérette sur les camps de concentration ? » tonne *Franc-Tireur*. Beaucoup de critiques jouent le mépris pour le plaisantin, l'amuseur public. Elsa Triolet vitupère contre celui à qui elle voue « une solide antipathie pour l'ignominie de ses crachats ». D'autres encore le soupçonnent toujours de causer du scandale pour l'argent. Boris, accablé, part chercher l'oubli auprès du Duke. Il assiste à trois de ses concerts en l'espace d'une journée. Il dit sa déception aux musiciens américains. L'un d'eux, Johnny Hodges, lui propose même gentiment de venir vivre aux États-Unis. Comme si Vernon Sullivan y était le bienvenu !

Dès qu'il se retrouve seul, Boris est en proie à un sentiment de colère et d'incompréhension. André Reybaz, le metteur en scène, se souvient de cette rage froide. « Je la sentais au calme menaçant qui précède les orages, à un sourire un peu fixe, à un teint qui n'était plus blême mais absinthe[2]. »

Dès le départ du Duke, le 21 avril, Boris prend la plume pour répondre personnellement à chaque critique. Ses démêlés avec eux valent un livre entier. Il est particulièrement mortifié par l'insinuation selon laquelle il s'amuse des morts de la dernière guerre. Comme d'habitude, il raisonne, polémique, discute point par point. Hélas, cela ne sert à rien et, de plus, le public boude *L'Équarrissage pour tous*.

Cocteau réconforte Vian par un mot chaleureux daté du 30 mai. Il comprend, pour le subir lui-même, le désarroi et la lassitude d'être pris pour un autre, d'être un « malentendu » ambulant : « Très cher Boris, je t'aime beaucoup, et ta femme. Il y a longtemps que j'ai deviné en toi ce qui explose dans cette pièce. Je quitte Paris, trop fatigué d'être le fantôme d'un monsieur qu'on me fait et que je ne suis pas (et que je n'aimerais pas connaître). J'emporte quelques figures dont la tienne[3]. »

Face à l'adversité, Boris a toujours la même riposte : la fuite en avant, le refuge dans de nouveaux projets. Ce qui est d'ailleurs une attitude plus saine que le ressassement. Il projette l'idée d'un spectacle de sketches. L'écrit à la hâte. Le propose à André Reybaz, qui se le fait refuser partout. Boris aussitôt repart sur une autre idée : pourquoi ne pas adapter la pièce au cinéma ? Une vague discussion avec un producteur l'a mis sur cette piste. Il imagine même Martine Carol, son fantasme absolu, dans le rôle principal. Voilà qui la changera des *Caroline Chérie* ! Il se procure l'adresse de la vedette et lui écrit. L'affaire tourne court.

De quoi vit Boris à cette époque ? De commandes qu'il peine à honorer, comme ce fameux *Manuel de Saint-Germain-des-Prés*, qui est devenu pour lui un redoutable pensum. Ce qui l'intéresse, c'est de voir ses romans édités, ses vrais romans. Il n'en peut plus d'être le prince du Tabou ou le scandaleux Vernon Sullivan. Pourquoi pas Boris Vian l'écrivain ?

Toute sa vie, il a souffert d'une logique du cloisonnement typiquement française. Il semble, sous nos latitudes, presque inconcevable d'exercer deux métiers dans une même vie, ou alors de posséder deux talents, par exemple être musicien et écrivain, peintre et poète. Pis encore : d'être à la fois un scientifique et un littéraire, un artiste et un ingénieur. Bison ravi se rend-il compte à quel point il détonne dans cet univers cartésien à l'excès * ?

Malheureusement, Boris Vian écrivain, très peu de gens y croient en 1950. *L'Herbe rouge* a été refusé l'année précédente chez Gallimard. Le Grand Éditeur, le seul aux yeux de Boris, semble lui avoir fermé définitivement sa porte. Après lui avoir refusé *L'Automne à Pékin* et *Les Fourmis*, le comité de lecture a également rejeté *Le Ciel crevé*, premier titre de *L'Herbe rouge*. Ces refus successifs, Boris les ressent comme un rejet du monde littéraire dans sa totalité. Il ne peut l'admettre. Même Queneau semble douter de son ancien poulain. Son scepticisme apparaît dans la lettre de refus du manuscrit où il fait part des réserves de Sartre et de Lemarchand, et de l'attitude plus compréhensive d'Arland : « Sommes-nous tous un peu cons ? ou bien n'as-tu pas fait ce que tu voulais faire ? L'histoire littéraire en jugera, comme dirait l'autre. Enfin, crois bien que je suis toujours ton ami. Queneau[4]. »

Le lendemain de cette lettre, Gaston Gallimard lui-même a signifié son refus officiel à Boris, refus qu'il exprime avec quelques ménagements : « Peut-être nous trompons-nous. Cependant les avis de différents lecteurs concordent trop pour que je ne leur fasse pas confiance, et je me vois donc obligé de renoncer à la publication de *Le Ciel crevé*[5]. »

Profondément blessé, l'écrivain répond sur un ton léger et moqueur :

---

* C'est, avec son prénom, une des raisons de sa légende slave. Boris n'a pas l'air français, et n'en a surtout pas le caractère.

Mon cher Gaston, j'ai bien reçu le chèque sur le Crédit du Nord auquel tu as consenti d'attacher ta signature ; par pneumatique même, et je t'en remercie, car la célérité de la réponse compense abondamment la discrétion (que j'ai appréciée) de ton envoi. Je sais que je devrais te répondre par télégramme pour rester au niveau de la situation, mais j'ai la flemme d'aller à la poste, aussi, considère que le vœu y est. J'ai été un peu ému par le ton officiel et presque guindé de ta lettre : crois bien que je comprends la gaudriole et ne te gêne pas pour m'inviter à un dîner de garçons ; je ne suis pas de ces gens snobs qui s'attachent aux formes. Aussi la prochaine fois, j'espère que tu laisseras parler ton cœur. Une grosse bise à toute la petite famille. Ton pote[6].

En désespoir de cause, Boris, qui n'a jamais voulu être publié que par Gallimard — sa petite famille qui ne veut plus de lui —, a confié le manuscrit aux éditions Toutain, chez qui il a signé le contrat du *Manuel de Saint-Germain-des-Prés*. Un livre dont la sortie est toujours annoncée et qu'il prétend avoir terminé. En attendant, il a donné *L'Herbe rouge* à ce même Toutain. En butte à de graves difficultés financières, celui-ci sort le roman sans aucun service de presse. Le livre sera à peine diffusé, la plus grande part du tirage demeure sous séquestre chez l'imprimeur, qui réclame d'être payé. Le roman est finalement pilonné. Au lieu de proposer ses livres aux autres éditeurs solides de l'époque, et il n'en manque pas, Boris les a bradés comme un lot à une petite maison proche de la faillite. Au mois d'octobre, Toutain publie *L'Équarrissage pour tous* suivi du *Dernier des métiers*. Peu après, il dépose son bilan.

De sérieux problèmes financiers se profilent

pour Boris. Le 29 avril, après diverses assignations, le procès de Vernon Sullivan, plusieurs fois remis, s'ouvre à huis clos. Boris comparaît devant la 17ᵉ chambre du tribunal correctionnel de la Seine en compagnie de Jean d'Halluin. En dépit de la plaidoirie de son avocat, Mᵉ Georges Izard, connu pour son panache et pour la force de ses réquisitoires ; en dépit de la présence de prestigieux témoins comme Raymond Queneau, le conseiller d'État Georges Huysmans ou le professeur au lycée Saint-Louis, André Berry, qui invoque le procès de Flaubert ; en dépit du témoignage écrit de Jean Paulhan, Daniel Parker gagne la partie. Boris, qui n'a guère eu son mot à dire et s'est contenté de justifier de son état civil, est condamné à 100 000 francs d'amende pour outrage aux mœurs. Le tribunal ordonne la saisie et la destruction de tous les exemplaires de *J'irai cracher sur vos tombes* dans ses versions française et anglaise ainsi que tous les exemplaires de *Les morts ont tous la même peau*.

Bien décidé à ne pas laisser triompher les représentants de « la bêtise », Boris fait aussitôt appel de cette sentence.

Il se prononce d'emblée sur ce jugement et répond dans *Combat* du 16 mai par un article intitulé « Je suis un obsédé sexuel », dans lequel il se défend, avec son humour habituel, contre l'attendu qui stipule que les deux ouvrages « empreints d'obsession sexuelle soient mis hors de portée des jeunes » en répondant que son fils, qui a huit ans, et qui est le fils d'un obsédé sexuel, préfère lire *Les Aventures de Tintin* à l'*Anthologie de l'éro-*

*tisme* qui traîne dans sa chambre. « Mais mon fils se contrefiche de l'Anthologie de l'érotisme. Incroyable mais vrai. Ces enfants sont d'une inconscience : ils ne se doutent pas qu'il y a des trucs terribles dans ces livres, écrits par des obsédés sexuels à leur intention expresse. »

Un mois plus tard, le dernier des Sullivan, *Elles ne se rendent pas compte*, est édité au Scorpion. Ce dernier reste la principale source de revenus de l'auteur depuis quatre ans. Durant ce laps de temps, l'éditeur lui a en effet versé environ 4 500 000 francs*, une somme colossale pour l'époque. Somme que le percepteur n'a pas manqué de noter sur ses tablettes.

Or cette manne provenait pour l'essentiel des ventes des Sullivan. Car les livres signés Boris Vian (*L'Automne à Pékin* et *Les Fourmis*) ont rapporté moins de 200 000 francs. La mort annoncée de Vernon Sullivan risque d'entraîner son ancien « traducteur » dans une période de vaches maigres.

Au terme de cette affaire qui ne l'amuse plus depuis longtemps, celui-ci pousse un cri définitif contre la presse et la critique. Dans un premier temps, son lynchage médiatique a fait gonfler ses ventes. Il a pu, durant toute la période Sullivan, vivre de sa plume d'auteur américain à succès. Pendant ce temps, Boris Vian, le vrai, a été ignoré, enterré... Dans une postface à *Les morts ont tous*

* Noël Arnaud rapporte cette somme aux 200 000 francs annuels de salaire que recevait Boris Vian à l'Afnor (*Le Magazine littéraire*, n° 182, mars 1982).

*la même peau*, sous la plume de Boris Vian le traducteur, il règle ses comptes avec une partie de la presse :

> Il y a que tous ces critiques, ceux qui ont arrosé de leur fiel visqueux et verdâtre le premier ouvrage de Vernon Sullivan, et ceux qui l'ont porté aux nues, lui ont, par là même, consacré une place considérable. Ils ont ainsi donné à ce livre une importance qu'il avait peut-être, mais pas dans ce sens. Ce livre qui, littérairement parlant, ne mérite guère que l'on s'y attarde [...]. Et le petit Vian est un plagiaire, un assassin, un pornographe, un misérable foutriquet, un malheureux impuissant, et, en même temps, un Priape déchaîné, un Jean Legrand au grand pied, un tout ce qu'il y a de pire, et allez vous coucher, grand porc, vous êtes démasqué[7].

Finalement, ce n'est pas à la fonction de critique que Boris s'en prend, mais à la façon dont elle est pratiquée. Poussant plus loin ses théories, il définira la critique idéale comme un « bulletin météo », bref et objectif :

> Quand ferez-vous votre métier de critique ? Quand cesserez-vous de vous chercher dans les livres que vous lisez, alors que le lecteur cherche le livre ? Quand cesserez-vous de vous demander, au préalable, si l'auteur est péruvien, schismatique, membre du PC ? Ou parent d'André Malraux. Quand oserez-vous parler d'un livre sans vous entourer de références sur l'auteur, ses tenants et aboutissants ? Vous craignez de dire des bêtises ? Mais vous en dites de tellement plus grosses avec toutes vos précautions[8] !

Ce que Boris reproche le plus au fond à tous ces chroniqueurs, c'est leur impuissance fondamentale, lorsqu'ils ne sont pas eux-mêmes écrivains, à comprendre ce qu'est un romancier. Dépourvu de cette intuition fondamentale qui est la marque du créateur, de cette imagination et de cette inspiration, le critique est souvent malhonnête ou fonctionne à l'épate. Il brode autour d'univers qu'il est inapte à cerner. Boris poursuit :

Résultat, les critiques ont fait un succès littéraire à ce livre (qu'on en dise du bien ou du mal, quand tout le monde en parle, c'est un succès littéraire). Et les bons livres attendent toujours leur critique [9].

La mystification était trop facile. Elle a fonctionné de manière désespérante, a démontré par l'absurde combien ce milieu littéraire était aisément prévisible et facile à manipuler.

Il est vrai que faire vendre *J'irai cracher sur vos tombes* et reléguer *L'Écume des jours* aux oubliettes, tout de même… Cela ne donne pas une image très favorable du milieu culturel de l'époque. On peut cependant hasarder que le canular fonctionnerait probablement aujourd'hui de la même façon, qu'un Sullivan serait encore préféré à un Vian, que la littérature de pastiche sécurise les éditeurs, qu'elle trouve un accueil complaisant auprès des critiques, que le scandale fait parler et fait vendre, que le public suit, que trop souvent les vrais écrivains, déçus de rester dans l'ombre et ignorés, sont parfois tentés de refaire leur Sullivan [*].

---

[*] Voir plus près de nous l'affaire Gary-Ajar, puis Jacques-Alain Léger, alias Paul Smaïl, etc.

# Le temps des ruptures

*Je passe le plus clair de mon temps à l'obscurcir.*

BORIS VIAN

Alors qu'il traverse une grave crise morale, Boris ne renonce pas à sortir ni à inviter. Le 6 juin, il a organisé un grand dîner rue du Faubourg-Poissonnière en l'honneur de Sidney Bechet et de Benny Goodman. Queneau et Lemarchand sont présents. Ses vrais amis, dans le monde des lettres, il les compte désormais sur les doigts d'une main.

Deux jours plus tard, il se rend au très prestigieux cocktail annuel de Gallimard rue Sébastien-Bottin. En dépit des rebuffades que la maison lui a fait subir, il fait toujours partie des listes d'invités. Sans doute grâce à Raymond Queneau. Comme toujours lors de ces réceptions, on se presse dans la grande salle aux portes-fenêtres ouvertes sur les pelouses. Boris s'étonne de voir tous ces écrivains se ruer littéralement sur le buffet. Ignore-t-il encore que la plupart d'entre eux tirent le diable par la queue ? Il ne va pas tarder à connaître le même sort.

Au milieu de toutes les têtes connues, il est frappé par une belle jeune fille. Vêtue d'un manteau gris-vert, elle est fine comme le sont les danseuses, avec un visage triangulaire, un long cou. Blonde avec une frange, les cheveux coupés court derrière la tête. Elle semble un peu perdue, ce n'est pas une habituée des lieux.

Il s'agit d'Ursula Kübler, une danseuse suisse du Ballet de Roland Petit. Elle est accompagnée d'une amie, Julia Markus, qui connaît Boris. Ils se serrent donc la main et discutent quelques minutes. Ce sera tout. Il n'y a pas de coup de foudre, juste une rencontre, un visage et une silhouette furtive notée dans la foule, un accent zurichois. À ce moment-là, Boris n'est pas d'humeur légère.

Ils se retrouvent pourtant peu après, lors d'un autre cocktail parisien, et échangent à nouveau quelques mots. Ursula revient de New York où le Ballet a joué *Carmen*. Curieusement, elle y a rencontré Queneau. Celui-ci était du voyage car il écrivait les *lyrics* d'un nouveau spectacle. L'écrivain a visité la ville et a rejoint le soir les danseurs et les danseuses dans les bars de jazz de la ville.

Lors de cette deuxième rencontre, Ursula explique à Boris qu'elle aimerait chanter, après tout Zizi Jeanmaire elle-même est une danseuse qui chante. Ils parlent musique, échangent leurs numéros de téléphone. Une nouvelle fois, l'aventure s'arrête là. Boris a toujours la tête ailleurs, et son visage affable masque son humeur grave, ses problèmes conjugaux et ses déboires de tous ordres. Il se sent déjà vieux : « Je me tue ou je me fais clochard », lui dit-il en passant, ce qui révèle la dépression qui le travaille.

Ursula, de son côté, n'a pas vraiment succombé à son charme. Elle a encore quelqu'un en tête, un maître de ballet de l'Opéra de Zurich dont elle est amoureuse. De quinze ans son aîné, cet homme marié se refuse à divorcer. Les parents d'Ursula ont alors décidé de l'éloigner de lui en l'envoyant en France, où elle a été engagée par Maurice Béjart puis par Roland Petit. Celui-ci l'a classée dans la catégorie « danseuse de caractère ».

Suédoise par sa mère et suisse par son père, Ursula est âgée de vingt-deux ans à peine. Elle habite depuis peu rue Poncelet, dans le XVIIe arrondissement, chez Dick Elridge, un diplomate américain qui est en réalité membre des Services secrets. Ursula est sa petite protégée, elle l'appelle son « oncle d'Amérique ». Il veille sur elle et en profite pour la chapeauter dans ses sorties, ce qui lui vaut l'agréable compagnie de ses jeunes et jolies collègues qu'il sort dans les boîtes parisiennes.

Si Ursula et Boris ne connaissent pas d'emblée le coup de foudre, l'alchimie fonctionne bien entre ces deux êtres déçus par l'amour. Cet écrivain l'émeut, qui parle déjà de lui au passé. Elle le découvre, car elle n'en a jamais entendu parler. Sa célébrité, toutefois, ne l'impressionne pas. Son père, le journaliste Arnold Kübler, est un intellectuel de renom en Suisse. Intriguée, Ursula se plonge dans *L'Écume des jours* puis ose lire *J'irai cracher sur vos tombes*, en dépit des remarques de son entourage. Pour comprendre la légende, elle se rend au fameux

Tabou, la cave dont tout le monde lui a parlé. Enfin, elle sera une des seules personnes à Paris à lire *L'Herbe rouge*, qui vient de sortir. En quelques semaines, elle est devenue une spécialiste de l'œuvre de Vian, et peu de gens, en dehors des proches de l'écrivain, peuvent en dire autant à l'époque.

« L'oncle d'Amérique » ouvre l'œil. Il tient à respecter la promesse faite à Arnold. Et puis Boris est encore un homme marié ! Un soir, il le trouve chez lui et le reconduit à la porte à minuit. Ursula réagit en descendant avec son amoureux. Ils quittent l'appartement et déambulent dans Paris.

Par cet acte de défi, la jeune femme a fait en quelque sorte le premier pas car Boris est mal à l'aise, hésitant, sans doute à cause de la différence d'âge, bien qu'il ne soit que de huit ans son aîné. Mais il a l'impression d'avoir vingt de plus. Et puis il se défie de tout engagement. Il s'est marié jeune, a déjà beaucoup vécu, et cette existence éprouvante a eu raison de ses forces. Il commence à perdre ses cheveux, ce qui l'angoisse. Pour se garder des éventuels tourments d'une nouvelle relation, il parle à Ursula de sa maladie de cœur et évoque sa courte espérance de vie. Il répète qu'il est à bout, qu'il en a marre de tout.

Ursula est prévenue. D'ailleurs, même s'il lui avait tu son état de santé, son teint livide parle pour lui. Sa fatigue est visible. Au début de cette nouvelle décennie, Boris est également plus nerveux qu'autrefois. Il perd souvent patience et sa voix se perd alors dans les aigus.

À présent, Ursula en sait suffisamment sur lui pour le fuir. Elle sait aussi qu'il est marié et père de famille et pourtant elle s'attache à cet homme malade et dépressif car elle sent qu'il a besoin d'elle. Comme le souligne Michel Rybalka [1], Boris voit sans doute en Ursula, cette jeune femme belle, sérieuse et solide, sa dernière chance. Tout comme le héros de sa nouvelle « Le Rappel ». Celui-ci se jette du haut d'un gratte-ciel mais il interrompt sa chute au dix-septième étage pour parler à une Carla, sans doute inspirée par Ursula :

> Toute jaune, cette fille. Des yeux jaunes aussi, des yeux bien fendus, un peu étirés aux tempes, peut-être simplement sa façon d'épiler ses sourcils. Probablement. Bouche un peu grande, figure triangulaire. Mais une taille merveilleuse bâtie comme un dessin de magazine, les épaules larges et les seins hauts, avec des hanches — à profiter tout de suite — et des jambes longues [2].

Dans la vie, la solaire Ursula lui redonne confiance en lui. Elle sait l'écouter sans être envahissante. Il a besoin d'être libre ? Qu'à cela ne tienne. Son métier en fait une femme autonome qui voyage souvent à l'étranger.

Boris se rassure, se détend. À son tour, il s'intéresse à son métier. Il va la voir répéter avec sa troupe. La danse, c'est un des rares domaines qu'il ne connaît pas. Il est tout naturellement fasciné de se retrouver au milieu d'un essaim de filles ravissantes. Entre eux — ils en sont convenus sous la pression de Boris —, il n'est pas question de jalousie. Ursula a compris qu'il fallait être forte face à cet artiste vacillant. Elle prend le risque.

Boris et Michelle partagent toujours le même toit, même s'il est admis que tout est fini entre eux. Cependant, rien n'est simple. Et cette fameuse jalousie dont Boris ne veut pas entendre parler, il ne peut s'empêcher de l'éprouver. Depuis quelques mois, Michelle est en effet la maîtresse de Sartre. Elle accepte le pacte qu'il a passé avec Simone ; il n'y a pas d'autre solution pour elle que la clandestinité et elle en prend son parti. Car, avec Jean-Paul Sartre, elle partage une complicité intellectuelle qu'elle n'a plus avec Boris. Elle est sa maîtresse, son amie, sa disciple, et cette relation discrète mais assumée durera jusqu'à la mort du philosophe.

Boris est révulsé par cette trahison. Il n'y a plus aucune cohérence dans sa vie ni dans son comportement. Peut-être serait-il moins affecté si le rival n'était pas Jean-Paul Sartre.

Il dit qu'il va quitter Michelle et rejoindre Ursula, tout en vitupérant contre l'idée du divorce proposée par sa femme.

À trente ans, usé par une vie en accéléré, Boris vit en quelque sorte la crise de la quarantaine. Il fait le bilan, se sent perdu, floué. Il en veut à Michelle, se plaint d'elle à qui veut l'entendre. Au cours de leurs tête-à-tête, il oscille entre mutisme et crise de jalousie. Claude Léon supporte, avec toute l'amitié dont il est capable, ses confidences, ses emportements et ses récriminations. Boris est si nerveux, à cette période, qu'il en vient même à se battre avec un homme un soir au club Saint-Germain.

Sa dépression retentit sur sa capacité à écrire. Dégoûté du genre romanesque, il se lance pourtant dans la conception d'une comédie musicale intitulée *Giuliano*. Épuisé, en décembre, il se rend seul à Saint-Tropez pour avancer les travaux de sa maison. Sa mine blafarde effraie ses amis pêcheurs.

Le couple Vian ne partira plus ensemble. Michelle se rend à son tour à La Ponche au début du mois de mars. Elle va, en toute discrétion, retrouver Sartre qui arrive avec Simone. Ils descendent à l'hôtel de l'Aïoli. Désormais, Michelle le suit, elle s'occupe de ses affaires, tape le manuscrit du *Diable et le Bon Dieu* qu'il est en train d'achever, comme elle a tapé *L'Écume des jours* et les autres romans de Boris.

La version officielle veut que Michelle ne se soit liée plus intimement avec le philosophe qu'après sa séparation d'avec Boris. Qu'importe. Sartre n'a eu aucune responsabilité directe dans la décision de rupture entre Boris et Michelle. Le couple qui se délite depuis 1946 est à bout de course.

Peu pressée de rentrer à Paris, Michelle ne revient qu'à la mi-avril. Entre-temps, Boris a eu le temps d'y voir plus clair et sa décision est prise. Quelques semaines plus tard, il quitte le domicile conjugal, tout en continuant cependant d'affirmer qu'il n'acceptera pas le divorce. La liaison affichée de sa femme avec un musicien puis avec Sartre en personne, il ne l'accepte pas. Ses amis tentent de le calmer. Rien n'y fait. Il y a aussi des rencontres de conciliation entre Michelle, Sartre et Boris, mais ce dernier hausse vite le ton. Le style de vie Sartre-Beauvoir l'a peut-être secrètement attiré, mais il est incapable de l'adopter. « On est marié, on couche avec des filles sans aucun scrupule, écrit-il dans *Les morts ont tous la même peau*. Et puis on se représente sa femme avec un autre — on tuerait la terre entière. Il n'y a rien à faire, ça n'a pas de rapport. Un homme ne trompe jamais sa femme[3]. »

# Vivre dans un dé à coudre

> *Car tout ceci n'est rien encore : Boris Vian va devenir Boris Vian.*
>
> RAYMOND QUENEAU

La bohème à Paris, c'est charmant dans les films américains. Dans la réalité, ce n'est pas toujours rose, surtout en couple. Boris a quitté le grand appartement de la rue du Faubourg-Poissonnière, Ursula son « oncle d'Amérique ». Ils ont trouvé une toute petite chambre au 8 du boulevard de Clichy. Vu l'exiguïté des lieux, ils n'ont pas eu à déménager grand-chose, sinon quelques livres et des vêtements.

Cette nouvelle vie d'étudiant va donner l'occasion à Boris d'exercer ses talents de bricoleur. Ce qu'il décrit dans un article intitulé « Un appartement dans un dé à coudre[1] ». Il y explique comment il a réussi à installer une pièce supplémentaire dans son studio grâce à un ingénieux système. Celui-ci lui a également permis de dérober le dessus-de-lit, généralement défait, à la vue des visiteurs. Boris a construit une sorte de mezzanine particulièrement solide. « Le "contreventement" du lit est assuré par de jolies petites poutrelles de treillis […], constituées de lattes de trois cm × deux cm de section et assemblées de la sorte : les quatre éléments forts sont les quatre piliers d'angle, construits en U, dans lesquels on peut loger des masses de livres. » Sous l'échafaudage, il reste encore 1,65 mètre de hauteur. On peut encore s'y asseoir sans se cogner la tête au plafond. Boris installe son salon, qui se compose d'un pick-up et de fauteuils clubs.

Mme Schranz, la loueuse, possède toutes les chambres de bonne du sixième étage de l'immeuble. Son toit attire les écrivains puisque Yves Gibeau y vit également dans une soupente. C'est un excellent romancier qui manque de confiance en lui. Son parcours est presque aussi éclectique que celui de Boris. Il a travaillé à *Combat*, grâce à Albert Camus, et a également été chansonnier avant de devenir correcteur.

Gibeau et le couple se lient aussitôt d'amitié. Boris stimule son voisin d'étage dans l'écriture de son grand livre *Allons z'enfants*. Lorsque ce dernier doute de ses compétences, il le remet en selle à coups de semonces et l'invite à dîner.

Ses finances sont pourtant au plus bas. Le fisc vient d'opérer une saisie-arrêt sur ses derniers droits d'auteur aux éditions du Scorpion, soit la somme de 21 000 francs qui restaient à son crédit. Boris n'a plus pour vivre que ses traductions. Ironie du sort pour un antimilitariste convaincu, il doit accepter celle de l'*Histoire d'un soldat,* les

Mémoires de guerre du général Omar N. Bradley, pour le compte de Gallimard.

Boris travaille dur pour rendre le livre à temps. Il vit trois semaines totalement épuisantes, durant lesquelles il travaille jusqu'à dix-huit heures par jour pour venir à bout des centaines de feuillets du manuscrit. Il n'en peut plus, souffre du dos et des poignets mais le besoin d'argent fait loi. Tandis qu'Ursula tente de le soulager par des massages de la nuque, il se retient d'annoter l'ouvrage de ses remarques acerbes. L'année suivante, lorsque Gallimard lui en attribue un certain nombre d'exemplaires pour ses amis, il rayera du titre le mot « soldat » pour le remplacer par « connard »…

Est-ce pour se venger de cette horrible corvée qu'il écrit *Le Goûter des généraux* ? Il est certain que l'immersion frustrante dans ce travail alimentaire a dû inspirer sa représentation des vieilles ganaches stupides et vaniteuses de cette pièce burlesque. « Un général, dégénérés », clame l'un des protagonistes.

Cette farce, dédiée à « mon Ourson », c'est ainsi qu'il appelle Ursula, ne sera jouée qu'après sa mort. À l'époque, seul le dramaturge François Billetdoux semble avoir été habilité à la lire. La séparation d'avec Michelle a créé des tensions chez les amis communs. Peu de ses anciennes connaissances viennent le voir dans sa chambrette. Il dîne souvent chez Claude et Madeleine Léon ou sort seul avec Ursula.

Il continue de remâcher sa colère contre Sartre. Le soupçonne de mal conseiller Michelle pour leur divorce. Le voit comme une menace. Sa stature intellectuelle l'irrite. Est-ce pour tenter de rivaliser avec lui qu'il se lance dans l'écriture d'un *Traité de civisme* ? Certes, il veut combattre Sartre sur le plan des idées mais il reste élégant avec cet homme qu'il admire. Dans son *Manuel de Saint-Germain-des-Prés*, il décrit ainsi celui qu'il appelait Partre : « Écrivain, dramaturge et philosophe dont l'activité n'a rigoureusement aucun rapport avec les chemises à carreaux, les caves ou les cheveux longs, et qui mériterait bien qu'on lui foute un peu la paix, parce que c'est un chic type [2]. »

La naissance de l'idée du *Traité de civisme* est également contemporaine chez Vian d'une prise de conscience politique tardive. Durant toute la guerre, il n'a pas voulu entendre parler de politique. « Laval était un salaud. Pétain un vieux con, rapporte Michelle. Et puis il y avait le STO, le travail obligatoire en Allemagne… Les camps de concentration… la mort… Il hurlait. Mais il était aussi outré par les bombardements alliés [3]. » À ce moment-là, Boris ne vivait que pour le jazz et se contentait de rejeter la politique dans son ensemble. Puis il a rencontré Claude Léon, membre du Parti communiste et résistant, et surtout l'équipe des *Temps modernes* à l'époque des « Chroniques du Menteur ». En septembre 1948, sa dernière chronique, refusée par Merleau-Ponty (qu'il appelait le « pontyfiant »), s'intitulait « Chronique du Menteur engagé ». L'auteur y indique qu'il est « hardiment élancé sur la voie de l'engagement ».

Au fil du temps, Vian réalise ses lacunes en

matière politique et s'étonne de sa naïveté passée. C'est pourquoi ce traité, qui restera toujours en friche, lui tient à cœur. Il veut faire œuvre intellectuelle et entend polémiquer avec le philosophe sur trois points : la notion d'engagement, le travail et l'épistémologie. Il avait entendu dire que Sartre préparait un traité de morale * et déclara à Claude Léon : « Si Sartre publie son "Traité de morale", je publie mon "Traité du civisme". »

Celui-ci commençait ainsi :

Eh bien non, *Les Temps modernes*, ce n'est pas suffisant. C'est du travail dans l'immédiat, du court terme, du compte rendu, de la tranche de vie, de l'air — au sens de vent. Pour démolir Mac Carthy, une seule méthode : le démolir. L'analyser n'arrange rien. [...] Mac Carthy n'est pas dangereux intellectuellement, mais matériellement ; et il n'est utile de l'attaquer que sur un plan matériel. Au couteau [4].

Lorsqu'il revoit Sartre, après la séparation d'avec Michelle, Boris ne le démolit pas au couteau mais il se montre ironique et gêné, à sa manière un peu raide. Il n'évoque aucune question intellectuelle ou affective et se contente de lui faire part des problèmes que lui cause son appareil de chauffage ou encore, selon Noël Arnaud [5], des avantages que pourraient tirer les individus lucides de l'emploi d'un « stylo anti-flic, propre à faire disparaître les représentants de l'espèce honnie. Sartre en conclura que Boris ne recherche pas spécialement sa compagnie ».

Soucieux de se défaire de son image de fantaisiste,

---

* Sartre a en effet songé à publier ce traité mais n'y a jamais vraiment travaillé.

désireux d'en découdre avec Sartre, au désespoir de se débarrasser jamais de l'encombrant Vernon Sullivan, Boris commence donc de prendre des notes pour un projet qu'il abandonnera un temps mais qui l'occupera régulièrement jusqu'à sa mort. Selon son ami, l'inventeur Maurice Gournelle, qu'il voit alors environ une fois par mois, le *Traité de civisme* représentait pour lui une sorte de testament intellectuel.

Avec Queneau, un certain malaise s'est installé. Sans doute à cause des refus successifs du comité de lecture de Gallimard. Acculé à s'astreindre à de petits travaux alimentaires qu'on veut bien lui confier, il se sent relégué. À la série des veto qu'il a essuyés rue Sébastien-Bottin s'ajoute celui de *L'Arrache-cœur*. Queneau, cependant, a continué de soutenir son ami, comme Boris le pressent dans la lettre qu'il écrit à Ursula :

> Tu me demandes pourquoi ils ne prennent pas le livre chez Gallimard. Queneau l'aurait pris, je crois ; c'est surtout Lemarchand qui ne veut pas. Je l'ai vu hier. Ils sont terribles, tous ; il ne veut pas parce qu'il me dit qu'il sait que je peux faire quelque chose de beaucoup mieux. C'est très gentil mais tu te rends compte. Ils veulent me tuer, tous. Je ne peux pas leur en vouloir, je sais que c'est difficile à lire ; mais c'est le fond qui leur paraît « fabriqué ». C'est drôle, quand j'écris des blagues, ça a l'air sincère et quand j'écris pour de vrai, on croit que je blague [6].

Ursula, avec raison, ne comprend pas pourquoi son compagnon s'acharne à vouloir être publié chez Gallimard. Ces refus le rendent malade, et elle s'inquiète. Il y a bien d'autres maisons d'édition dans Paris, non ?

C'est vrai que sa singularité lui nuit et que les autres éditeurs risquent de lui fermer leurs portes de la même façon. Comme l'écrit Gilbert Pestureau, « *L'Arrache-cœur* est un des romans les plus puissamment originaux de Vian, ce qui lui fut néfaste à l'époque : il l'était trop [7] ».

Ce roman, dont le canevas fut jeté en 1947 (« Mère et ses enfants […] [elle] finira par les enfermer dans des cages »), sera finalement publié en janvier 1953 par les éditions Vrille. Un avant-propos signé Raymond Queneau révèle, les quelques tensions dissipées, la profondeur de son amitié et de son admiration pour Boris :

Boris Vian est un homme instruit et bien élevé, il sort de Centrale, ce n'est pas rien, mais ce n'est pas tout :

Boris Vian a joué de la trompinette comme pas un, il a été un des rénovateurs de la cave en France ; il a défendu le style Nouvelle-Orléans, mais ce n'est pas tout :

Boris Vian a aussi défendu le bibop, mais ce n'est pas tout :

Boris Vian est passé devant la justice des hommes pour avoir écrit *J'irai cracher sur vos tombes*, sous le nom de Vernon Sullivan, mais ce n'est pas tout :

Boris Vian a écrit trois autres pseudépygraphes, mais ce n'est pas tout :

Boris Vian a traduit de véritables écrits américains authentiques absolument, et même avec des difficultés de langage que c'en est pas croyable, mais ce n'est pas tout :

Boris Vian a écrit une pièce de théâtre *L'Équarrissage pour tous*, qui a été jouée par de vrais acteurs sur une vraie scène, mais ce n'est pas tout […]

Boris Vian a écrit de beaux livres, étranges et pathétiques, *L'Écume des jours*, le plus poignant des romans d'amour contemporains ; *Les Fourmis*, la plus termitante des nouvelles écrites sur la guerre ; *L'Automne à Pékin*, qui est une œuvre difficile et méconnue, mais ce n'est pas tout :

Car tout ceci n'est rien encore : Boris Vian va devenir Boris Vian[8].

En attendant de devenir ce personnage de légende, le Vian en question est malheureux. Comme toujours, après avoir fait son deuil de Gallimard, il a proposé son texte à une maison à la diffusion confidentielle. Le roman ne reçoit d'autre écho dans la presse que l'article de François Billetdoux. Celui-ci écrit que Boris a voulu faire un « anti-Bazin » par référence au célèbre *Vipère au poing*. On a souvent souligné le caractère autobiographique de cet ouvrage. À travers Clémentine, la mère abusive, et ses trumeaux, trois frères comme chez les Vian, Boris règle quelques comptes avec le matriarcat de Ville-d'Avray, la cage dorée de son enfance.

*L'Arrache-cœur* est un nouveau fiasco. Du vivant de Boris, l'éditeur n'en vendra que cent cinquante exemplaires. La chaîne nationale de radio invite l'auteur dans le cadre de l'émission « La Vie des lettres[9] », produite par Pierre Barbier. Boris y explique ses intentions :

L'essentiel c'est l'histoire de la mère ; mais il me semble que, toutes les histoires ayant déjà été racontées, la seule façon de faire un livre nouveau et différent des autres est de modifier le climat. Et naturellement, comme il s'agit d'une histoire extrêmement cruelle puisqu'une mère qui aime ses enfants jusqu'à ce point est une mère assez cruelle. Comme il s'agissait d'une histoire cruelle, j'étais obligé d'introduire un climat de cruauté, mais en même temps pour le dénoncer[10].

À l'animateur qui lui demande si des écrivains comme Kafka ou Jarry ont eu une influence sur sa façon insolite de décrire les choses, il répond : « Peut-être une influence [...] dans le sens de la netteté [...], dans le sens de l'absence d'hésitation à dire tout ce qu'il faut dire. »

Chez Vian, la vie influence l'œuvre et l'œuvre finit par influencer la vie. Ainsi, comme la Chloé de *L'Écume des jours*, Ursula tombe malade et se voit annoncer par son médecin qu'elle a un voile au poumon. Le praticien l'envoie se reposer en montagne dans un hôpital près de Locarno.

Boris la rejoindra plus tard. Il reste cloué à sa table de travail. En cette année un peu triste, il s'évade en lisant des ouvrages de science-fiction. Il se passionne entre autres pour Van Vogt et les *Aventures des A*, dont il proposera la traduction à Gallimard. Cela fait deux ans qu'il s'intéresse à l'anticipation. Le troisième Sullivan, *Et on tuera tous les affreux*, témoigne de cet attrait pour le genre.

Ses rapports distants avec Sartre ne l'empêchent pas de choisir le numéro des *Temps modernes* d'octobre 1951 pour y lancer avec Stephen Spriel, pseudonyme de Michel Pilotin, un article en forme de manifeste : « Un nouveau genre littéraire : la science-fiction ». Dans le même esprit, il donne pour un spectacle au cabaret de La Rose rouge une première version de *La Java martienne*.

C'est une année de recherche personnelle, de

bouillonnement intérieur et de mutation. Boris se tourne vers la spéculation intellectuelle. Il lit le grand livre de Korzybski, *Science and Sanity*, prend des notes sur d'autres pour son *Traité*, écrit un vaudeville en trois actes, *Tête de Méduse*, qui restera dans ses cartons. Enfin, il donne une première chronique de jazz dans *Arts*.

Tandis qu'Ursula soigne ses poumons en Suisse, Boris tourne en rond dans l'appartement. Ses journées sont longues car il ne dort pas la nuit. Il entreprend une sorte de journal intime qui commence ainsi : « J'ai trente et un ans, trente-deux en mars prochain et il pleut [11]. » Sans trop savoir où ses mots le mènent, l'écrivain laisse dériver sa plume qui remonte le temps, comme la machine de *L'Herbe rouge*. Il revient à son enfance, à sa rencontre avec Michelle, à la guerre. Il pense à donner diverses formes à sa mouture, « écrire ça en beau style », puis penche pour « [u]ne sorte de monstre. Un de plus. Un monstre simple [12] ».

Son « monstre » reflète son état intérieur tourmenté. Il lui sert d'exutoire. Ce « Journal à rebrousse-poil » se présente comme une suite de réflexions, d'interrogations, des allers-retours du présent au passé, un inventaire de sa vie, une forme d'introspection par l'écrit. Il ne sait pas ce qu'il va en faire. Le donner à lire à quelqu'un. À Queneau, pourquoi pas ?

Il parle de son fils Patrick, avec lequel il est allé au cinéma. Il sait que la séparation, c'est dur pour lui aussi. Le divorce est imminent. Puis il revient à son Ourson, qu'il va rejoindre à Locarno pendant

243

deux semaines. Là-bas, il pense à la petite Carole, sa « Lala », et lui achète un cadeau. Sa crise morale devient intense à l'approche du divorce. À son retour, il revoit Michelle. Une dispute éclate à propos du jugement. Boris n'accepte pas qu'il soit prononcé à ses torts et qu'elle garde les enfants. Dans un premier temps, il avait cédé par lâcheté, dit-il, pour rejoindre plus vite Ursula. Puis il se reprend. Il a envie de voir grandir ses enfants.

Dix ans passés avec Michelle, sa jeunesse enfuie… L'idée de la mort le taraude. Il commence une série de poèmes qui donneront le recueil *Je voudrais pas crever*. Il sent que la vie lui file entre les doigts. « Pourvu qu'il me reste le temps. »

Un peu avant la fin de l'année, il croise Michelle dans le bar de Saint-Germain. Elle lui sourit, prête à rire et à pleurer. Elle est seule, un peu triste. Ils parlent sans hausser le ton, du passé, de leur adolescence. Il la raccompagne et Michelle éclate en sanglots. Qu'est-ce qu'elle a ? Elle dit s'être disputée avec un ami à cause de la politique. Il s'interroge. « Je ne la connais pas. Pas du tout. Elle me fiche la trouille. J'ai toujours peur de l'explosion. Cette soirée-là, c'était un résumé de dix ans de mariage. Je lui ai dit quand même, on a fait quelque chose de réussi, les deux gosses[13]. »

Au milieu de tous ces doutes existentiels, ces larmes, ces incompréhensions, il lui reste quelques échappatoires. Ainsi, le 26 décembre, au bar de la Reliure, rue du Pré-aux-Clercs, il a retrouvé Raymond Queneau, Pierre Kast, France Roche, François Chalais et Michel Pilotin. Ensemble, ils ont fondé le club des Savanturiers, aux statuts et aux activités restées secrètes. On sait seulement que tous ses membres se passionnent pour la science-fiction. Surtout Pierre Kast, qui se rapproche de plus en plus de Boris. Cet assistant de grands metteurs en scène a une conception subversive du cinéma, à contre-courant des desiderata des producteurs. Boris aussi rêve de « jeter à bas les poncifs » du 7e art, mais comment pénétrer ce milieu fermé qui n'acceptera à l'évidence ni ses théories, ni son insubordination naturelle, ni le caractère surréaliste de ses synopsis ? Comme il l'expliquera en 1958 au cours d'un entretien avec André S. Labarthe dans *L'Écran* :

L'idée de faire un film — comme auteur, je ne sais pas —, c'est une idée qui ne peut venir qu'à un martyr. Avoir envie de ce moyen d'expression-là, c'est vraiment avoir envie d'être martyrisé. Il y a une montagne à escalader constamment, qui est la montagne du préjugé, la montagne de la connerie, de l'intérêt mal compris. Tous les moyens d'expression peuvent donner lieu à des œuvres d'art, mais un moyen qui vous demanderait au départ d'avoir une pelle à vapeur de 700 millions, un marteau-pilon de 2 000 tonnes et un transatlantique pour transporter vos blocs de cailloux, cela limiterait singulièrement le domaine d'expression des gens.

En dépit de cette vision accablante mais juste de l'entreprise insensée que représente la mise en route d'un film, Boris y songera toute sa vie. Avec Pierre Kast, qui tente de lui enseigner les rudiments de l'écriture cinématographique, il couche sur le papier un grand nombre de projets à l'atmosphère fantastico-surréaliste. Il voudrait également introduire en France un genre américain considéré comme très secondaire : la comédie musicale. Il a un projet en ce sens, totalement inédit, avec Henri Salvador. C'est évidemment un peu tôt pour l'époque. Toujours trop tôt.

Il lui arrive aussi de vouloir écrire en pensant à des acteurs qu'il aimait bien. On sait qu'en 1942 Boris a écrit un scénario pour Jean Marais et un autre pour Micheline Presle intitulé *Trop sérieux s'abstenir*. Il avait songé à un casting des plus prestigieux (Odette Joyeux, Jean Tissier, Pauline Carton, Bernard Blier, Roger Blin, Saturnin Fabre, Jacques Charron, etc.). Mais le projet tomba à l'eau. Très peu d'entre eux d'ailleurs verront le jour — cela se limitera au tournage de quelques courts métrages, et de films d'amateur. Noël Arnaud les a recensés : en dehors des films de Ville-d'Avray et d'un autre tourné au cours d'une promenade à bicyclette sur les bords de la Marne avec Claude et Madeleine Léon, Boris a participé à un court métrage réalisé par Jean Suyeux en 1947, dont la copie a été perdue. On sait que Boris y jouait le rôle d'un prêtre vampire et que le Major était de l'aventure. La même année, Jean Suyeux a également tourné avec Freddy Baume le début d'un film dans le décor de l'Exposition surréaliste. Boris Vian y apparaissait avec Queneau. Ce tournage a dû s'interrompre à la demande des organisateurs de l'Exposition. La même année toujours, Jean Suyeux tourne *Bouliran achète une piscine*, à l'intérieur des locaux de la Maison des Sciences

rue des Ursulines et dans un immeuble en démo-
lition du quartier de l'Hôtel de Ville. Boris y
campe un terroriste s'exerçant au lancer de couteau sur des flics de carton. Curieusement, ce film
était financé par le ministère de l'Éducation nationale, qui croyait qu'il s'agissait d'un documentaire
culturel ! L'année suivante, Alexandre Astruc
tourne *Ulysse ou les mauvaises rencontres* au
théâtre du Vieux-Colombier, avec des costumes de
Jean Cocteau. Gréco y tient le rôle de Circé et
Marc Doelnitz celui d'Ulysse, Christian Bérard
joue le rôle de Neptune et Boris y incarne un des
lotophages. Il y a encore, de 1946 à 1950, le
*Saint-Germain-des-Prés* de Jean Suyeux et Freddy
Baume, tourné dans les hauts lieux du Tabou et
du Lorientais, et dont la copie fut subtilisée par la
police. Il y aura encore *Désordre* de Jacques Bara-
tier en 1951 ; *La Chasse à l'homme* de Kast en
1952 ; et *Devoirs de vacances* de Paul Paviot la
même année, également intitulé *Saint-Tropez* et
commenté par Boris Vian. Plus tard, il y aura aussi
*Mort en vitrine*, produit par Marcel Degliame en
1955 ; en 1957, enfin, *La Joconde*, l'histoire d'une
obsession, de Henri Gruel et Jean Suyeux, film
commenté par Boris.

Tout cela semble constituer une belle filmo-
graphe mais nombre de ces pellicules ont disparu.
Quant aux scénarios originaux de Boris, la plupart
ne seront même pas proposés aux producteurs présentés. C'est qu'il n'a eu ni le temps, ni la patience,
ni même l'envie de se plier aux exigences complexes du milieu. Il n'y parviendra jamais. Il reste

néanmoins fasciné par le cinéma. Depuis *Madame et son flirt*, il entretient une sorte de passion intermittente avec le 7ᵉ art. Cela passe par une série de projets chimériques ou par des figurations pour le plaisir de participer à des tournages.

Au fond, comme le remarque Pierre Kast :

[Le cinéma] ne représente qu'une activité absolument mineure dans sa vie. Je veux dire que, par exemple, s'il a accepté de tourner avec moi, c'était parce qu'il sentait que cela m'amusait de tourner avec lui. Lui, cela l'ennuyait plutôt, parce qu'il avait beaucoup d'autres choses à faire. Il venait comme ça, en vitesse, et il repartait aussi vite qu'il le pouvait. Moi, j'aimais beaucoup l'utiliser, à cause de cette fantastique étrangeté dont il rayonnait. Quand il a tourné dans le film de Vadim, *Les Liaisons dangereuses*, c'était du travail un peu plus professionnel : il avait une sorte de vrai rôle écrit, une composition, ce qui l'amusait un peu plus. Mais je suis persuadé qu'il était également très pressé, et qu'il devait regarder très souvent sa montre entre les prises de vues... Boris Vian acteur de cinéma dans *Les Liaisons*, *Le Bel Âge* ou *La Joconde*, c'est tout de même une part très secondaire de son expression[14].

Au fond, la plupart de ses tentatives en ce domaine relèvent surtout d'expériences entre copains, comme au temps du cercle Legateux. Les copains, c'est le fondement de sa vie. Certains ont disparu, d'autres se sont éloignés, mais le charme de Boris lui attire toujours de nouvelles sympathies. Il se fait un nouvel ami au mois de janvier, Marcel Degliame, une grande figure de la Résistance — connu à Lyon sous le nom de colonel Fouché. Très vite, ils sont, selon les propres termes de Boris, « comme les deux doigts d'une main ».

Kast, Degliame (tous deux anciens résistants et communistes) et Boris, cela fait même les trois doigts d'une main car ils se retrouvent souvent ensemble.

Heureusement qu'il y a les copains, heureusement qu'il y a Ursula. Car la vie de bohème est usante. Désormais, Boris coure la pige. Il a rejoint *Constellation*. La revue, qui se propose de montrer « Le monde en français », a été fondée par des gaullistes ; elle est dirigée par André Labarthe, connu pour sa générosité et pour la fantaisie de sa collaboratrice, Mme Lecoutre, que Boris considère comme l'une des femmes les plus intelligentes de la capitale. Il donne à la revue une série d'articles de commande plutôt bien payés. Chaque numéro comporte un livre inédit résumé. Une aubaine pour Boris, capable de condenser en un rien de temps un roman anglais en quelques pages. Sous des pseudonymes variés — Joëlle Bausset, Gérard Dunoyer, Odille Legrillon, Adolphe Schmürz, Claude Varnier —, Vian y publie entre 1949 et 1952 des articles sur les sujets les plus divers et les plus farfelus et qui sont souvent les chroniques de sa vie quotidienne : ses pérégrinations en automobile (« Mes vacances comme en 1900 »), sa conception de l'éducation (« Il ne suffit pas d'être courtois... soyons gentils »), son goût pour le bricolage (« Un appartement dans un dé à coudre ) », son amour du luxe (« Avez-vous l'étoffe d'un milliardaire ? ») [15]. Dans la plupart de ces articles d'un humour ravageur, il se met en scène dans un couple de comédie qu'il forme avec sa femme, « Odile ».

Lorsqu'on est en panne d'idées à *Constellation*, on fait aussitôt appel à Vian, qui dit invariablement « J'ai ma petite idée là-dessus » avant d'entamer une nouvelle chronique. Il n'est pas le seul Vian de la revue. Sa sœur Ninon travaillera longtemps dans ce journal, jusqu'au jour où son état de santé — elle était diabétique — l'obligera à cesser toute occupation professionnelle.

Les signatures les plus diverses s'y croisent : le fantaisiste Jean-Charles, l'auteur des fameuses « perles » ; la critique littéraire Marthe Robert ; Jacques Robert ; le jeune Philippe Labro ou Robert Scipion, le fameux cruciverbiste, qui, comme Boris, livre des traductions d'articles américains sur des faits divers sanglants.

Dans sa course à la pige, Vian écrit vite et pour de nombreuses publications comme *Du*, dirigée par son beau-père Arnold Kübler ; pour *Arts* ou pour *La Parisienne*, la jeune revue de Jacques Laurent *. On peut s'étonner que l'ancien collaborateur des *Temps modernes* s'associe à une entreprise éditoriale considérée comme la réplique antisartrienne de la jeune droite. C'est que Jacques Laurent accorde une grande latitude aux collaborateurs et laisse les sensibilités les plus diverses s'y exprimer, de Jouhandeau et Morand au socialiste révolutionnaire Paul Lafargue, qui y publie son *Droit à la paresse*. Vian y trouve une nouvelle tribune où son anticonformisme et son insolence

---

* L'écrivain a fondé en 1953 cette revue mensuelle, qu'il a financée grâce à ses best-sellers signés « Cecil Saint-Laurent ». François Nourissier en reprendra la rédaction en chef en 1957.

s'épanouissent en toute liberté. Il y donne notamment les « Notes d'un naturaliste amateur », des observations sur les différences entre le cochon et le sanglier qui débouchent sur l'étude de la composition d'un jury de prix littéraire, observé à la manière d'un entomologiste. Toujours ce prix de la Pléiade qui ne passe pas ? Sans doute mais, avec le recul, Boris a révisé sa conception des prix. Comme l'atteste sa description du « concurrent », dépeint comme un cochon lors de concours agricoles :

Dès qu'il est primé par le jury, le concurrent est félicité, photographié, pesé et mesuré, on lui demande d'exprimer ce qu'il ressent par le canal d'organes spécialisés de grand format, et il précise généralement ce qu'il entend faire des sous qu'on lui donne pour sa tirelire ; acheter une bauge plus large, un véhicule qui lui évite de remuer seul son poids considérable, des ornements corporels de couleurs diverses, etc. Il ne se doute pas, le pauvrelet, qu'au moment de son couronnement, le président du jury, par le truchement d'un organe analogue à l'aiguillon de la guêpe *Polybia Brasiliensis*, lui a injecté dans la patte, sous le couvert de la lui serrer, un liquide paralysant à plus ou moins lointaine échéance et qui garantit son impuissance future [16].

Pour *Jazz Hot*, Vian poursuit sa revue de presse à titre gracieux. Dans cette tribune, il revient parfois à l'un de ses dadas, la critique de la critique :

En vérité, mes amis, la littérature de jazz devrait se borner à la stricte publicité ; car toutes les explications venant *a posteriori* (comme toute explication qui se respecte) font du jazz une sorte de monstre qu'il n'a jamais été. Et tenter de démontrer pièce par pièce la cristallisation opérée dans l'esprit d'un musicien d'après le résultat final est un art stérile, au contraire de l'analyse scientifique des phénomènes naturels ; car en fin de compte, la science vous permettra d'agir sur la matière, tandis que toute celle du critique ne lui permettra jamais, bien qu'il connaisse toutes les réponses, de faire quelque chose ; un bon chorus par exemple ; ou de dire d'avance que tel jour à telle heure, untel prendra un chorus formidable parce que ça ressort de tout ce qu'il a vécu jusqu'ici [17].

On rencontre souvent, dans les écrits de Boris, cette exaspération de scientifique, cette méfiance intrinsèque envers la critique. Il aimerait qu'elle se réduise au compte rendu, à une mise à plat sans explication ni commentaire personnel et surtout sans projection du critique dans ses textes… Mais il sait qu'il n'est pas réaliste (lui-même, d'ailleurs, a pratiqué la critique avec véhémence et parti pris). C'est un artiste blessé qui s'exprime, autant qu'un « ingénieur-poète ».

On trouve aussi dans sa revue de presse d'amusants démêlés avec un lecteur répondant au doux patronyme de Marcassin. Celui-ci justement lui reproche de se mêler de ce qui ne le regarde pas et de garder pour lui ses « appréciations éclairées ». Ce à quoi Boris répond, en donnant finalement une définition de l'approche critique :

Figurez-vous, Marcassin que j'aime, que s'il est une chose que l'on peut faire, c'est justement *apprendre*. On peut *apprendre* qui était untel. On peut *étudier* sa vie, son milieu social, son environnement. On peut *rechercher* les influences subies par lui. On peut finalement tenter de *comprendre* pourquoi il a fait telle ou telle œuvre. Car on ne *comprend pas une œuvre*, Marcassin de mon cœur, on *comprend l'homme* qui l'a faite, et il faut d'abord, je le crois, aimer l'œuvre, ce qui vous donne le goût de connaître l'homme [18].

Boris écrit de moins en moins sur le jazz, depuis qu'il n'a plus le droit de toucher à sa trompinette. Incapable de lâcher totalement cet instrument, il se contente d'en tirer quelques sons de temps à autre. Dans sa vie, l'homme, qui semble avoir touché à tout, a connu plus souvent que d'autres l'épreuve du renoncement.

Si, dans ses chroniques, Boris rêve de la vie de milliardaire, de l'achat d'une propriété en viager ou de la ruée vers l'or au Canada, dans la réalité il est totalement fauché. Le « dé à coudre » de la place Clichy est au nom d'Ursula, le fisc ne peut plus rien lui saisir, faute de moyens.

Il y a cependant une accalmie en ces temps difficiles où Vian explore toutes les pistes possibles pour sortir de la misère. Entre 1951 et 1952, son œuvre s'oriente vers le spectacle de cabaret. Il a écrit *Ça va, ça vient*, un spectacle d'anticipation qu'il propose en vain à La Rose rouge. La direction du théâtre accepte pourtant une série de pastiches sur le cinéma intitulé *Cinémassacre ou les Cinquante Ans du septième art*, sur une idée de Pierre Kast et de Jean-Pierre Vivet. Boris en a écrit le scénario et les dialogues.

La première a lieu le 8 avril. Il en donne le compte rendu à Ursula, qui est en tournée avec les Ballets de Paris : « Mon toto, ça a été du tonnerre, les gens hurlaient de joie tellement ils se marraient, et moi j'étais tout vert et tout bleu tellement j'avais le trac; tu te rends compte, il n'y a même pas eu une répétition générale [19]! »

Le spectacle, joué par Yves Robert, Rosy Varte et Edmond Tamiz sur la petite scène de la rue de Rennes, est un vrai succès. Il fera salle comble jusqu'à la fin de l'année, avec une interruption pendant l'été. Il y aura en tout quatre cents représentations de *Cinémassacre*, car, après son passage à La Rose rouge, le spectacle est repris aux Trois Baudets. Une fois n'est pas coutume, la critique est unanime. Voilà qui permet à Boris de payer quelques dettes et de souffler un peu.

Désormais, il attend beaucoup de la scène. Le 17 septembre, la pièce de Strinberg *Mademoiselle Julie*, dont il a assuré la traduction et l'adaptation, est représentée au théâtre Babylone. La mise en scène est de Frank Sundström, l'interprétation est assurée par Éléonore Hirt et François Chaumette, puis, un peu plus tard, par Michel Piccoli.

Boris est invité à la radio pour parler de sa traduction. La pièce est publiée dans le numéro 66 de *Paris-Théâtre*, au mois de novembre, suivie de *L'Équarrissage pour tous*. Pour autant son moral ne s'améliore pas. Le divorce d'avec Michelle a été prononcé en septembre, à ses torts. Une page de sa vie se tourne. Ses enfants lui échappent. Il tire le diable par la queue alors qu'il aurait besoin d'un peu de calme.

Paradoxe de l'humoriste, tandis qu'il est taraudé par des douleurs morales et qu'il s'interroge sur sa vie, les directeurs de cabaret font de plus en plus appel à sa verve débridée et à son talent de caricaturiste. Ses dialogues surréalistes ou burlesques, potaches et iconoclastes font fureur sur scène autant qu'ils déroutent dans ses livres. Au mois d'octobre, la compagnie Vitaly crée *Paris varie ou Fluctuat nec mergitur*, au night-club des Champs-Élysées. Jacques Fabbri, Jacqueline Maillan, Jacques Jouanneau et Pierre Mondy animent cette revue sur l'histoire de Paris dans les décors de Félix Labisse et sur une musique de Jean Wiener. Le spectacle est joué le 1er avril 1953 sur un bateau-mouche affrété pour une soirée-hommage à... Jean-Sébastien Mouche. Un poisson d'avril bien sûr que cette fête dédiée à un inventeur aussi méconnu que fictif pour lequel Robert Escarpit a rédigé une émouvante biographie.

Pendant que l'on rit sur ses textes, Boris se surmène. Il est sujet à des « emballements du cœur », des crises de palpitations qui vont jusqu'au malaise. Selon le médecin, il faudrait cesser toute activité pendant dix ans et mener une vie tranquille. Boris l'envoie paître. Pas de chaise longue et de couverture sur les jambes ! La retraite, c'est une idée inconcevable.

Le seul repos qu'il s'accorde, c'est pendant les vacances. Et encore. Il descend certes à Saint-Tropez ce mois de juillet, mais s'y isole pour noircir des feuilles et des feuilles de papier. Cependant, à peine arrivé à La Ponche, il n'est plus le même homme. Il enfile l'une de ses éternelles marinières et part se promener sur le port. Il passe des heures sur la plage de Tahiti.

Son médecin, le docteur Montaigne, lui a déconseillé la Côte d'Azur et son soleil trop ardent. Bien évidemment, on l'a vu, les expositions au soleil sont proscrites, et il doit éviter de nager sous l'eau. Mais il adore ça. Ursula le laisse faire. Elle sait le risque qu'il encourt mais aime le voir heureux. Il semble rajeuni, plus joyeux, plus calme. Il n'y dort pas plus qu'à Paris mais peut au moins s'attarder le soir en boîte ou, tôt le matin, rejoindre les pêcheurs. Son bonheur est tangible sur les photos : il est souriant, rayonne de douceur. Sa carapace parisienne n'est pas de mise. Il bricole dans sa maison, écrit, prend l'apéritif avec Dody et Madeleine. Sans les amis, les vacances sont impensables pour Boris.

Et justement, Saint-Tropez, c'est le rendez-vous des copains. Bien sûr, Kast et Degliame sont là. Mais Boris retrouve aussi les « anciens » de Saint-Germain-des-Prés. Il y a là toute une bande qui fait la fête chez Palmyre ou à L'Escale, où Boris rejoint le pianiste Jack Dieval. Il croise aussi parfois Merleau-Ponty. Ils ne se sont pas toujours appréciés mais développent une camaraderie de vacanciers. Le fameux petit port attire déjà de nombreuses vedettes du cinéma, dont Pierre Brasseur, Michèle Morgan ou Daniel Gélin. Cette affluence inspire le jeune réalisateur Paul Paviot, qui lance l'idée de tourner un film sur les autochtones. Boris écrit le commentaire et le fait lire à Gélin. Il s'agit d'un documentaire sur Saint-Tropez, raconté à la manière des actualités Pathé. Tous les germanopratins défilent devant la caméra en cet heureux rendez-vous de juillet. Juliette Gréco et Doelnitz, Ursula, Brasseur et Odette Joyeux, Christian Bérard. Mais, la diva du film, pour Boris, c'est la Brasier. À son volant, il est descendu sur la côte à cinquante kilomètres à l'heure. Soit deux jours de voyage paisible entrecoupés d'une baignade dans l'Yonne et d'une autre dans le Rhône. C'est seulement dans sa vieille automobile que Boris prend son temps. Il cesse alors d'être « l'homme pressé » qui regarde sa montre.

Comme Saint-Germain-des-Prés, Saint-Tropez est en train de muter. La ville s'apprête à changer d'époque. Elle deviendra bientôt le lieu de villégiature de Sagan et de Bardot, c'est-à-dire l'endroit le plus couru des années 1960. Signe des temps, la folie juvénile s'y fait plus sage. Le club Saint-Germain, futur Tropicana, n'y respire plus la même vie. Il devient quelque peu désuet, s'essouffle. Tout comme Boris... Ses amis voient parfois son visage se crisper, son teint blêmir et ils devinent sa souffrance. Mais ils savent qu'il ne faut pas lui en parler.

Il a souvent dit à Ursula de ne pas s'attacher à un homme qui n'atteindrait pas quarante ans. Jusqu'à quel point connaissait-il sa maladie ? Beaucoup des membres de sa famille sont morts très tôt, cela l'influence sans doute. Ses écrits et son existence semblent rythmés par les palpitations emballées de son cœur. Le mot lui-même est, dans son œuvre, incroyablement récurrent. Comme le note

Jean Clouzet, « on ne doit jamais perdre de vue que nombre des travaux littéraires et para-littéraires de Vian furent effectués de nuit, cette nuit qui, pour un cardiaque, représente une menace constante d'accidents paroxystiques, telles précisément ces crises d'œdème pulmonaire dont Vian redoutait chaque soir le retour[20] ».

# Cité Véron

*L'argent ne fait pas le bonheur de ceux qui n'en ont pas.*
Boris Vian

« C'était très amusant d'avoir une échelle pour se mettre au lit, mais depuis un an et demi que ça dure, je crois qu'on a épuisé toutes les satisfactions des petits oiseaux[1]. » Comme d'habitude, Claude Varnier, *alias* Boris Vian, utilise les péripéties de sa vie privée pour amuser le lecteur de *Constellation*.

Cela ne pouvait plus durer ainsi, la vie dans un dé à coudre. Et d'avoir à monter six étages tous les jours lorsqu'on est cardiaque. C'est Ursula qui se charge de trouver un nouvel appartement. Celui qu'elle déniche est situé au 6 *bis* au bout d'une charmante impasse piétonne qui donne sur la place Blanche : la cité Véron. Cette ruelle, bordée de maisons calmes et de jardins en friche, a conservé un charme « vieux Paris » qui semble avoir séduit Boris. Celui-ci en fait, dans le même article, la description assez précise : « Au bout de l'impasse, s'érigeait une bizarre construction de béton. Nous enfilâmes un escalier obscur et, deux étages et demi

259

plus haut, nous nous trouvâmes devant une petite porte laquée de vert sombre. » Celle-ci donne sur deux petites pièces laquées de blanc. Il s'agit d'un ancien atelier d'artiste coupé en deux. Une partie est occupée par une cartomancienne, l'autre attend le couple. Leur nouveau deux-pièces fait cinquante mètres carrés, soit dix fois les dimensions de leur chambre de la place Clichy. Et quel emplacement ! Une baie vitrée donne en effet sur une terrasse de cinq cents mètres carrés, qui n'est autre que le toit du Moulin-Rouge. Aidée de Degliame et des copains de Colombes, Ursula y transporte leurs quelques meubles, car Boris ne doit pas faire d'effort violent. Pendant ce temps, il contemple les murs, dubitatif. Tout ce remue-ménage l'ennuie. Les tracas de la plomberie et de l'électricité dérangent ses pensées, le fatiguent. Il râle. Cependant, très vite, il voit quel parti tirer de ce petit perchoir. Dans l'entrée, il installe une planche d'atelier qu'il utilisera sans relâche. Il vient en effet d'imaginer une organisation plus judicieuse de l'espace. Celle-ci lui permettra d'installer un bureau, un piano et de disposer d'une pièce pour accueillir ses enfants.

Après avoir dessiné les plans avec soin, il monte un demi-étage tout en bois. Une fois de plus, Ursula et lui auront leur chambre en hauteur. L'œuvre, fort solide, se compose de deux couchettes superposées. Chacun disposera de sa propre bibliothèque de chevet et d'une écritoire grâce à un système de poulie et de câbles... L'ingénieur Vian a encore frappé.

Ce nouveau cadre de vie permettra au couple d'inviter des amis pour de petits cocktails improvisés, de profiter d'un quotidien plus agréable, Boris y est pourtant d'une humeur morose. C'est qu'il est arrimé jour et nuit à sa table de travail, contraint d'exécuter à domicile une masse de travaux alimentaires bien mal rétribués. Il met la dernière main à la traduction du *Monde des A* de Van Vogt et collabore à *La Parisienne*, que dirigent Jacques Laurent et André Parinaud. Revue de droite, rappelons-le, dans laquelle il exprime des idées plutôt libertaires, en toute quiétude.

Vian reste un chroniqueur recherché, mais il est loin le temps où il brillait à Saint-Germain et où Vernon Sullivan lui assurait une existence insouciante. « Qu'est ce que tu fais avec un vieux ! », dit-il à Ursula au terme d'anicroches conjugales. Il n'est pas toujours facile à vivre à cette époque, animé qu'il est par un désespoir intérieur qui donne à ses yeux bleus un air plus « slave » que jamais.

Pour compenser la déception de ses romans, il écrit scénarios et films, dont un grand nombre avec Pierre Kast. Aucun ne verra jamais le jour. Le cinéma est un des rendez-vous ratés de Vian. Il n'a pas eu le temps de s'y consacrer. Il est certain que s'il avait vécu de nos jours, Boris Vian, l'innovateur, aurait sans doute plongé dans l'aventure du cinéma et même tenté de subvertir la télévision.

Une commande imprévue le remet soudain en selle. Le créateur du Festival dramatique de Normandie, Jo Tréhard, fait appel à lui, sur le conseil de Jean-Marie Serreau, le directeur du théâtre

Babylone, qui a vu la création de *Mademoiselle Julie*. Tréhard lui demande d'écrire le livret d'un opéra à partir du cycle des *Romans de la Table ronde,* dans le cadre de spectacles lyriques consacrés à des mythes et légendes moyenâgeux. Cette nouvelle entreprise est une aubaine financière pour le couple — et, au passage, pour le fisc — car le festival dispose d'importantes ressources. La pièce s'appellera *Le Chevalier de neige*. Georges Delerue a accepté d'en composer la musique. Elle sera montée en plein air, du 1er au 16 août, à Caen, dans l'enceinte du château. D'énormes moyens sont mis à la disposition de l'écrivain, qui aura la joie de voir applaudir, sept soirs durant, dix mille spectateurs enthousiastes. Soit au total soixante-dix mille personnes enthousiastes ! De quoi panser les plaies de l'écrivain blessé.

La grande comédienne Sylvia Monfort, qui est alors la compagne de Jacques Lemarchand, tient l'un des rôles principaux. Il y a aussi Jean Servais, Martine Sarcey et deux amis danseurs d'Ursula. Un succès considérable, des applaudissements, des éloges, une presse bienveillante... C'est la première fois que Boris connaît une telle unanimité.

Autre bonne nouvelle, un vrai soulagement : le 27 octobre, la cour d'appel de Paris statue sur le sort de Boris dans l'affaire Sullivan. Après l'avoir condamné à quinze jours de prison, elle prononce aussitôt l'amnistie. Le casier judiciaire de Boris Vian reste vierge. Avec quelques amis, chez lui, il porte un toast au président. Peut-être aurait-il mieux fait de célébrer les funérailles officielles de

Sullivan. En effet, son encombrant cadavre bouge toujours. Deux mois après la décision de justice, le scénariste Jacques Dopagne, qui aime beaucoup le roman, lui propose de porter le livre au cinéma. Du moins la trame, car son projet ne retient du livre que l'histoire d'une passion impossible entre un Noir et une Blanche dans l'Amérique ségrégationniste.

Lorsqu'en 1948 un journaliste avait demandé à Boris si, après la pièce, il comptait adapter le roman au cinéma, il avait répondu : « [N]e me parlez pas de malheur ! » Mais, en 1953, il ne dit plus non. Le cinéma demeure un pôle d'attraction magique pour lui. Il est également synonyme de « phynances ». Beaucoup d'hésitations tournent court devant une pile de factures à payer. Boris fait et refait ses comptes. Il est inquiet pour l'avenir. Bref, Mister Sullivan, son mauvais génie, trouve un terrain favorable pour reprendre le dessus. Boris a beau se méfier de la célébrité sulfureuse qui l'accompagne, il finit par donner son accord. Avec de nombreuses réserves sur le contenu et, surtout, le rejet de ce titre qui lui porte malheur. Il se mettra au travail l'année suivante sur un synopsis d'un film intitulé *La Passion de Joe Grant*.

Cherche-t-il encore à faire fortune lorsqu'il dépose le brevet de la roue élastique, à la fin de l'année 1953 ? Éprouve-t-il un regain de passion pour sa formation d'ingénieur, ou signe-t-il par sa trouvaille son admiration pour son ami l'inventeur Maurice Gournelle ? À moins tout simplement que l'une de ses nombreuses idées n'ait alors pris forme ? Sa roue se caractérise par le fait « qu'en même temps qu'on utilise comme moyen élastique une chambre à air analogue à celle utilisée dans les bandages pneumatiques de roue, on a recours à une surface de roulement constituée par une bande en matière appropriée, enveloppant la chambre à air et maintenue en place par un cercle ajouré, de préférence métallique, pour laisser saillir de sa périphérie les aspérités de la bande de roulement et recouvrant la jante recevant la chambre à air ».

L'invention laisse ses proches dubitatifs. Boris semble ignorer qu'en 1910 un ingénieur autrichien a déposé un brevet similaire, et qu'après la guerre de 1914-1918 une roue élastique a été réellement commercialisée. Il entreprendra même des démarches aux États-Unis pour s'en faire reconnaître la propriété...

# Le Satrape

Seul le Collège de 'Pataphysique n'entreprend pas de
sauver le monde.

BORIS VIAN

Le 11 mai 1953 est une date essentielle dans
la vie du disciple de Jarry. Elle marque son intronisation au sein du Collège de 'Pataphysique.
Celui-ci est organisé autour d'une doctrine dotée
de la curieuse propriété « d'agglomérer autour
d'elle-même les gens dont l'esprit en est fortement imprégné », comme l'a noté Boris Vian. Il en
est déjà officiellement membre depuis le 8 juin
1952, grâce à son ami Henri Robillot, qui est l'adjoint de Marcel Duhamel à la « Série Noire » et
l'éditeur des *Cahiers de 'Pataphysique*.

C'est un grand jour donc pour l'auteur de *L'É-
quarrissage pour tous*, pièce saluée unanimement
à sa sortie par les « 'Pataphysiciens ». Avec le Collège, Boris commence une véritable lune de miel. Il
inaugure ainsi une « ère Vian » de la 'Pataphysique,
« science des solutions imaginaires », en y impri-
mant son sceau.

Cela faisait longtemps que Boris s'en réclamait. Il prétendait être venu à la 'Pataphysique vers l'âge de huit ou neuf ans en lisant une pièce de De Flers et Caillavet qui s'appelait *La Belle Aventure*, car elle contenait notamment cette réplique éminemment pataphysicienne, qui disait en gros : « Je m'applique volontiers à penser aux choses auxquelles je pense que les autres ne penseront pas. » Mais c'est dans la bible des 'Pataphysiciens, *Les Gestes et Opinions du Docteur Faustroll*, d'Alfred Jarry, dont le livre II s'intitule « Éléments de Pataphysique », qu'il a pris connaissance de cette étrange doctrine dont Jarry écrit qu'elle est « surtout la science du particulier, quoi qu'on dise qu'il n'y a de science que du général ». La 'Pataphysique, que le père d'Ubu fait précéder d'une apostrophe « afin d'éviter un facile calembour », a été expliquée par Boris lui-même au cours d'un entretien radiophonique avec Marc Bernard :

On peut dire que la « 'Pataphysique » est à la métaphysique ce que la métaphysique est à la physique. Un des principes fondamentaux de la 'Pataphysique est l'équivalence des contraires. C'est peut-être ce qui vous explique ce refus que nous manifestons de ce qui est sérieux et de ce qui ne l'est pas puisque pour nous c'est exactement la même chose. C'est pataphysique, qu'on le veuille ou qu'on ne le veuille pas, on fait toujours de la « 'Pataphysique »[1].

Au cours du même entretien, Marc Bernard ose une question plus personnelle qui permet à Boris d'exposer sa théorie de l'enfance :

Oserai-je dire... mais oui après tout je l'oserai, qu'un numéro des *Cahiers de 'Pataphysique* a publié une photo de vous, vous montrant dans le simple appareil d'une beauté qu'on vient d'arracher au sommeil. Il est vrai qu'à en juger par cette image vous aviez alors environ un an. Mais n'avez-vous pas éprouvé quelques scrupules à vous jeter ainsi en pâture à la foule des lecteurs et des lectrices de vos *Cahiers* ?

— Non, c'est un état qui était absolument temporaire. C'est pour l'instant une opinion personnelle. Peut-être sera-t-elle adoptée par le Collège un jour, mais pour moi les enfants n'existent pas. Les enfants sont des états transitoires de l'adulte, des états intermédiaires qui sont par conséquent presque virtuels. Par conséquent la photo que l'on a publiée de moi évidemment assis tout nu dans un petit fauteuil d'osier est une photo d'un objet virtuel puisqu'il a cessé d'exister depuis longtemps.

Tout comme l'enfance, la vie est un état transitoire. Donc, pour un 'Pataphysicien, celui qui la prend au sérieux est totalement grotesque. « Le comique et le sérieux sont identiques ; le comique est un sérieux qui s'excuse par la bouffonnerie, le sérieux pris au sérieux est inexorablement bouffon. "Se foutre du Monde — c'est lui faire beaucoup trop d'honneur" estimait un illustre membre du Collège. C'est pourquoi le pataphysicien reste attentif et imperturbable », écrit Ruy Launoir [2]. Voilà qui définit toute une manière d'être. En effet, « [l]a 'Pataphysique est une attitude intérieure, une discipline, une science et un art qui permet à chacun de vivre comme une exception et de n'illustrer d'autre loi que la sienne [3] ».

Le Collège de « 'Pataphysique » fut créé en 1948 par « sa Magnificence le Docteur Irénée Louis Sandomir », de neuf ans l'aîné d'Alfred Jarry auquel il fut lié, et qui, de son vivant, porta le titre de Vice-Curateur. Le Docteur fit du Collège une Société à l'état pur, une organisation sociale parfaite et hiérarchisée de manière pyramidale. Avec, à son stade ultime, le Curateur inamovible, « sis dans l'éthernité élémentaire du non-être ». Les biens, réels et imaginaires, du Collège étaient administrés par un Corps de Provéditeurs, dits Sérénissimes. Enfin le Collège accueillait différents grades dont les Transcendants Satrapes. C'est dans ce corps actif dont la particularité est de n'avoir « aucun rôle positif ni négatif » que Boris Vian fut accueilli et nommé Équarrisseur de première classe.

Considérés comme de joyeux rêveurs et de grands enfants, le Collège a compté parmi ses membres, outre Queneau et Prévert (Modérateur Amovible du Collège), des personnalités telles que Max Ernst, Eugène Ionesco, Joan Miró, Marcel Duchamp, Pascal Pia, Henri Jeanson, Jean Dubuffet, Michel Leiris, les Marx Brothers, Pierre Mac Orlan, Man Ray, Paul-Émile Victor et René Clair. Des proches du mouvement surréaliste ainsi que des intellectuels, dont Noël Arnaud, qui s'est consacré à réunir la manne de toutes les biographies ultérieures de Boris Vian dans ses *Vies parallèles* et le *Dossier de l'affaire « J'irai cracher sur vos tombes »*.

Vian inaugure sa collaboration aux *Cahiers de 'Pataphysique*, publiés quatre fois l'an, par une « Lettre au Provéditeur-Éditeur sur la Sagesse des nations ». Dans celle-ci, il s'attache à déconstruire l'aphorisme « Tant va la cruche à l'eau qu'à la fin elle se casse ». Dans une deuxième lettre, il propose un axiome désormais célèbre : « Retirez le Q de la coquille ; vous avez la couille, et ceci constitue précisément une coquille. » Il suggérera même de déclarer le Q d'inutilité publique et proposa sa déportation en masse[4].

Sa troisième lettre propose une série de variations sur un autre proverbe, « À bon chat bon rat ». La lettre annonce également un travail en cours concernant « Dieu et son calcul ». Cela donnera le célèbre « Mémoire concernant le calcul numérique de Dieu par des méthodes simples et fausses[5] ». Dans ce calcul, savant autant qu'inaccessible au profane, Vian conclut que $Dieu = 0$, ce qui rejoint les affirmations du Docteur Faustroll : « Dieu est le point tangent de zéro et de l'infini. »

Pour Boris, plus encore que l'intronisation dans le club des Savanturiers aux activités hermétiques, le Collège de 'Pataphysique représente un aboutissement. Il constitue à la fois le prolongement de l'atmosphère adolescente du cercle Legateux et la consécration de ses multiples identités. Boris s'y impliquera jusqu'à sa mort. Il considérait sa contribution à la gloire de la 'Pataphysique comme une des plus utiles de son existence. En effet, disait-il : « Seul le Collège de 'Pataphysique n'entreprend pas de sauver le monde. » C'était donc la seule chapelle à laquelle l'Équarrisseur pouvait adhérer. À propos de son attachement à cette vénérable institution, il déclara d'ailleurs : « Ce n'est pas de l'amitié, c'est de l'amour. »

En décembre 1954, Boris a eu l'insigne honneur d'être élevé à la dignité de Promoteur Insigne de l'Ordre de la grande Gidouille, distinction créée par Alfred Jarry lui-même dans son *Almanach du Père Ubu illustré*, et dont le conservateur était alors Queneau.

Jusqu'à ses derniers jours, Vian fait profiter le Collège de ses talents d'ingénieur. Il inventera ainsi un intéressant appareil à tracer des gidouilles, le « Gidouillographe ». Il inventera aussi un « outil-bijou à tout faire ». L'année suivante, il fait partie avec Eugène Ionesco et François Caradec, l'un de ses futurs exégètes, d'un pèlerinage au bord de Seine fréquenté par Alfred Jarry, au barrage de Coudray.

# Remariage

*Pour Noël, pour réjouir aussi le Père Noël.*

ARNOLD KÜBLER

Prévert a croisé la route de Boris à maintes reprises. À Saint-Germain-des-Prés, même s'ils ne furent pas intimes. Mais ils se sont toujours appréciés. Désormais, ils vont partager le même toit. Ou plutôt le même immeuble, au 6 *bis* de la cité Véron, au fond de l'impasse pavée et secrète. Peu après l'installation des Vian dans le haut de la maisonnette, Prévert et sa femme Janine emménagent dans un appartement qui donne également sur la grande terrasse.

Tout cela a un côté « maison des poètes » assez exaltant. La réalité est cependant plus prosaïque. Prévert, à qui ses médecins ont interdit de boire, n'est pas toujours de « bon poil », et cette restriction de sa liberté renforce son côté un peu ours. Il s'énerve lorsque Boris écoute sa musique de jazz à fond. Toutefois, cela reste bon enfant. Il arrive aux deux écrivains de se voir, de discuter ou de s'asseoir et de ne rien dire. Prévert offrira au couple l'un de ses merveilleux collages, il en fera un autre à la gloire de Boris. Mais en général, les deux poètes s'amusent plus à l'extérieur, aux réunions du Collège par exemple.

À l'époque où Boris et Ursula s'installent, le couple Prévert vit souvent à Antibes. Ursula voyage beaucoup, à cause de ses engagements. Ce qui offre à Boris l'espace dont il a toujours rêvé. La vie quotidienne l'accable toujours autant, il rêve son appartement plus qu'il ne l'occupe. Comme la plupart des femmes, Ursula aimerait que les travaux avancent, que les factures se règlent et que les étagères soient mieux rangées.

À l'extérieur, Boris et Ursula forment un couple charmant. Elle est jolie et élégante, sa silhouette est parfaite. Lui a toujours son charme et son humour irrésistible. Dehors, au volant de sa belle Brasier ou au bras de sa belle, il oublie son angoisse du lendemain. Pourquoi ne l'épouse-t-il pas, comme le suggère avec insistance la mère d'Ursula ? Pourquoi se marier, on est si bien comme ça, répond intérieurement Boris. Mais la pression familiale est forte, et son Ourson lui-même aimerait convoler en justes noces. Même avec un homme dont on sait que le cœur peut céder à tout moment. Car le cœur, justement, a ses raisons...

C'est décidé, le « célibataire rentré » qu'est Boris va se marier pour la deuxième fois. Ça lui a toujours fait drôle de dire « ma femme ». Il n'aime pas trop ce possessif. Bien que l'idée ne l'enthousiasme pas, il sait qu'il doit bien cela à sa jeune compagne, qui subit ses humeurs fluctuantes et qui a été sa planche de salut. Il râle un peu, néanmoins, pour la forme. Le mariage n'est pas très pataphysique. Et, surtout, il ne veut s'occuper de rien (ah, Boris Vian et la vie matérielle !).

Arnold Kübler, qui apprécie son futur gendre, est enchanté d'apprendre l'événement : « Mme Kübler et moi-même, écrit-il le 25 novembre 1953, nous serions heureux dans nos sentiments helvétiques, bourgeois, rédactionnels, publicitaires… de pouvoir annoncer l'état civil nouveau. Pour Noël, pour réjouir aussi le Père Noël[1]. » Il suggère la présentation suivante : Ursula Kübler, « danseuse de caractère », et Boris Vian, « ingénieur-poète ». Boris choisira quelque chose de plus sobre, mais tout de même, sur le faire-part, il fait photographier sa Brasier, la voiture de sa vie.

Il n'est pas de bonne humeur. À Zurich, chez sa belle-famille pour le réveillon, il s'est montré peu gracieux. Le mariage a lieu le 8 février 1954. Au déjeuner, au restaurant À la grâce de Dieu, avec quelques amis, il ne fait pas montre d'une chaleur excessive. La cérémonie civile se déroule à seize heures à la mairie du XVIII$^e$ arrondissement. Boris affiche une tête d'enterrement. Il prononce le « oui » en baissant la tête. Ursula se souvient qu'il la boudera pendant quinze jours.

Le lendemain, cependant, il a fait contre mauvaise fortune bon cœur au cours d'une petite fête donnée sur la terrasse de la cité Véron. Vian, qui aime cuisiner, a préparé un bœuf en daube, son plat préféré, et de gigantesques tartes aux pommes. Il a également pris Ursula dans ses bras pour entamer la « danse de l'Ours et du Bison », applaudie par tous les invités présents. Mais l'idée d'être marié ne passe pas.

Il ne peut nier tout ce qu'Ursula a apporté à sa vie. Notamment un tourbillon de danse et de musique. Cela ne tardera pas à infléchir son inspiration. D'autant que le spectacle musical de Caen a été une réussite et qu'il a déjà écrit quelques chansons.

Et soudain, c'est la révélation : il va se tourner vers la chanson.

Le 10 septembre 1953, il avait rendu à *Arts* un article au titre prémonitoire : « L'ère de la chanson va commencer ». Une véritable profession de foi ; un nouveau programme que ce titre d'article censé rendre compte du prix de la Chanson de Deauville. « Quand remplacera-t-on cette ridicule pétaudière de Tour de France par un idem de la chanson ? », écrit alors Boris, qui a toujours eu la bicyclette en horreur. « On saurait que *Qui me délivrera ?* a gagné l'étape Luchon-Calais, ça serait plus gai que de revoir aux actualités la suante gueule de quelque faux surhomme de la pédale. »

Après un dégagement contre « ce sale engin qu'est le vélo », qui lui rappelle sans doute la guerre, Boris se lance dans une réflexion plus primesautière sur « la poésie dans la rue ». Il remarque que la période de la Libération s'est accompagnée d'une ruée vers la poésie mais que celle-ci est désormais délaissée par les éditeurs. « La poésie étouffe dans les bibliothèques [...]. La poésie a pris son rythme à la musique puis s'est débarrassée d'elle sournoisement. Voici que la musique lui recolle aux syllabes comme des gratterons. On en vient à "ne plus pouvoir écrire" un vers sans entendre les harmonies derrière. »

Plus loin, il dévoile plus avant ses intentions : « Chose étrange, dans la chanson, même les bonnes chansons rapportent souvent beaucoup de sous. C'est un genre où l'on peut parfaitement se permettre de rester pur et de vivre fort bien, quand même on n'aurait pas la diabolique courtisanerie et les ressources d'astuces d'un Henri Contet *. »

Enfin, Boris, qui fait toujours mine de revenir à ce fameux concours de Deauville, se prend à rêver. « À quand un poste émetteur privé réservé à la chanson et débarrassé des fonctionnaires ? » Son rêve finira par se concrétiser, il s'appellera les radios libres. Une fois de plus, Vian a vingt ans d'avance. C'est là tout son drame...

* Parolier notamment d'Édith Piaf.

# Le Déserteur

*Pour faire un soldat, il faut défaire un civil.*

Boris possède une extraordinaire aptitude à rebondir, à s'adapter, à se renouveler. Une fois ses déceptions bues, il se tourne vers autre chose. Sa nouvelle passion, c'est la chanson. Il croit en son avenir. Il ne se trompe pas. Il sent qu'une industrie florissante s'apprête à se développer. Il a certes envie de gagner de l'argent, sans pour autant s'abaisser à écrire de la chanson commerciale. Des rengaines amusantes, pourquoi pas, mais il a également envie de laisser une trace ici comme dans d'autres domaines.

Quelque chose frémit déjà lorsque Boris lorgne en direction du disque. C'est que celui-ci vient de subir une extraordinaire mutation qui le fait basculer de la préhistoire à un âge d'or. Le microsillon, né en 1947 aux États-Unis, est arrivé en France au début des années 1950, reléguant les 78 tours au rayon des antiquités, même si les amateurs de jazz ne jurent encore que par ces enregistrements.

L'emballage du disque aussi a changé, car la surface du microsillon est plus fragile que celle des 78 tours. À la place de l'ancienne protection souvent sommaire, les firmes commercialisent donc une double pochette, la première en papier cristal, la seconde en carton. Cette dernière devient un élément clef dans la promotion des chanteurs et de leurs textes. On imprime en effet leurs visages au recto et, au verso, une courte biographie. Boris entrevoit là un support original d'écriture.

Il a raison, l'«ère de la chanson» a commencé. Grâce à une révolution technologique dont il entrevoit les développements, tout comme son vieux copain d'orchestre, Eddie Barclay, avec lequel il avait monté la revue *Jazz News*. Boris, qui en fut le rédacteur en chef, réussit à la couler, comme on l'a écrit plus haut, après trois numéros avec des plaisanteries comme «l'œil de Moscou décline toute responsabilité quant à la teneur du présent numéro». Il en garde le remords, comme il l'avouera un peu plus tard à la radio face à un Barclay, bon prince et hilare :

Boris Vian : j'avoue que j'ai beaucoup adoré Eddie parce qu'il a vu son tirage baisser *(rires)*, mais alors en ligne droite, vraiment à la verticale. Comme ça le faisait rire, il a continué.
Eddy Barclay : le conseil de rédaction, ça valait la peine...
Boris Vian : on a continué jusqu'à la mort *(rires)*, qui n'a pas tardé.
Eddy Barclay : les gens qui veulent nous confier quelques revues à liquider *(rires)*, nous sommes spécialistes *(rires)* [1].

On voit quels esprits légers, cultivés et fantaisistes présidèrent au lancement du grand mouvement des variétés qui débouchera sur la joyeuse et juvénile frénésie des années soixante.

Un autre élément lui rend la chanson attirante : sa rapidité d'écriture. Et elle est, à l'époque, plus facile à placer qu'un roman. En plus, c'est plutôt amusant à faire pour quelqu'un de doué et qui ne se prend pas trop au sérieux. Ce qui est le cas de Boris. Au fil du temps, il en approfondit l'histoire et en vient à considérer la chanson comme un art majeur [*].

Il faut dire qu'à l'aube des années 1950, le genre dit de « variété » attire à lui, *via* le cabaret, des personnages hors pair : Georges Brassens, Léo Ferré, Charles Trenet, Jacques Brel, Félix Leclerc ou Francis Lemarque, pour ne citer qu'eux. Boris, toujours ennemi du cliché, constate que la « belle époque », en matière de chanson, c'est celle qu'il est en train de vivre. « Depuis Trénet, dit-il, les chansons intelligentes ont droit de cité [2]. » Il considère, à juste titre, *Oncle Archibald* de Brassens comme un chef-d'œuvre. Il aime aussi des chanteurs-interprètes comme Philippe Clay et Yves Montand. Et surtout Mouloudji, cet être à part qu'il connaît depuis Saint-Germain-des-Prés. Mouloudji, « catholique par sa mère, musulman par son père », comme il le dit dans l'un de ses textes, mais athée et libertaire, a commencé sa carrière adolescent au théâtre dans le groupe Octobre avec Jacques Prévert, avant de devenir le jeune comédien des *Disparus de Saint-*

---

[*] À la différence de son « disciple » Gainsbourg qui verra toujours en elle un art mineur.

*Agil.* Écrivain, il a reçu pour son roman *Enrico* le Premier Prix de la Pléiade en 1945, celui-là même que Boris n'a pas eu ; il est également peintre. C'est un artiste à la Boris Vian, celui-là. On devine que le jour où l'homme à la trompinette et l'interprète de *Comme un p'tit coquelicot* feront quelque chose ensemble, cela ne passera pas inaperçu.

Cela fait un moment que Vian écrit çà et là quelques textes. On lui attribue l'immortel indicatif du Tabou, *Ah ! si j'avais un franc cinquante* en 1947. La même année, il avait créé la petite « Chorale de Saint-Germain-des-Pieds » qui chantait déjà une *Java du coin de la rue*, annonçant l'amour immodéré pour la java dont fera montre Vian par la suite (il en composera un nombre incalculable). Aujourd'hui, ses préfaciers donnent *Au bon vieux temps héroïque du jazz*, composé le 2 août 1944, comme sa première chanson officielle (quoique la truculente *Chanson des pistons* d'Angoulême constituait déjà une tentative). Il a longtemps été difficile de dénombrer précisément le nombre de ses compositions. Gilbert Pestureau en a recensé quatre cent soixante-dix-huit, interprétés par près de deux cents chanteurs ou orchestres avant 1960[3]. C'est dire si cette activité a pris de l'importance dans ses dernières années.

En 1954, donc, Boris passe « professionnel ». Grâce en partie à Jack Dieval, un des meilleurs pianistes de jazz du moment. Celui-ci lui a demandé des paroles pour ses musiques. C'est grâce à lui que son cher Salvamuche a déjà enregistré *C'est le be-bop* en 1950. Mine de rien, le titre a connu un vif succès. Édith Piaf adorait cette chanson. Elle la réclamait à Henri à chacun de ses passages.

Cela fait sans doute longtemps que l'envie de chanter titille Boris, mais cette fois, c'est décidé, il se lance. Il assiste à des spectacles de cabarets, travaille sa voix avec un professeur, en compagnie d'Ursula qui rêve d'une carrière de danseuse et d'interprète à la Zizi Jeanmaire. Elle a d'ailleurs fait un passage sur scène, lors du Festival dramatique de Normandie où elle remplaça, au pied levé, une chanteuse lors du *Chevalier des neiges*.

Boris ne pense pas encore à interpréter ses textes. Il souhaite surtout s'initier aux arcanes de cet univers. Il revoit alors son bon copain de la place Clichy, Yves Gibeau. À l'époque du « dé à coudre », c'est lui qui l'encourageait à écrire. Désormais, c'est Yves qui lui prodigue ses conseils, car il connaît le métier. Le pianiste de jazz Henri Renaud, qui a un peu connu Boris à l'époque du Tabou et qui habitait au-dessus de la célèbre boîte, se souvient d'un coup de fil de Boris. Il lui annonçait son intention d'écrire des chansons et d'interpréter ses titres en s'accompagnant à la guitare. Boris lui demanda aussi de lui envoyer les symboles d'accords avec les notes correspondantes en vue de travailler la guitare [4].

On l'imagine pourtant mal une guitare sèche à la main tel un nouveau Brassens. Il se cherche.

À cette époque, il se plonge dans des anthologies de la musique et s'intéresse aux grandes chansons qui ont symbolisé une époque. « Que reste-t-il de la Révolution française sinon le *Ça ira*, *La Car-*

*magnole* et *La Marseillaise* », écrira-t-il en 1958 dans *En avant la zizique*. Rêve-t-il à son tour d'écrire une chanson historique ? Dans ce même essai, il s'attarde également sur les chants de la Fronde, et la fameuse *Chanson de Craonne* de Vaillant-Couturier :

Adieu la vie, adieu l'amour
Adieu toutes les femmes
C'est bien fini, c'est pour toujours
De cette guerre infâme.

Au cours de ses réflexions, Boris note l'importance de la chanson politique dans la mémoire collective et, dans cette catégorie, de la chanson antimilitariste, « souvent meilleure que la chanson militaire ».

C'est vrai que la révolte contre la guerre a fourni d'inoubliables fleurons : *La Mère du déserteur*, de Briollet, Lelièvre et Thiels, ou *Le Conscrit du Languedoc* (Je suis un pauvre conscrit / De l'an mil huit cent dix…). Boris se penche particulièrement sur ce thème. Avec le temps, au fil des conversations avec Kast et Degliame, au hasard des lectures et des notes prises pour le *Traité de civisme*, il a acquis une certaine culture politique et se sent aussi plus concerné. La guerre d'Indochine qui sévit et s'enlise stimule sa veine pacifiste. Il ne s'est jamais remis d'avoir eu vingt ans en 1940. Le 29 avril 1954, il écrit *Le Déserteur* :

Monsieur le Président
Je vous fais une lettre

Que vous lirez peut-être
Si vous avez le temps
Je viens de recevoir
Mes papiers militaires
Pour partir à la guerre
Avant mercredi soir
Monsieur le Président
Je ne veux pas la faire
Je ne suis pas sur terre
Pour tuer des pauvres gens[5].

La complainte qui va devenir un hymne pacifiste s'achève par un quatrain plutôt menaçant :

Si vous me poursuivez
Prévenez vos gendarmes
Que j'emporte des armes
Et que je sais tirer[6].

Boris sent bien que cette chute est bizarre, qu'elle jure avec le reste. Mais elle lui est venue spontanément. Il n'est pas le premier pacifiste à vouloir utiliser les armes pour mieux se faire comprendre. Louis Lecoin *, l'un des plus célèbres, excédé par ses contradicteurs, tira des coups de feu en l'air dans un congrès de la CGT en 1921...

C'est vrai que ce déserteur qui veut tuer des gendarmes pour ne pas aller se battre, c'est curieux. Mouloudji le lui fait remarquer ; il est intéressé par la chanson mais n'approuve pas cette fin. Boris est

* Il fut l'animateur de l'objection de conscience pendant la Première Guerre mondiale.

d'accord avec lui. Cependant il bute dessus. Ils trouvent ensemble cette chute :

Si vous me poursuivez
Prévenez vos gendarmes
Que je n'aurai pas d'armes
Et qu'ils pourront tirer[7].

Mouloudji ajoute donc le titre à son répertoire. Il chante *Le Déserteur* pour la première fois le 8 mai au théâtre de l'Œuvre, où le texte passe sans problème. Cela l'encourage à garder la chanson pour son passage à l'Olympia à la rentrée suivante. Il a raison car elle y sera applaudie pendant trois semaines par des milliers de spectateurs avant d'être reprise lors d'un nouvelle tournée à Bobino. Le scandale viendra plus tard.

Encouragé, Boris cherche d'autres interprètes. Il rencontre la jeune Renée Lebas, très en vogue, qui interprète Ferré et Francis Carco. Le style caustique de Boris l'étonne un peu mais elle accepte quelques textes, à condition qu'il les retravaille. « Je suis une chanteuse populaire, explique-t-elle, et une chanteuse populaire doit privilégier les chansons d'amour et de nostalgie[8]. »

Elle lui présente le musicien qui l'accompagne sur scène, Jimmy Walter (un nom de scène). Le courant passe aussitôt entre les deux hommes. Pendant quelque temps, Jimmy Walter vient travailler cité Véron chaque après-midi. Il s'installe au piano, le beau piano blanc de Boris. Il le sent encore un peu vert pour ce métier, et il lui enseigne quelques bases élémentaires de la chanson : la répétition du refrain, sa simplicité, etc. Cela agace Boris, qui n'aime pas reprendre ses textes ni faire ce que tout le monde fait. Mais les discussions et les disputes avec Jimmy lui sont des plus profitables. Il ressort de leur collaboration une trentaine de titres. Renée Lebas en retient sept pour son récital de la salle Pleyel, qu'elle donne le 8 octobre : *Sophie*, *La Valse à Renée* (qui deviendra, chantée par Reggiani, *La Valse dingue*), *Sans blague*, *Adieu mon enfance*, *Ne te retourne pas*, *Suicide-Valse* et *Mon Paris à moi*. Ce sont tous de fort beaux textes, poétiques et plein d'humour comme ceux qu'il chantera plus tard aux Trois Baudets. Comme le souligne Dominique Rabourdin[9], si l'on fait le bilan de ses chansons, celles que Boris a composées avec Jimmy Walter et avec Alain Goraguer sont les meilleures — à l'exception de quelques compositions isolées avec Claude Bolling et Michel Legrand —, et bien sûr celles du duo Vian-Salvador à partir de 1956.

En dépit des thèmes choisis et des aménagements concédés par Boris, les éditeurs de musique à qui il présente ses textes les jugent… trop en avance. Toujours le même problème. Quoi qu'il fasse, Vian provoque, c'est sa vraie nature, non un choix ou une attitude. Le *Tango interminable des perceurs de coffres-forts* n'est absolument pas dans l'air du temps. Il n'est certes pas la seule personnalité affirmée de l'époque. Brassens et Ferré possèdent tous deux un univers poétique libertaire et corrosif… Mais ils ont la chance d'être compositeurs et interprètes et peuvent tout se permettre. Boris cherche justement des voix pour ses paroles. Outre Renée Lebas, il faut enregistrer Philippe Clay, l'étonnant dandy, puis la délicieuse Suzy Delair.

La chanson ne le fait pas encore vivre. Il doit continuer à écrire çà et là, et à courir la pige. Ce qui ne suffit pas non plus à subvenir aux besoins du ménage, et à ceux de ses enfants. Il se met enfin à la traduction du roman de Nelson Algreen, *L'Homme au bras d'or*, dont le contrat a été signé avec Gallimard en décembre 1950 ! Le livre de cet écrivain américain — l'amant adoré de Simone de Beauvoir — est publié en feuilleton dans *Les Temps modernes*, de la fin de l'année 1954 jusqu'au numéro d'avril 1955.

Boris n'a rien d'un traducteur passionné. Il place ses nouveaux espoirs dans la scène. À sa grande satisfaction, *Cinémassacre*, le succès de La Rose rouge, est repris au théâtre des Trois Baudets, et ce pendant neuf mois. Sur sa lancée, il écrit, en alexandrins et en argot, une pièce, *Série blême**, qui attendra vingt ans sa création dans ses cartons. Une de plus.

Bien qu'il ait songé à donner une suite à *L'Arrache-cœur*, l'écriture, pour Vian, se concentre de plus en plus sur la chanson et le spectacle. Au mois de novembre 1954, il écrit, à la demande de Michel de Ré, quelques chansons pour *La Bande à Bonnot*, un spectacle qu'il doit monter dans un petit cabaret rue Champollion. Ces anarchistes de

---

* C'est Georges Vitaly qui crée *Série blême* à Nantes en 1974, avec, dans les rôles principaux, Dominique Paturel et André Thorent.

légende stimulent l'imagination de Boris. C'est pour ce spectacle qu'il compose quelques-uns de ses titres les plus fameux : *Les Joyeux Bouchers*, *La Java des chaussettes à clous* et *La Complainte de Bonnot*.

Malheureusement, la revue est un échec. Le rideau tombe au bout de deux ou trois représentations. Le public des cabarets ne s'intéresse guère aux exploits de Jules Bonnot et de Raymond la Science. Ex-romancier, ex-trompettiste, Vian va-t-il se retrouver ex-parolier ? Va-t-il, dans le monde de la chanson, se heurter à la même incompréhension que dans le milieu littéraire ? Il s'en plaint à Jacques Canetti, directeur artistique des variétés chez Polydor. Les deux hommes se connaissent depuis 1949. À l'époque du duel jazzistique entre Hugues Panassié et Charles Delaunay, Boris avait violemment pris à partie le premier dans *Combat*. Jacques Canetti, qui est l'un des premiers éditeurs de jazz en France, avait alors eu envie de le rencontrer car lui-même nourrissait quelques griefs envers Panassié[9].

Canetti a entendu dire que Vian écrit des paroles. Il lui rend visite cité Véron... Immédiatement, cet homme du métier sent qu'il a affaire à une personnalité d'exception. Boris lui parle de ses difficultés actuelles dans le monde de la chanson. Il lui explique que personne ne veut de ses textes. Justement, le téléphone sonne. C'est Roland Petit. Le maître de ballet lui annonce, gêné, que Zizi Jeanmaire ne prend pas les paroles qu'il lui a proposées. Intrigué, Canetti décide de se faire sa propre opinion. Pour lui, l'inventeur d'une chanson a toujours une façon originale de l'interpréter. Il propose donc à Vian de chanter lui-même. Mal à l'aise, Boris lui propose de le revoir le lendemain avec Jimmy Walter pour l'accompagner au piano. En l'entendant, Canetti n'hésite plus : « Je ne vois qu'une solution, dit-il, chantez-les vous-même sur scène. — Mais je suis journaliste, répond Boris, pas chanteur [11] ! »

C'est pourtant la seule solution et il le sait bien. Ses textes sont trop personnels pour être interprétés par d'autres. Il en parle à Ursula, qui en convient. Évidemment, il aurait pu composer pour elle, mais il ne le fait pas. Il lui dit de se débrouiller toute seule. C'est comme ça. Même si Ursula est une jeune femme libre et avant-gardiste, il ne tient pas à l'associer à ses expériences professionnelles.

La perspective de la scène l'attire mais elle lui flanque un trac terrible. Certes, il a maintes fois joué avec l'orchestre Abadie mais c'était avec ses copains et derrière sa trompinette. Cela n'a rien à voir. Boris se sait gauche, ses gestes sont raides, sa voix haut perchée. Il a pourtant envie de porter ce nouveau masque, de faire l'artiste, de se confronter à un public. Il décide de prendre des cours de chant.

Pour les timides, mieux vaut se jeter rapidement dans l'arène. Le 4 janvier 1955, Vian fait ses débuts aux Trois Baudets, rue Coustou, et le 28 à la Fontaine des Quatre Saisons, un cabaret dirigé par Pierre Prévert et Génia Richez. Boris est un débutant mais il possède déjà à son actif un véritable répertoire, dont le fameux *Déserteur*. Il se lance.

Il apparaît livide, embarrassé, le regard sombre, le souffle plus court que jamais, vêtu d'un costume foncé et d'une cravate noire. Le moins que l'on puisse dire, c'est qu'il ne soulève pas l'enthousiasme du public. Raide, presque rigide, Boris reste planté au milieu de la scène, psalmodie ses paroles étonnantes presque sans aucun geste. Son malaise est communicatif. Le public reste muet de stupeur, ne sait comment réagir à ce chanteur presque agressif. Trois chansons, le temps de camper un univers noir, un humour décapant, totalement inusité à l'époque. C'est à peine si on l'applaudit. « C'est bien lui, le Boris Vian facétieux de Saint-Germain-des-Prés ? s'étonnent les spectateurs. Mais il n'est pas drôle du tout ! » C'est qu'il est planté là devant eux sans fard, sans son masque de joyeux drille, presque exsangue, la peur au ventre.

Heureusement que ses proches ont préféré ne pas venir tout de suite car les échos de ses premiers passages sont catastrophiques. Dans la salle, une personne, une seule peut-être a pris la mesure de son talent, du caractère novateur de ses chansons. C'est le pianiste.

# Des chansons impossibles

*Un temps viendra comme dit l'autre où les chiens
auront besoin de leur queue et tous les publics des
chansons de Boris Vian.*

GEORGES BRASSENS

Face à cet homme en noir, ce fantôme de chanteur au regard terrifiant, tendu, maladif, prêt à vaciller devant une salle hostile, le jeune Lucien Ginsburg éprouve un déclic décisif pour la suite de sa carrière :

J'en ai pris plein la gueule. Il avait une présence hallucinante, vachement « stressé », pernicieux, caustique... Les gens étaient sidérés... Ah mais il chantait des trucs terribles, des choses qui m'ont marqué à vie... Moi j'ai pris la relève... Enfin je crois. De toute façon, c'est parce que je l'ai entendu que je me suis décidé à tenter de faire quelque chose d'intéressant dans cet art mineur[1].

Lucien Ginsburg, dit Serge Gainsbourg, saisit quelque chose de lui-même ce soir-là. Il a l'air slave, encore plus slave que Boris, et pour cause : il est, lui, d'origine russe. Il est maladroit et

289

emprunté autant que Boris. Il s'est essayé à la peinture, est musicien de bar, écrit à ses heures. Et il aime plus la chanson qu'il ne le laisse entendre. Il a déjà déposé quelques titres à la SACEM mais n'envisage certainement pas de les chanter lui-même. Il se trouve moche. Or, dans le noir, il vient d'apercevoir un Martien mal dans son temps qui lui ressemble comme un grand frère. Le futur Gainsbourg est ébloui. Quelqu'un d'aussi pudique et traqueur que lui ose défier une salle, la provoquer. Pourquoi ne pas en faire autant, prendre son mal-être à bras-le-corps, faire de sa fragilité une arme de guerre, aller à contretemps, afficher son dandysme…

Désespéré par le manque de retour de la salle, son indifférence, son mutisme, Boris, en effet, prend son public à rebrousse-poil. Il lui arrive de l'insulter. Un soir, il se fait huer et doit sortir… André Halimi se souvient :

J'ai vu Boris Vian chanter à la Fontaine des Quatre Saisons, rue de Grenelle. Il faisait quatre ou cinq chansons, accompagné par un pianiste. Nous étions trois dans la salle. J'étais malheureux pour lui, c'était horrible, cauchemardesque. Je n'ai même pas été le saluer après, je me mettais à sa place[2].

C'est pourtant dès le deuxième soir, le 11 décembre 1954, que Gainsbourg entend Vian et ressent ce fameux déclic. C'est décidé, il va chanter : comme Boris Vian, dont il connaît la légende, dont il admire l'élégance, le refus des concessions avec le public. Et surtout l'inspiration novatrice, corrosive et qui va nourrir la sienne *. Et jusqu'à cette voix saccadée, parfois presque parlée, l'art de la syncope. Quelqu'un qui n'est pas chanteur par vocation peut trouver une manière originale et « classe » de psalmodier les textes, de « déchanter » au lieu de chanter.

Pourtant, le modèle en question est au bord du gouffre. L'expérience s'avère désastreuse. Au bout de trois semaines, Boris déclare à Canetti qu'il veut arrêter, malgré les 3 000 francs versés par représentation. Le directeur artistique lui rétorque qu'il est trop tôt pour en décider, qu'il faut au moins un an à un artiste pour se mettre dans le bain.

Il s'est fait une réputation de chanteur anarchiste, voire engagé. Les années apolitiques sont révolues. Léo Ferré, Georges Brassens viennent voir ce nouveau phénomène qui n'attire pas les foules mais fait parler de lui. Brassens a connu lui aussi des débuts difficiles. Il va le voir après une représentation et lui donne ce conseil essentiel : s'accrocher à un regard, à une personne et ne chanter que pour elle. Boris sent qu'on s'intéresse à lui, que les plus grands l'encouragent, l'incitent à continuer. Bon gré, mal gré, il existe, il est lancé. Il doit continuer.

Au mois d'avril, les 22, 27 et 29, il enregistre au studio Appolo, rue de Clichy, un disque des *Chansons possibles et impossibles*. L'enregistrement sera terminé le 24 juin. L'album est superbe, il comprend

---

* Il n'est que de comparer, comme l'a fait Gilles Verlant, les paroles de *Je bois* de Vian et celle d'*Intoxicated man*. L'un des premiers titres de Gainsbourg, *Le Charleston des déménageurs de piano*, aurait également pu être signé Vian. À noter qu'il aura le même arrangeur que Boris, Alain Goraguer.

les chansons interprétées sur scène : *Le Déserteur*, *Je bois*, *Les Joyeux Bouchers*, *Les Arts ménagers*, *Le Petit Commerce*, *On n'est pas là pour se faire engueuler*, *J'suis snob*, *La Complainte du progrès*, *La Java des bombes atomiques*, *Fais-moi mal, Johnny*, etc.

Au verso de la pochette, Georges Brassens lui a dédié un texte sensible :

« Boris Vian est un de ces aventuriers solitaires qui s'élancent à corps perdu à la découverte d'un nouveau monde de la chanson. Si les chansons de Boris Vian n'existaient pas il nous manquerait quelque chose.

Elles contiennent je ne sais quoi d'irremplaçable qui fait l'intérêt et l'opportunité d'une œuvre artistique quelconque.

J'ai entendu dire à d'aucuns qu'ils n'aimaient pas ça. Grand bien leur fasse. »

Autre retour flatteur, celui du *Canard enchaîné* (qui lui confiera plus tard quelques piges). C'est quasiment le seul organe de presse à faire état de son tour de chant. Le 13 juin 1955, l'hebdomadaire satirique met à la une *La Java des bombes atomiques* ! En effet, Diên Biên Phu vient de tomber et l'on rapatrie les troupes françaises vaincues. Les textes antimilitaristes au vitriol d'un certain Boris Vian sont d'une brûlante actualité.

Malgré cet encouragement, il est malade, le ventre noué, bourré de cachets pour calmer ses nerfs. La voix hésitante, nasillarde et incisive, il poursuit son chemin de croix, de salles muettes en scènes hostiles.

La tournée parisienne est prévue jusqu'au 11 juillet 1955. Boris se produit tous les soirs pendant une vingtaine de minutes. Sa prestation est suivie par celle du très populaire Fernand Raynaud. Malgré son grand talent comique, ce dernier a parfois du mal à réchauffer l'atmosphère glaciale qui suit la sortie de Vian — qui en souffre. Pourquoi n'arrive-t-il pas à communiquer cette chaleur, ce « potachisme » qui passe si bien avec ses amis ? Pourquoi sa tendresse, son humour ne passent-ils pas la rampe ? « Je suppose que ce défaut venait d'une trop grande pudeur, explique Jacques Canetti. Il n'avait pas du tout le sens (ni le goût !) de l'exhibitionnisme[3]. »

Pour l'extirper de ce marasme, son copain de toujours, Eddie Barclay, a l'idée d'un disque ubuesque. L'enregistrement a lieu aux studios Magellan, Boris y interprète les articles du Code de la route sur des airs folkloriques. À retracer les facéties plus ou moins irresponsables dont s'est rendu coupable Eddie Barclay, on peine à imaginer qu'il ait pu fonder cet empire discographique qui sera le sien. L'esprit d'enfance et le goût du canular ne seraient donc pas incompatibles avec la réussite et le travail ? Toutes les victimes de l'esprit de sérieux devraient y réfléchir. Ou adopter pour devise cette notation de Boris : « Le temps perdu, c'est le temps pendant lequel on est à la merci des autres. »

La liberté, c'est un don inné mais qui se cultive. Et qui se paie aussi. Une fois de plus incompris, Boris va devoir prolonger son calvaire en province.

Car il part en tournée. Et il sent que cela risque d'être dur. Les salles de province sont souvent plus grandes et leur public encore peu habitué aux excentricités Rive gauche.

Boris prend donc la route avec Alain Goraguer, qui garde de ce périple un souvenir plutôt pénible des angoisses du chanteur. « Faire une tournée avec Boris Vian n'était pas de tout repos, raconta-t-il à Noël Arnaud, parce qu'il avait un caractère assez difficile. Par exemple, il refusait absolument de demander son chemin à un agent de police. C'est ainsi qu'un jour, en allant à Bruxelles, nous avons tourné en rond sans pouvoir sortir de cette sacrée ville de Paris[4]... »

La tournée commence par Annecy, le 23 juillet 1955, puis Megève, Palavas-les-Flots, Divonne-les-Bains. Le spectacle est identique à celui des Trois Baudets. Il se compose d'une première partie assurée par Pierre Repp, Bernard Régnier, Boris Vian, Monique Sénator, Jean Constantin et Fernand Raynaud. La seconde partie est occupée par la représentation des *Carnets du Major Thompson*, un texte très en vogue de Pierre Daninos monté par Yves Robert, avec Gérard Séty, Michel Roux, Monique Sénator et Hubert Deschamps.

Après l'épreuve que constitue son passage sur scène, les sifflets et huées, il lui arrive d'ironiser. À Divonne-les-Bains, étape de cure pour les troubles nerveux, il dit que la soirée sert de test aux médecins locaux. Si leur patient a ri, c'est trois semaines de cure en plus !

Chaque soir, Fernand Raynaud est celui qui doit retourner la salle après le trouble semé par Boris.

Avec talent, il transforme une assemblée hostile et mutique en foule hilare. Après son show, Fernand rentre en loge et remonte amicalement le moral de Boris en lui racontant ses propres débuts, à l'en croire, infects. À la fin du spectacle, il l'entraîne dîner avec Goraguer et tente de les consoler avec une bonne bouteille.

L'horrible tournée se poursuit. Les étapes sont fatigantes, les hôtels bon marché et bruyants, les routes encombrées, les aléas des dates de tournée rendent certains trajets aberrants : Dinard-Le Touquet-Bruxelles-Le Havre. Boris traîne son désarroi avec Goraguer (« Go... Go... Goraguer ! », dit-il). Il n'a pas le réconfort d'Ursula, elle-même en tournée avec les ballets Ho. Ils ne se croisent jamais et doivent s'écrire.

Les meilleurs moments de la tournée se passent sans doute sur la route. Boris prétend même qu'il l'a acceptée pour le bonheur de conduire, l'air pur et la vitesse. Un peu d'air et même de vitesse car il a enfin lâché sa Brasier pour une Austin Healey deux places. Et si Alain Goraguer, qui l'accompagne, a gardé une impression démoralisante du périple, c'est que chaque arrivée dans une ville est synonyme de nouvelle épreuve. Au fil de la tournée, la rumeur les précède et chaque nouveau public se fait plus hostile, presque menaçant. En prime, le pianiste doit supporter Boris au bord du malaise avant d'affronter la salle. Puis, lorsqu'il est sur scène et que les insultes commencent à fuser, il accentue sa raideur, roule des yeux, fixe le vide comme un fou, affiche un air méprisant. C'est l'épreuve de force. Il sort sous les sifflets, sans un regard.

Le duo a commencé à connaître de singuliers déboires à partir de Nantes. Dès que se profile la silhouette dégingandée de Boris, une bande d'énergumènes se lève, montre le poing et crie « En Russie ! ». Parmi toutes les légendes attachées à Boris, celle de ses origines russes est la plus tenace. Les deux hommes se demandent s'il ne s'agit pas du même groupe paramilitaire et raciste qui les suit de ville en ville. À Perros-Guirec, une nouvelle fois, on veut l'empêcher de chanter en couvrant sa voix. Au moment d'entonner *Le Déserteur*, c'est l'hallali, le tumulte. Furieux, Fernand Raynaud déboule sur scène et injurie à son tour les comploteurs. C'est d'autant plus courageux de sa part qu'il ne partage absolument pas les idées antimilitaristes de Boris et qu'il n'aime pas non plus *Le Déserteur*. Mais Fernand est un artiste, un bon camarade, et il ne supporte pas que l'on bafoue la liberté d'expression. Quant à Goraguer, excédé, il menace également de se battre.

L'affaire éclate et on finit par en savoir un peu plus. Les fauteurs de trouble appartiennent à un commando d'anciens combattants qui voient en Boris Vian un bolchevik venu cracher sur le drapeau national. À Dinard, c'est le maire lui-même, Verney, sorte de clone moral de Daniel Parker, qui prend la tête des anti-Vian. Il en va, dit-il, du souvenir des morts pour la patrie. Lorsque le rideau s'ouvre, la salle est emplie d'élus accompagnés de « gros bras » qui guettent l'artiste, le béret vissé sur la tête, prêts à en découdre. Cette fois, on vient vraiment pour voir Boris. Interpréter *Le Déserteur* le jour même où l'on bat le rappel des réservistes en Algérie est une provocation.

C'est en fait une pure coïncidence car le récital de Boris est prévu depuis longtemps. Celui-ci commence à chanter avec un certain panache en fixant les hommes droit dans les yeux. Les militaires se lèvent, ils hurlent et couvrent sa voix. Le maire s'avance alors, suivant une dramaturgie dûment préméditée. Il se dirige vers la scène en priant l'anarchiste russe, le suppôt de l'anti-France, de quitter les lieux.

Boris s'étrangle de rage, il en bafouille. Il prie l'élu de montrer son écharpe, s'il est bien maire comme il le prétend. Pas de problème, Verney a tout prévu. Il revient, sous les vivats, drapé dans l'écharpe tricolore. La salle galvanisée tonne contre Boris, certains veulent monter sur scène pour lui casser la figure, il s'éclipse.

Il a l'art de déclencher des scènes qu'il aurait pu écrire dans ses pièces les plus décapantes. Mais c'est moins drôle dans la vie. Ursula, toujours en tournée avec les ballets Ho, a réussi à le rejoindre. Elle assiste à l'altercation, atterrée par la pâleur de son mari et impressionnée par son calme. Elle se souvient cependant que les militaires du contingent trouvaient la chanson très bien [5]. Boris avait d'ailleurs coutume d'expliquer qu'elle n'était pas antimilitariste, mais « plutôt violemment procivile ».

Lorsqu'on songe que son médecin lui a prescrit le repos, toutes ces péripéties semblent bien risquées.

Comme il le dira un jour à son ami Degliame : « Lorsque tu sens que tu dérapes dans un virage, qu'est-ce que tu fais, tu freines ? Non, tu accélères[6]. »

Durant cette tournée kamikaze, les incidents se multiplient de manière incompréhensible. Et pour cause : le boycott est organisé. Jacques Canetti a reçu des lettres anonymes : « Si vous continuez à présenter Boris Vian, nous allons saboter votre spectacle partout où il passera. » Inquiet, il rejoint son poulain au Touquet, où le concert s'annonce houleux. Une sorte de commando s'approche de la scène, à sa tête un militaire, « un gros bêta nommé Bettime », comme l'écrit Boris[7].

Canetti intervient. Il demande au chef des protestataires de venir s'expliquer avec l'artiste, ce qu'ils feront à l'entracte. Ainsi, après négociations, Boris finit par chanter. Après quoi, il ira même prendre un verre avec le militaire, un officier qui d'ailleurs n'a pas « fait » l'Indochine. L'auteur du *Déserteur* explique :

Je ne pose pas pour les braves : ajourné à la suite d'une maladie de cœur, je ne me suis pas battu, je n'ai pas été déporté, je n'ai pas collaboré — je suis resté, quatre ans durant, un imbécile sous-alimenté parmi tant d'autres — un qui ne comprenait pas parce que pour comprendre il faut qu'on vous explique. J'ai trente-quatre ans aujourd'hui, et je vous le dis : s'il s'agit de défendre ceux que j'aime, je veux bien me battre tout de suite. S'il s'agit de tomber au hasard d'un combat ignoble sous la gelée de napalm, pion obscur dans une mêlée guidée par des intérêts politiques, je refuse et je prends le maquis[*].

* Texte repris d'un inédit, daté de 1955, destiné à *France-Dimanche*, dans *La Belle Époque : variétés*, *op. cit.* Il s'agissait d'une lettre adressée à Paul Faber, conseiller municipal de Paris, ancien combattant, qui avait voulu porter plainte pour outrage aux forces armées.

Ils parlent de l'Indochine.

Les jeunes qui se sont fait tuer là-bas parce qu'ils croyaient servir à quelque chose, je ne les insulte pas, je les pleure.

L'homme convient que la guerre est quelque chose d'affreux. Il informe Boris que le maire de Dinard a ameuté toute la région.

En effet, lors de l'étape suivante à Deauville, le maire demande à Vian de supprimer *Le Déserteur* de son répertoire pour ne pas créer d'incident. Il refuse. C'est tout ou rien. Le récital est annulé.

Désormais, *Le Déserteur* fait le même effet aux édiles qu'une grenade non dégoupillée. Le maire de Saint-Valery-en-Caux demande à en lire le texte. Il n'y voit, lui, rien de si terrible et donne son accord pour le spectacle.

Les choses finissent par se tasser. Un soir même, Boris fait reprendre le texte à une salle entière... composée d'appelés du contingent.

Là encore, on peut lire la filiation Vian-Gains-bourg. Ce dernier reproduira les déboires puis les enseignements du maître lors de sa reprise reggae de *La Marseillaise*. Après des démêlés houleux avec des militaires, ils finiront par sympathiser d'une manière similaire.

À Paris, l'aura de scandale qui a toujours suivi Boris, quoi qu'il fasse, intéresse de nouveau la presse. *Le Canard enchaîné* prend sa défense et interpelle le maire de Dinard dans un article polé-mique.

À la rentrée 1955, Boris rentre épuisé mais il reprend néanmoins son récital aux Trois Baudets. Cette fois, le public vient pour écouter la fameuse chanson. La sortie de l'album de Boris est retardée. Philips, l'éditeur, craint les représailles. Dans une interview à Noël Arnaud, Jacques Canetti dit avoir reçu des « injonctions » extérieures pour retirer le disque. De ce fait, le 33 tours n'excédera pas deux tirages, soit 1 000 exemplaires, avant d'être retiré des ventes.

Cet échec commercial est une déception pour Boris, même s'il ne s'attendait pas à un succès. Les programmateurs de radio n'ont pas daigné passer le disque, qui circule désormais orné d'un tampon en guise d'avertissement de son contenu subversif : *Le Déserteur* n'est pas bienvenu sur les ondes.

À sa sortie, l'album ne bénéficie d'aucune promotion, plutôt d'une censure discrète, qui ne dit pas son nom. Mais la véritable censure ne survient qu'au début de la guerre d'Algérie.

# Le cœur gros

*Son cœur frappait à grands coups dans sa poitrine et il dit : qui est là ?*

BORIS VIAN, *Les Fourmis*

La dernière du tour de chant a lieu le 29 mars 1956. Boris ne remontera plus sur scène. Éprouvante au physique comme au moral, sa carrière de chanteur aura été de courte durée. Il a pourtant aimé le « challenge » et écrit à Canetti qu'il est au désespoir d'avoir « perdu la partie » et de ne plus pouvoir le faire.

Canetti, qui l'a poussé depuis le début, est ennuyé pour lui. Il estime que son protégé se trompe lorsqu'il parle de désastre, car lui croit en son avenir. Une nouvelle idée lui vient, celle de lui proposer de travailler chez Philips, où il l'associe au secteur « variétés », qui cherche justement un spécialiste du jazz pour établir un catalogue. Boris rejoint la société phonographique au mois d'octobre 1955.

Ce nouveau poste lui convient parfaitement car il n'est même pas tenu de venir régulièrement au bureau. Son travail consiste à effectuer des montages à partir d'échantillons sonores de tous les pays du monde et surtout d'Amérique du Nord. Il s'attaque également à une petite histoire du jazz et s'occupe d'écrire des notices pour les pochettes de disque.

« Il faisait très bien ce travail, se souvient Denis Bourgeois, alors adjoint de Canetti. Avec une mémoire ! Dès le départ, je me rappelle qu'il avait révélé aux Américains eux-mêmes l'existence de certaines matrices de jazz qu'ils avaient oubliées dans leurs propres archives, à New York[1]. »

Après une vingtaine d'albums ainsi réalisés, Denis Bourgeois lance à Boris, comme une boutade : « Puisque ces disques de jazz ne se vendent pas, on devrait essayer de faire pour le jazz ce que l'on fait pour les classiques : une série *Jazz pour tous*[2]. » Cette idée jetée en l'air produit un déclic dans l'esprit de Boris. Bien sûr ! C'est ce qu'il faut faire. Il court chez Canetti, pour lui proposer cette série destinée à populariser le jazz. Le directeur accepte. Et Boris, qui n'est pas salarié, va pouvoir travailler d'une façon plus régulière.

Pour autant, il n'a pas abandonné l'écriture scénique. La comédie musicale l'attire de plus en plus. Il en écrit un certain nombre qui ne seront pas toutes jouées. Le 5 novembre, il a la joie de voir monté son projet de première revue nue de science-fiction ! Celle-ci s'intitule *Ça c'est un monde*. Le spectacle tiendra l'affiche du cabaret L'Amiral pendant trois semaines.

Mais surtout, il écrit sans cesse de nouvelles

chansons. Et grâce à lui, au sein du secteur variétés de Philips, le rock and roll va se développer en France. Michel Legrand et Jacques Canetti ont fait un voyage aux États-Unis où ce nouveau genre révolutionne la vie des jeunes. Ils se sont procuré un certain nombre d'enregistrements et en parlent chez Philips à leur retour.

Un Vian ne pouvait pas rater ce tournant. Certes, il n'aime que le jazz mais cette nouvelle mode l'amuse. Pour lui, cependant, le rock n'a que deux versants, l'un sexuel, l'autre comique. Celui-ci l'intéresse le plus. Il cherche à accentuer le côté un peu ridicule et instinctif des premiers standards. Il propose à Henri Salvador de les interpréter. C'est le début d'un tandem drolatique. Rebaptisé Henri Cording, Salvador enregistre quatre titres signés Vian : *Rock and Roll-Mops*, *Rock*, *Rock Hoquet* et *Va-t'faire cuire un œuf, man*.

On a parfois présenté Vian comme l'introducteur du rock en France. Point de vue vrai et faux, car ses rocks parodiques ne sont pas appelés à séduire le plus grand nombre. Il est vrai qu'il ne croit pas à l'avenir de cette musique. C'est l'une des rares fois où sa vive intuition lui fait défaut. Elle est oblitérée par ses préjugés sur un genre destiné à remplacer le blues. Pour lui, la musique noire se voit « systématiquement déformée et exploitée par de petits groupements blancs de mauvais musiciens (style Bill Haley) pour aboutir à une sorte de chant tribal ridicule, à l'usage d'un public idiot[3] ».

Boris n'a donc pas prévu l'évolution d'un style musical qui, à l'époque de Bill Haley, pouvait paraître limité et éphémère. On peut même arguer qu'il a tenté de le saborder en en offrant une vision pastichée et grotesque.

En faisant entrer Boris Vian chez Philips, Jacques Canetti se doutait bien qu'il allait y semer la pagaille. Mais il avait besoin de cet élément stimulant, doué et incontrôlable. Il sait que Boris est un atout. Les directeurs commerciaux se montrent plus réservés face à la nouvelle trouvaille du patron. Ils n'apprécient ni son insolence ni ses remarques à l'emporte-pièce au cours de réunions auxquelles il n'est pas convié. Ils aimeraient bien se passer de lui, de son avis, de ses propositions souvent irréalistes, néanmoins, puisque la maison l'a voulu, on le tolère. En réalité, c'est plutôt lui qui s'impose. Il bouscule les habitudes, soit, mais on reste frappé par la justesse de ses interventions. En outre, Boris est drôle, gentil, et le personnel cède à son charme.

Envoyé en Hollande du 23 au 26 janvier 1956, il rend un rapport des plus pertinents qui commence ainsi :

Il ne m'a point fallu grand temps pour constater que la Hollande, ou Pays-Bas comme on l'appelle quand on est placé plus haut, est une terre composée essentiellement d'eau et de maisons avec, çà et là, de l'herbe, d'un vert assez banal. En Hollande, on trouve également Michel de Ruyter... Ce garçon exerce au sein de la Société Philips de Baarn les fonctions délicates de conseiller en matière de jazz, tâche, qui, vous vous en doutez, requiert une habilité extrême. Il n'en manque pas, grâce au ciel, LUI NON PLUS [4].

Boris, éternel plaisantin pour les uns, est considéré comme un auteur original par quelques autres. Entre deux rocks comiques, il compose à la demande de Marcel Lamy, directeur du Grand Théâtre de Nancy, une version opéra du *Chevalier des neiges*, sur une musique de Georges Delerue. Ou bien participe à la « Nuit de la Poésie », organisée le 28 mai 1956 par Pierre Seghers et André Parinaud et retransmise du théâtre Sarah-Bernhardt sur toutes les radios européennes. Boris devait y lire un poème de Queneau mais il décide de rendre hommage au Collège de 'Pataphysique en lisant un sonnet du général Pittié publié dans son confidentiel cahier n° 21, donnant ainsi écho à ses travaux jusque dans « le Bloc oriental » où l'émission est retransmise.

Tandis que l'écrivain Vian semble avoir sombré dans l'oubli, *L'Automne à Pékin* resurgit dans les librairies. Sa première publication au Scorpion était quasiment passée inaperçue. Le livre avait rebuté ou déçu les rares admirateurs de *L'Écume des jours*. Et voilà qu'Alain Robbe-Grillet, fraîchement nommé conseiller littéraire aux éditions de Minuit, a insisté auprès de Jérôme Lindon pour que *L'Automne à Pékin* soit réédité. L'auteur des *Gommes* est fasciné par cette œuvre qu'il considère comme annonciatrice du Nouveau Roman (Gilbert Pestureau le considère, lui, comme « un Nouveau Roman pataphysique [5] »).

Lorsqu'il a appris la nouvelle et signé le contrat en septembre de l'année précédente, Boris était fou de joie. Il en aurait dansé. Mais il n'osait pas encore y croire. À présent, il est ému de se retrouver chez le même éditeur que Samuel Beckett, dont il admire tant *En attendant Godot*.

Le livre est achevé d'imprimer en mai. Boris a rayé les quelques invectives, « salaud d'Arland ! » et autres broutilles. Ce petit événement littéraire lui vaut une invitation à la radio dans « La Vie des lettres[6] », où il précise ses intentions bien qu'il soit toujours impossible de lui faire expliquer le titre :

> Ou bien le titre est bon, il résume le livre et ça n'est plus la peine d'acheter le livre. Ou bien le titre est mauvais et il n'intéresse pas. Alors je crois que ce qu'il faut trouver, c'est un titre qui soit un tout en soi et qui donne envie de lire le livre.

Sur le caractère absurde de l'intrigue, cette idée de construire une ligne de chemin de fer en plein désert, qui coupe en deux la seule maison qui y existe, il répond : « C'était la fin de la guerre et […] on ne peut guère trouver chose plus absurde qu'une guerre, quelle qu'elle soit. »

Pierre Barbier, l'animateur, lui demande s'il compte revenir à la littérature. Boris répond alors qu'il pense s'y remettre bientôt et qu'il est dangereux d'écrire avant d'avoir fait beaucoup de choses. Hélas pour lui, cette réédition est un échec et les éditions de Minuit renonceront à republier *L'Herbe rouge* comme elles en avaient formé le projet.

La vie n'a pas ménagé Boris. Compte tenu de son état cardiaque, il a mené une existence aberrante. En vacances, on l'a vu, il nageait sous l'eau alors que cela lui était fortement déconseillé. Si incroyable que cela puisse paraître, il s'était même acheté des haltères : « Il n'en faisait pas tous les jours, de la gymnastique, se souvient Ursula. Mais […] il voulait absolument se maintenir en forme. Il ne voulait pas accepter de se sentir limité par sa maladie. Il avait toujours bricolé, il continuait, même à la fin de sa vie alors qu'il ne pouvait plus porter grand-chose, il s'attaquait à des travaux incroyables. Et il ne fallait rien dire. Surtout pas ; le mieux, c'était de l'aider le plus possible, sans ostentation. Que tout cela reste naturel[7]. »

Après son tour de chant, sa santé se dégrade subitement. En juillet, il doit faire face à un œdème pulmonaire aigu qui le fait passer à deux doigts du trépas. Il s'alite, épuisé. Son médecin, le docteur Chiche, lui prescrit une liste de médicaments très contraignante, qui comprend piqûres, pilules et tranquillisants. Comme à l'ordinaire, le médecin lui demande de suivre un régime alimentaire strict et proscrit tout effort prolongé. Plus question de tournées de music-hall, celles-ci étant, *a priori*, la raison de cette crise. Contraint de garder le lit, il écrit à J.-H. Sainmont, l'un des membres du Collège de 'Pataphysique :

Mon bon maître, j'ai laissé irrépondues plusieurs missives et je m'en bats la coulpe — mais j'ai des cir-cons-stances à tes nuantes vu que je fus voici quinze jours attaqué sournoisement par une crise d'œdème aigu (comme ils disent — moi ça m'a paru plutôt obtus, et pour tout vous avouer contendant) pulmonaire, résultat d'un surmenage ininterrompu venant se greffer sur un cœur assez insuffisant. Sur quoi je dus me reposer, tant au moral qu'au fysique, et me fis chier dans mon lit deux semaines, durand. Ça couvait, avouons-le. J'avais abusé. Je m'effondrais littéralement dans tous les coins (et même le(s) moins propices à de tels effondrements). Vous dire que je suis hors de ce trou, non. Ça va sans doute me poursuivre et me per-cer, cuter, etc... faut bien crever de quelque chose. Sans excu-ser mon infâme scie l'anse, cela l'explique cependant [8].

Amaigri, déprimé, le cheveu rare, Boris reste à demeure. Passé la période la plus dure, il reprend quelques forces et songe à faire des aménagements chez lui, dont l'installation du chauffage central. Il accepte enfin de recevoir ses amis Degliame et Kast, qui s'inquiètent pour lui.

Boris doit partir se reposer à Saint-Tropez au mois d'août. Incorrigible, il ne saurait toutefois renoncer à honorer le petit rôle qu'il avait accepté de jouer dans *Notre-Dame de Paris* de Jean Delannoy. Le tournage dure trois jours, les 8, 9 et 10 août, aux studios de Boulogne-Billancourt. Son visage blanc et émacié, son regard fiévreux conviennent parfaitement à son rôle de... cardinal.

Rien de tel pour se délasser qu'un plateau de cinéma, les hurlements et le stress d'un tournage ! Boris exagère. Lorsque Doddy le récupère à la sor-tie des studios pour descendre en voiture dans le Sud, il est effrayé. Il craint à tout moment de le voir succomber à un malaise. C'est Boris qui a insisté pour partir en voiture plutôt qu'en train.

Ce fut un voyage terrible. Il aurait pu claquer. Des orages tout au long de la route, des éclairs qui affolaient le chat, et Boris, tassé contre la portière à mes côtés. Après plus d'une nuit de voyage, arrivé à Saint-Tropez, il a voulu aller se baigner sans attendre à la Ponche[9].

Ursula sillonne la France avec son ballet, Boris se retrouve seul. Dans la correspondance qu'il échange avec elle, il avoue son intense fatigue. Il ne peut même pas jouer de la guitare, il suffoque au bout de dix minutes. Un médecin consulté sur place envisage de le faire opérer par un confrère à Paris, un spécialiste du cœur. L'écrivain est déprimé, empêché de faire la fête le soir. D'ailleurs, en dehors de Doddy et de sa femme Madeleine, ses amis d'autrefois ont commencé de déserter le navire.

Tandis que le village est en pleine ébullition, que les vacanciers festoient dans les boîtes de nuit, Boris lit dans un coin de sa maison. Il ne tente même pas d'écrire, occupé qu'il est à lutter contre ses fréquents vertiges. Il voudrait se requinquer et surtout dormir. Son teint d'endive, comme il dit, tranche avec celui des aoûtiens. Mais il n'est pas du genre à s'épancher sur son état de santé. Il ne veut pas non plus que l'on en parle devant lui.

Il rentre à Paris au bout de trois semaines, assez désenchanté par le nouveau Saint-Trop'. Il n'a pas réussi à recouvrer ses forces et doit poursuivre sa convalescence. Il réfléchit à quelques articles pour *Constellation* et à des traductions. Justement, *L'Homme au bras d'or* de Nelson Algreen, qu'il avait tardé à remettre, paraît chez Gallimard. Mais son retard a agacé les autorités de la rue Sébastien-Bottin, ce qui compromet leur collaboration future. ·

L'intervention chirurgicale envisagée ne se fera pas : elle ne se pratique pas encore en France. Elle n'existe qu'aux États-Unis et au stade expérimental. Boris, méfiant, n'a guère envie de voyager pour jouer les cobayes. En désespoir de cause, il se tourne même vers des médecines douces, consulte le magnétiseur et herboriste Maurice Mességué et finalement s'en remet à son cardiologue, qui lui prescrit une montagne de cachets.

À la maison, son humeur s'assombrit. Ursula le retrouve un jour prostré, angoissé, proche de la crise de panique. Il lui arrive de prononcer des paroles définitives sur sa fin proche. La jeune femme tente de rester calme et de maintenir un semblant de vie normale. Elle envisage d'arrêter ses tournées, ce dont il ne veut pas entendre parler. Que faire ? Parfois le cœur de son compagnon s'emballe au point qu'elle en entend les battements. La nuit, surtout, est une épreuve. Il se réveille brusquement en pensant à la mort, la réveille pour lui dire qu'il va crever.

Dans ce climat, l'arrivée de son fils Patrick n'améliore pas les choses. Le garçon est en crise, lui aussi, il fugue, tente par tous les moyens d'attirer l'attention, se fait renvoyer systématiquement de tous les établissements scolaires. Michelle, qui vit toujours dans l'appartement de la rue du Faubourg-Poissonnière, avec ses parents et son frère Claude, ne sait plus comment tenir ce fils et l'a envoyé chez son père. Mais la communication passe mal entre l'adolescent rebelle et son père harassé par la maladie et le travail. Patrick ne supporte pas ce côté « obsédé du boulot », et Boris ne comprend pas l'attitude de son fils au lycée. C'est le malaise père-fils classique mais personne n'y est préparé. Boris consulte même un psychologue. Il finit par demander à ses copains Doddy, Degliame ou Gournelle d'intervenir et de discuter avec le garçon.

Les disputes sont fréquentes. Boris trouve Patrick fatigant. Comme tous les adolescents, celui-ci veut regarder la télévision. Boris, qui la déteste, retourne alors l'écran contre le mur. « Le silence devenait une nécessité pour lui, dit Patrick Vian. Le moindre bruit aigu pouvait le mettre dans des colères terribles [10]. »

Malgré les aménagements de la cité Véron, l'espace y demeure restreint. Boris rêve de prendre un bureau en ville. Il pourrait y écrire seul, loin des problèmes du quotidien. Patrick, lui, cherche refuge chez les Prévert, de l'autre côté de la terrasse. Il n'a pas de chance : depuis que le poète ne boit plus, il n'est guère causant et lui aussi râle contre le bruit et la télévision. Difficile pour un jeune de vivre avec des poètes murés dans leur monde intérieur.

Par bonheur, le fils, comme son père, comme son grand-père, adore les voitures. Ils se rejoignent dans cet amour commun. Patrick accompagne son père voir les casseurs de Colombes dans l'Austin Healey et le dialogue se renoue autour de la mécanique. Mais l'équilibre reste fragile. Ursula cherche à faire tampon entre les deux. Elle demande à son père Arnold de trouver un établissement privé en Suisse pour Patrick afin d'apaiser les esprits. À peine a-t-il mis les pieds à la frontière que Patrick tourne les talons et rentre à Paris. Arnold, derechef, se remet en quête d'un autre établissement. Comme Ursula, il comprend que Patrick souffre, qu'il n'est pas un mauvais garçon et que ce n'est pas simple d'être le fils de Boris Vian.

# Directeur artistique

*Je l'ai séduite en un instant*
*Grâce à lueur que j'ai dans l'œil*
*Elle est tombée comme une feuille*
*Dans mes grands bras d'orang-outan*

Rock and roll-mops

Le 26 novembre, en quelques heures, Boris réécrit l'adaptation française de chansons de Brecht et Kurt Weil pour un spectacle de Catherine Sauvage. Sa rapidité et son génie inventif ne cessent de surprendre Jacques Canetti, lequel songe de plus en plus sérieusement à l'embaucher. Cet homme, l'un des plus influents de l'époque dans le domaine des variétés, est aussi un spécialiste du jazz. Il apprécie à sa juste mesure la culture de Boris en ce domaine. Il sait que sa présence bousculera de manière positive les habitudes de la maison.

Il entreprend l'écrivain sur ce sujet mais celui-ci se montre réticent. La perspective de reprendre le chemin du bureau ne l'emballe pas. Canetti insiste. Le 1er janvier, Boris est nommé directeur artistique adjoint de la société Philips pour les variétés, dans sa filiale Fontana. Le collaborateur libre redevient salarié.

Boris, donc, qui a les horaires fixes en horreur, a fini par accepter. Il va devoir se consacrer à son travail à plein temps... Ce qui ne l'empêche pas de se rendre à Nancy le 31 janvier pour assister à la création de son opéra *Le Chevalier de neige,* mis en scène par Marcel Lamy. C'est un succès total. La presse est unanime, cela fait du bien, « Le livret de Boris Vian est exceptionnel et la partition de Georges Delerue attachante », proclame l'un de ces titres. Boris est heureux.

Au sein de la maison Philips, il impose sa fantaisie et son sens de l'innovation. Au cours d'une réunion de travail, tandis que les gens du métier évoquent les scies de l'époque, que l'on appelle alors des « saucissons », Boris, qui n'aime pas l'expression, propose de la remplacer par le mot « tube », plus moderne. L'idée fera long feu ; on emploie toujours ce terme aujourd'hui.

Boris travaille avec beaucoup de sérieux lorsqu'il s'agit de ses rééditions de standards de jazz. Il fouille les caves pour y dénicher les matrices devenues introuvables de son idole Bix Beiderbecke. Le portrait qu'il en brosse au verso de l'album traduit bien sa passion pour un être qui, comme lui, entra de son vivant dans la légende.

Il ne manifeste pas toujours la même ferveur lorsqu'il s'agit de variétés. Ses propositions et ses compositions dans ce secteur déplaisent à certains. C'est qu'il n'en fait qu'à sa tête et, certains jours,

314

les commerciaux aimeraient bien l'envoyer au diable.

Boris écrit que Jacques Canetti s'est montré « imprudent » en l'engageant. Mais le risque était calculé car il apporte un sang nouveau dans la maison. Il fait ainsi du texte de pochette musicale un genre à part entière, souvent totalement farfelu, iconoclaste ou très enthousiaste lorsqu'il aime : « Piaf, elle pourrait vous faire pleurer en chantant l'annuaire du téléphone[1]. » Quand il n'aime pas ou qu'il s'en moque, il s'amuse et on le laisse faire. Pour le disque *Dance Party*, par exemple, il signe un texte intitulé « Conseils à mes nièces » : « D'abord, rappelez-vous ce qu'est une surprise-party : une réunion où personne n'est surpris et où personne n'est parti… en principe. J'entends "parti" au sens alcoolique du terme ; sachez, mes chères nièces, qu'il est de mauvais ton pour une pucelle de boire plus que de raison. Ne dépassez donc pas la demi-bouteille de whisky[2]. »

Il soigne aussi les présentations de sa complice, l'impétueuse et incroyablement sexy Magali Noël. Elle est l'une de ses comédiennes favorites pour son culot et son allant. Boris a réussi à décider la maison Philips à lui faire enregistrer un disque de rock. Elle a chanté sur son propre album le fameux *Fais-moi mal, Johnny*, une sorte de « contre-pied féminin au machisme du rock américain », comme le souligne Philippe Boggio[3]. Dans cette chanson un peu « osée » pour les années cinquante, une femme fait des avances à l'objet de sa flamme et exprime son désir en des termes crus mais suffisamment parodiques pour dérouter la censure... Le titre est d'ailleurs resté un tube, un morceau d'anthologie. Boris réussit donc à faire enregistrer d'autres rocks à son égérie et au verso de la pochette lui façonne une généalogie totalement fantaisiste qui fait remonter ses ancêtres au Père Noël ! Boris vante son débit de « cent mots à la seconde », sa formidable énergie — on peut lui faire enregistrer douze ou quinze rocks d'affilée — et célèbre ses formes généreuses : « Physiquement, elle tient ferme de ses ancêtres les Beauthorax et elle a hérité, en outre, de la branche Callipyge tous les signes extérieurs utiles [4]. » Dans un autre texte, il signale que Magali Noël a tout ce qu'a Marilyn Monroe et « même un petit quelque chose en plus ».

Boris, qui aimait beaucoup Magali Noël la brune, tente également de faire faire des essais à Brigitte Bardot la blonde, star montante. L'enregistrement a lieu aux studios de l'Apollo le 16 novembre 1956. La chanson, signée Vian-Goraguer, s'appelle *La Parisienne* (« Morale ou gaine / Rien ne me gêne / Pour avancer/ On a le monde / Quand on est blonde / Et bien roulée »). La chanson n'a rien d'inoubliable mais l'idée était judicieuse et Serge Gainsbourg, toujours dans le sillage de Boris, « prendra la relève », comme il dit.

Avec son vieux pote Salvador, une autre complicité de garçons est née depuis *C'est le be-bop*. Cette année, le duo prépare une nouvelle blague destinée à faire de Salvador, *alias* Henry Cording, le Presley « made in France ». Boris, l'incorrigible pseudonymiste en série, signe ses paroles sous le nom de Vernon Sinclair, lui-même censé traduire de l'américain les ritournelles de Jack K. Netty. Le 21 juin, le joyeux tandem enregistre un album, *Henry Cording and his Rock and Roll Boys*.

« Salvamuche » lui remonte le moral. Son énorme rire est communicatif. Henri, qui a fait partie du grand orchestre de Ray Ventura et aime la bonne musique, le jazz, le be-bop, le calypso, est devenu son partenaire idéal. Les deux compères se laissent glisser sur la pente grisante du gag discographique.

« Il m'a appris bien des choses, constate Salvador. Il avait une grande emprise sur moi, une emprise très curieuse, même : quand il venait à la maison, il n'avait qu'à me regarder pour que je me mette à trouver des thèmes de chansons… C'était magique ! Puis il prenait son crayon, et il écrivait les paroles aussi vite que je composais la musique [5]. »

Henri admire Bobo, comme il l'appelle. Il dit qu'il lui a fait gagner des années d'études. Boris adore le côté burlesque de Salvador et son grain de folie. Plus le temps passe, plus il a besoin de cet être exquis dont la présence lui fait oublier ses sombres pensées. « Salvador est contagieux », affirme-t-il. Il transmet la « *Bacteria Salvadoris* » contre laquelle il n'y a qu'un seul remède : « le rire à haute dose [6] » !

La présence de ces deux artistes dans une même pièce est le gage d'une création vive et délirante. Ensemble ils écrivent *Le Blouse du dentiste* ou *Faut rigoler*. Un jour, ils composent quatre calypsos en vingt minutes.

Au physique aussi, comme le rappelle Henri, ils forment un tandem comique : Boris et son mètre quatre-vingt-sept et son air grave, son humour british ; Salvador plutôt petit et la mine d'un gamin farceur. Boris ne peut plus se passer de son copain. Ils n'arrêtent pas. Plus ils s'amusent, plus leurs morceaux marchent. Leurs parodies de rock connaissent un succès considérable, et c'est bien malgré eux qu'ils contribuent à lancer un style musical qu'ils n'aiment pas. Pour eux, les Bill Haley et consorts se prennent trop au sérieux.

Leurs liens reposent également sur des traits communs plus profonds : pudeur, tendresse enfouie, blessures secrètes. « Salvador S comme sentimental », écrit Boris Vian. Il perçoit à sa juste mesure le crooner qui sommeille derrière Henry Cording et lance cet avertissement : « Brigade du charme, garde à vous ! Voilà le patron[7] ! »

Boris aime par ailleurs chez Salvamuche son côté cossard ; c'est « la flemme personnifiée », dit-il, sauf pour tout ce qui touche à la musique. Salvador, c'est l'incarnation personnifiée du « *chi va piano va sano e va lontano* » italien, comme il l'a prouvé par la suite.

Denis Bourgeois, à l'époque adjoint de Canetti pour les variétés, se souvient de sa faculté à improviser des paroles en studio :

« Il écrivait des chansons, pour, comme il le disait, épater le bourgeois. Il les écrivait également très vite, avec une facilité qui étonnait tout le monde. Mais, quand on lui disait "Comment, vous avez fait ça en cinq minutes !" il se mettait en colère et répondait : "Mais ça fait vingt ans que j'apprends à écrire : ce n'est pas un don, c'est du travail !" Cela revenait très souvent dans ses conversations. Il n'aimait pas qu'on l'accuse de facilité [8]. »

Denis Bourgeois raconte aussi qu'il arrivait à faire rire des gens qui ne riaient jamais, comme le chef comptable de Philips. Avec Boris Vian dans un bureau, c'en est fini de la morosité et de l'esprit de sérieux. Lorsqu'il donne ses notes de frais, il envoie ses tickets de métro ou, si la liste est très longue, il la traduit en centimes. Les secrétaires raffolent de lui. Tous les gens qui ont travaillé à ses côtés à l'époque ont les larmes aux yeux lorsqu'ils en parlent : « Le matin, il arrivait toujours épuisé, se souvient Brigitte B., une ancienne collègue. Il avait écrit une partie de la nuit. Après le déjeuner, il se sentait mieux et, parfois, posait les pieds sur son bureau pour jouer un peu de trompinette comme il disait. »

Ainsi, il n'avait pas tout à fait renoncé à souffler dans cet instrument. Il faut dire qu'il aurait dû renoncer à tant de choses. Alors...

Boris a une idée à la minute, mais il est incontrôlable. Il produit de bons artistes comme Patachou, Fernand Raynaud, Francis Lemarque ou Philippe Clay, Juliette Gréco, Jacqueline François, Mouloudji, Claude Bolling, Michel Legrand, Alain Goraguer et son trio, lance un faux rocker à qui il fait interpréter les contes de Grimm et d'Andersen... mais il dépense beaucoup. Et Jacques Canetti lui reproche de faire surtout travailler les artistes qui chantent ses textes. Mais comment arrêter

Boris Vian ! Celui qui s'y risque se retrouve généralement la victime de ses gags pendables. Il s'obstine ainsi à lancer le truculent « Adjudant Caudry et ses troupiers comiques » et surtout l'effondrant « Fred Minablo et sa pizza musicale » sans qu'on puisse vraiment l'en empêcher.

Le directeur commercial ne trouve vraiment pas cela drôle. Il ne comprend pas que l'on puisse se moquer du public de la sorte. Une réunion tendue a lieu au sujet du lancement dudit Fred Minablo, à laquelle assistent toutes les autorités de la maison. Boris est à la barre des accusés, un peu honteux mais secrètement ravi. Yves Deneu, son adjoint chez Fontana, argue qu'il lui semble « moins scandaleux de produire un disque canular que de lancer Sandrier », une première « opération médiatique » dont la maison mère venait de sortir un 45 tours calamiteux. Un silence suit sa tirade, à la suite duquel Canetti, rigolard, dit : « En tous les cas, moi je vote pour la sortie du disque à cause de sa pochette que je trouve formidable [9]. »

Fin de cette sombre polémique. À sa sortie, le 45 tours de Minablo fut affublé d'un bandeau aux allures d'avis de décès ainsi libellé : « Cédant avec résignation à la déplorable insistance du public, les disques FONTANA ont la pénible obligation de présenter le plus mauvais chanteur latin de l'époque, FREDO MINABLO et sa pizza musicale. »

Le 20 septembre, Boris se rend au congrès des représentants de Philips. Pour l'occasion, il a écrit

« L'inauguration du monument auriculaire », que les représentants en question ne seront pas près d'oublier. Il monte en effet à la tribune avec le chanteur Louis Massis affublé d'une tenue de maire. Boris s'adresse à ses « chers administrés du treizième arrondissement et demi » pour évoquer l'importance d'une « paire d'organes » sans laquelle les participants ne pourraient être présents. Il célèbre la fertilité dudit organe et laisse planer l'équivoque durant tout le discours face à un auditoire plus que gêné avant de nommer enfin l'organe en question, « cette oreille qui nous fait vivre », « la belle oreille sans laquelle nous travaillerions tous à l'œil ! » et qui grève parfois le budget de la société phonographique Philips « de frais innombrables tels que fanfares, faux maires, attractions de mauvais goût, discours ridicules et phraséologie pompeuse autant qu'équivoque et parfois déplacée [10] ».

Boris charmeur, rieur, est moins facile à la maison, où reprennent les chamailleries avec Patrick, et où son obsession de l'espace le tenaille. À cette époque, il voit ses frères de loin en loin, observe avec tristesse la vie étriquée que mènent désormais la Mère Pouche, sa tante Tata et sa sœur Ninon. Avec elles, il participe certains dimanches à des parties de canasta. Les Vian ont l'habitude de se retrouver pour faire quelque chose ensemble mais les cartes masquent aussi l'absence de communication entre le fils et sa mère. Le petit appartement, l'univers restreint des trois femmes l'étouffent. La comparaison avec les jours heureux d'autrefois est poignante. Ce rétrécissement de l'espace physique des siens lui inspire *Les Bâtisseurs d'empire*, une pièce dont son projet intitulé *Les Assiégés* avait jeté les prémisses. C'est au cours de l'été 1957 à Saint-Tropez qu'il en achève la rédaction. À cette occasion, il se livre à une expérience instructive : « Je me suis toujours demandé pour quel motif un homme est amené à désirer orienter son aspect physique et, notamment à se laisser pousser la barbe[11] », s'interroge son personnage principal. Ce faisant, Boris se laisse pousser la barbe. Pour voir. Et se trouve en mesure d'affirmer, comme son personnage, qu'il n'y a pas de motif particulier à se laisser pousser la barbe. « La barbe est la raison de la barbe. »

Outre son climat absurde qui est la marque du théâtre vianesque, la pièce sera sans doute sa plus intéressante, sa plus inquiétante aussi, à cause de la présence d'un être muet, le Schmürz*. Ce personnage couvert de bandages se traîne par terre durant toute la représentation et régulièrement les coups pleuvent sur lui. La pièce met en scène la maison de Zénobie, une adolescente qui revendique son droit à l'indépendance mais dont la famille fuit d'étage en étage à chaque fois qu'un « Bruit » se fait entendre. Cette noire réflexion sur la peur s'apparente à une sorte d'exorcisme des angoisses que Vian a traînées toute son existence, une sorte de manifeste contre la famille, cette cage

---

* Ce nom, qui a donné lieu à de multiples interprétations, fut aussi l'un des pseudonymes de Boris, qui signa une de ses chroniques de *Constellation* Adolphe Schmürz. C'est Ursula qui inventa le terme à partir de *Schmerz* — « douleur » en allemand. Elle s'en servait pour jurer : « Schmürz alors ! »

rétractile, ce cocon qui fait de l'individu une larve, incapable de réagir si ce n'est en niant les agressions du monde extérieur et en adoptant une position de repli. On sait que l'écrivain s'est reproché son désintérêt face à la guerre lorsqu'il avait vingt ans. C'est pourquoi sa pièce a sans doute également une portée politique plus large. Au sens où elle dénonce, comme l'a souligné Jacques Bens, « l'inertie des individus face aux tyrannies entretenues par la terreur dans tous les continents [12] ». *Les Bâtisseurs d'empire*, qui n'a rencontré à sa création qu'incompréhension et insultes, serait donc à ce titre sa pièce la plus actuelle.

# Le professeur de sourire

*Boris fut toujours futur. Sa mort, c'est du passé.*

RAYMOND QUENEAU

L'activité de Boris n'a jamais pu se cantonner à un seul domaine. Tandis qu'il donne des textes de chansons aux artistes les plus divers, il doit continuer d'honorer les multiples obligations qu'il a contractées. Il écrit ainsi un opéra de chambre, *Arne Saknussem ou Une regrettable histoire*, sur une musique de Georges Delerue, qu'il n'entendra pas hélas de son vivant. Durant l'été, il a également rédigé le commentaire d'un film d'Henri Gruel, *La Joconde*. Il y fait une apparition étonnante dans le rôle d'un « professeur de sourire ». Le film, tombé aux oubliettes, obtint la Palme d'or du court métrage au festival de Cannes en 1958 ! Boris, qui aime apparaître, disparaître, prendre des masques et les retirer, comme ses multiples pseudonymes, ne cessera jamais de jouer les figurants. Il tourne également dans *Un amour de poche* de Pierre Kast. C'est son jeu, sa récréation.

Malheureusement, au mois de septembre, un

nouvel œdème l'a rappelé à la prudence. Comme la première fois, aucun des cardiologues consultés ne se prononce en faveur d'une opération. Ursula a décidé de s'arrêter de travailler pour rester près de lui et, cette fois, il accepte. En janvier, ses médecins l'obligent à partir se reposer. Le couple s'installe dans une belle Morgan bleue — enfin une voiture neuve —, direction Goury dans la Manche, non loin d'Auderville. Ils logent à l'hôtel de la Mer, qui s'ouvre sur un paysage balayé par les vents où il peut oxygéner ses poumons. Ils ne sont pas loin de Landemer. Boris veut montrer à son Ourson le petit paradis de son enfance. Arrivé devant la maison isolée, perchée sur sa falaise — vision fantomatique d'un passé disparu —, les larmes lui montent aux yeux.

Ursula a appris à faire face aux malaises de Boris qui l'obligent à s'allonger. Un soir, sur la lande, elle l'aide à se coucher dans la voiture et fonce sur l'autoroute, affolée, car Boris s'étouffe. Il ne peut plus respirer.

Un an avant, jour pour jour, il a noté dans son agenda : « J'ai un pied dans la tombe et l'autre qui ne bat que d'une aile. » Sachant qu'ils ne doivent pas faire état de sa maladie, ses amis évitent le sujet mais ils remarquent qu'il n'est plus le même. Il porte en quelque sorte un masque mortuaire que seul son sourire lumineux efface.

Boris continue de remplir ses fonctions de directeur artistique mais il en a déjà assez. Il dit ne plus travailler que pour l'argent. Les congrès des représentants de disques, ce n'est pas sa tasse de thé.

D'ailleurs, il écrit un petit pamphlet sur ce milieu, son système, une analyse de son passage de l'ère artisanale à l'ère industrielle. *En avant la zizique… et par ici les gros sous* est un état des lieux de la chanson française, qui occupe déjà « une place considérable dans la culture de l'homme inculte ». Boris y développe différents théorèmes, dits « Théorèmes de Vian », dont ce premier, qu'il ne cesse d'assener aux jeunes candidats à la gloire : « Si ce sont les vedettes qui lancent les chansons, ce sont les chansons qui font les vedettes. » Théorème rarement contredit par la suite et dont les deux corollaires sont : 1° « une bonne chanson peut suffire à tirer un inconnu vers le succès » ; et 2° « un bon chanteur peut arriver à imposer une chanson médiocre » [1].

Le livre était une commande de son amie France Roche. Celle-ci dirigeait alors une collection aux éditions Amiot-Dumont et lui avait demandé un livre sur le sujet de son choix. Boris avait accepté par amitié et parce qu'il ne savait pas dire non. Comme pour le *Manuel de Saint-Germain-des-Prés*, il a diligenté une petite enquête auprès des artistes. Il a demandé à son cher « Gibouillon » (Yves Gibeau), qui connaissait le milieu depuis plus longtemps que lui, de l'aider dans cette tâche. À son tour, l'écrivain solitaire n'a pas pu dire non à Boris. Il a donc adressé un questionnaire à une série d'artistes et d'interprètes sur le rôle de la critique dans les variétés. Peu après, France Roche quitte ses fonctions et Vian achève son travail par obligation morale plus que pour le plaisir. D'autant qu'il a déjà dépensé l'argent du contrat depuis longtemps.

Des sous, il en est amplement question dans son livre. Il y dépeint un monde qui lance des chansons comme on joue à la Bourse et produit des « tubes » presque à froid. Vian démonte les rouages du système et ne ménage ni les éditeurs de musique, ni les auteurs plagiaires, ni les critiques.

Sa clairvoyance naturelle y fait plus que jamais florès lorsqu'il prône l'invention d'un appareil qui, grâce à un tableau des rythmes et un autre des formes, pourrait affecter à chaque chanson un sigle selon son espèce. Cela pourrait être utile, explique-t-il, aux cybernéticiens qui, dans l'avenir, s'attacheront à l'analyse des chansons en vue d'en composer de nouvelles selon les éléments donnés. L'ingénieur-poète jette des pistes qui préfigurent le synthétiseur et autres logiciels informatiques. Selon Denis Bourgeois, Boris avait conçu les plans d'une machine à écrire la musique à partir d'une IBM. Son invention aurait permis d'épuiser toutes les combinaisons possibles de la gamme actuelle. Il rêvait même de se présenter à la SACEM et d'y déclarer : « À partir de maintenant, vous n'existez plus ! C'est moi qui suis l'auteur de toutes les chansons actuelles et futures[2]... »

Une autre idée avant-gardiste avancée par Boris dans son livre concerne la radio. Il s'insurge contre la censure qui s'y exerce à tous les degrés et le crétinisme qui y règne. Pour que cesse ce scandale, une seule solution : la création d'émetteurs libres spécialisés en nombre limité...

Le livre sort en septembre 1958, c'est-à-dire plus de vingt ans avant le lancement des radios libres ! Chez Philips, le personnel se l'arrache, mais Boris, qui avait cru se mettre à dos tous les gens de la profession, tombe des nues. Sa direction estime en effet la critique constructive et salutaire. Pas de chance, l'écrivain espérait secrètement être licencié. Il trouve l'expérience Fontana intéressante mais il n'est de meilleure compagnie (surtout discographique) qui ne se quitte. Il songe sérieusement à démissionner mais ne peut guère se le permettre.

Le 3 octobre, un événement, autrement exaltant que les congrès de représentants, l'attire à l'Opéra de Berlin : la création de *Fiesta*, son deuxième livret d'opéra sur une musique de Darius Milhaud. Au sujet de cette pièce, Noël Arnaud[3] note combien l'examen du volumineux dossier constitué sous ce titre par Boris Vian révèle le souci de perfection qu'il place dans son travail. Le dossier, d'abord intitulé « La Fête », un argument de ballet, comprend plusieurs versions, deux documents courts (A et B) qui décrivent respectivement le schéma, et l'argument du ballet. Le C constitue le scénario, le E est un drame, le F une nouvelle version plus longue, le G est le manuscrit définitif, un document de trente-trois pages à l'encre bleue, le texte versifié et la version quasi définitive du livret de l'opéra.

Arrivé à ce stade de sa vie, ce retour à la « musique sérieuse » comme il dit, *via* l'opéra, lui procure un sentiment d'accomplissement et une impression de reconnaissance qu'il ne connaît guère, un sentiment qu'il n'a pu éprouver ni dans la littérature ni dans la chanson. À défaut de porter ses scénarios inaboutis à l'écran, il a la joie de voir l'un de ses textes monté suivant ses directives et, qui plus est, associé au nom d'un des plus grands musiciens contemporains.

Toutefois, ces satisfactions sont fugaces et le quotidien reprend ses droits. Il impose sa pesanteur. Boris doit suivre un traitement médical strict, et le spectre de la maladie est toujours présent. Ses deux crises d'œdème ont été effrayantes, il a senti la mort rôder. Le retour des palpitations cardiaques l'angoisse terriblement. Il vit sous sédatifs.

Heureusement, il y a le Collège de 'Pataphysique, son échappatoire, sa société idéale. C'est peut-être le seul lieu où il se sent pleinement reconnu. Les *Cahiers*, justement, préparent un dossier Vian qui propose ses œuvres théâtrales inédites, pour lesquelles il rend ses manuscrits le 22 avril. Certes, la publication n'est destinée qu'au petit cénacle des 'Pataphysiciens, mais elle pérennise son œuvre au regard de ceux qui comptent le plus pour lui.

En dehors du Collège et des copains, on dirait que tout l'oppresse. Le bureau, la maison représentent des obstacles à un désir d'évasion constant... qui va prendre les traits d'une ravissante jeune femme. Au cours de cette année 1958, les amis de Boris constatent qu'il déploie une fougue surprenante à préparer le microsillon d'une certaine Hildegard Knef, une actrice allemande qui vient de tourner *La Fille de Hambourg* d'Yves Allégret, dont Boris a écrit la chanson-titre[4]. Cette belle blonde aux cheveux courts et à l'accent guttural a quelque chose de frappant : elle ressemble à Ursula.

Boris se donne beaucoup de mal pour lancer la carrière d'Hildegard *. C'est d'autant plus cruel qu'Ursula, à cette période, a tout quitté pour lui alors que de grands maîtres de ballet la réclament, quand ce ne sont pas des réalisateurs de cinéma. Cette idylle soudaine choque ses amis proches. Boris répond qu'il n'y peut rien. Il est tombé amoureux. Le petit flirt du début, où il a pressé Hildegard d'enregistrer un second disque dans le seul but de l'empêcher de rentrer en Allemagne, a pris brusquement un autre tour. Une liaison est née, connue seulement de ses collègues. Mais pas pour longtemps, car Boris n'a pas envie de tricher. Un jour, la jeune femme vient travailler avec lui cité Véron. Ursula se trouve là, qui repeint un mur. Elle voit Boris raccompagner la belle dans l'impasse en lui tenant le bras. À son retour, il lui avoue tout, par besoin de se libérer et pour ne pas briser la confiance entre eux. Il voudrait partir rejoindre Hildegard quelques jours à Berlin. « C'est tout juste s'il ne m'a pas demandé ma bénédiction [5] », dit Ursula.

Boris rentre pas très fier de son escapade. De longues discussions s'ensuivent. Il lui confie son oppression, son besoin de changer de vie, de quitter Fontana. Ils prennent des décisions pour l'avenir, réfléchissent à d'autres projets. Boris veut

---

* Par une étrange prémonition, Vian avait évoqué ce prénom dans *J'suis snob*, quatre ans plus tôt (« Mais quand j'sors avec Hildegard / C'est toujours moi qu'on r'garde »).

330

écrire de nouveaux textes pour le cinéma et pour le théâtre...

Plus concrètement, il entame une nouvelle collaboration au *Canard enchaîné*, qui l'avait soutenu lors des démêlés du *Déserteur*. Son premier article, publié le 28 octobre 1958, s'appelle « Public de la chanson, permets qu'on t'engueule » : une défense de Brassens dont le nouveau disque n'a guère de succès bien qu'il réunisse des titres magnifiques. Au passage, notons que Boris Vian, qui a passé sa vie à vitupérer les critiques, endosse régulièrement ce rôle. Son deuxième article est consacré au lancement de Serge Gainsbourg (« Du chant à la une : Serge Gainsbourg »). Il évoque les « trois réussites techniques » d'un premier album qui comprend *Le Poinçonneur des Lilas* — « sombre, fiévreuse et belle », écrit Boris —, *Ronsard 58* — « plus scolaire, estime-t-il, mais qui a le mérite d'être une chanson de jazz pas démodée pour la musique comme celles qu'on fait couramment en France dans l'esprit du jazz de 1935 (qui était parfait en 1935) ». L'auteur poursuit : « Vous entendrez *La Recette de l'amour fou*, et vous vous rappellerez, puisque je vais vous le dire, que Gainsbourg ne regrette qu'une chose : c'est de n'avoir pas connu l'École universelle de surréalisme par correspondances et affinités, directeur André Breton[6]. » Enfin Boris brosse un portrait tendre de ce garçon sceptique aux allures désenchantées et incite le public à aller écouter le chanteur chez Milord l'Arsouille. Lui-même y a emmené Ursula pour lui montrer ce nouveau chanteur qu'il trouve « formidable ».

Pour ce dernier, le 12 novembre est à marquer d'une pierre blanche : le premier article qui paraît sur lui émane de son idole. Lequel, même s'il nourrit des idées noires sur sa carrière, n'en reste pas moins une légende vivante. « À la parution de cet article, ma première réaction a été de prendre une gomme et de voir si mon nom pouvait s'effacer..., dira Gainsbourg. Je l'ai fait parce que je n'en croyais pas mes yeux[7]. »

Boris va plus loin pour son nouveau protégé. Il l'invite chez lui pour faire connaissance. Intimidé, ravi, Gainsbourg monte les escaliers qui conduisent à l'appartement de Boris Vian. Sur la porte, il lit le bandeau punaisé « Seul le Collège de 'Pataphysique n'entreprend pas de sauver le monde ». Son adoration n'en est que plus forte. Tout ce que fait Boris lui paraît génial... sauf peut-être ses livres qu'il juge, comme tout le monde, illisibles.

Ce jour-là, Boris est seul. Le jeune Gainsbourg va pouvoir observer son piano blanc, son atelier, ses toiles et lui parler en tête à tête. Ces deux êtres pudiques se manifestent une admiration réciproque. Boris ouvre un livre de « lyrics » de Cole Porter et lui dit : « Vous avez la même prosodie, la même technique du rejet et de l'allitération. » « Je suis parti en roulant des mécaniques[8] », confiera Serge.

Il n'a vu Boris qu'une seule fois mais cette rencontre l'a ébloui pour le restant de ses jours. Comme un enfant, il demeure fasciné par son allure, sa distinction. « Regardez ma montre, c'est classe non... C'est comme Boris », dit-il, quelque trente ans plus tard, à Nicole Bertold, qui gère la Fondation Boris-Vian.

Vian demeurera un «cas» isolé en littérature, mais dans le domaine de la chanson il a un disciple, qui d'ailleurs égalera et ira jusqu'à dépasser souvent le maître. Le premier film de Gainsbourg sera dédié à Boris Vian. Le jour même de sa mort, il oubliera de prendre ses pilules. Tout comme Vian. *Boris for ever.*

# Arrêtez la musique !

*Et moi je vois la fin*
*Qui grouille et qui s'amène*
*Avec sa gueule moche*
*Et qui m'ouvre ses bras*
*De grenouille bancroche.*

Je voudrais pas crever

Depuis quatre ans que cela traînait, Boris avait presque oublié le projet d'adaptation au cinéma de *J'irai cracher sur vos tombes*. Il en avait toutefois accepté l'idée et la perspective d'un gros chèque, à condition de changer le titre. À ce sujet, il faisait une sorte de « complexe », comme le soulignait son co-adaptateur Jacques Dopagne. L'écrivain n'est ni superstitieux ni croyant, mais ce titre lui a réellement porté malheur. Or, c'est justement lui qui attire les producteurs. Un journaliste de la *Gazette des lettres* [1] prétendait dans un article que certains livres ne sont écrits que pour utiliser un titre : « Somme toute, poursuivait-il avec aplomb, n'importe qui écrirait bien cinquante pages sur un thème tel que *J'irai cracher sur vos tombes*. »

C'est grâce à une ancienne diva du Tabou, Colette Lacroix, que l'écrivain a rencontré Dopagne pour travailler avec lui, au printemps 1954, à l'adaptation d'un livre. Jacques Dopagne aimait beaucoup le roman, non pas à cause des scènes scabreuses mais parce qu'il y voyait une sorte de mystique de la passion amoureuse.

Les deux hommes se retrouvent au printemps cité Véron. En quelques bonnes semaines de travail, entrecoupées de déjeuners constitués d'énormes steaks préparés par Boris, ils bouclent la mouture d'un scénario intitulée *La Passion de Joe Grant*. Une sorte de version édulcorée du roman : «Avec ça, avait lancé Boris, la Centrale Catholique du Cinéma elle-même nous donnerait sa bénédiction[2] ! » Pour rassurer les producteurs, il avait même soumis le texte à la commission de contrôle de ladite Centrale, qui s'était montrée favorable. En juin, Boris dépose le tapuscrit à la Société des auteurs. Le scénario a été retenu par la société nouvelle Pathé-Cinéma. Leur accord prévoit d'adjoindre un metteur en scène aux deux auteurs en vue d'établir avec eux le découpage définitif du film. Tout semble parfait dans le meilleur des mondes, sans parler du versant financier de la négociation.

Malheureusement, en bon artiste qu'il est, Boris ne sait pas lire un contrat. Celui du 31 mars 1954 comprend deux clauses qui causeront tous ses déboires. La première stipule que «Pathé se réserve la faculté de céder le bénéfice de l'accord à tout tiers ou Société qu'il lui plairait de désigner », la seconde que « si, dans un délai de quinze jours après réception d'une lettre recommandée, les auteurs ne remettent pas la continuité ou les dialogues aux dates prévues, Pathé sera libre à ce moment, sans aucune indemnité, de confier ces travaux à tout auteur de son choix ».

Quelques années plus tard, la politique commerciale de la société Pathé a totalement changé. Ses dirigeants ont fait une croix sur *La Passion de Joe Grant*. Ils acceptent néanmoins de le distribuer. Le projet reste en sommeil.

À la fin de l'année 1957, Boris, qui n'a guère besoin d'émotions fortes, s'étouffe au bout du téléphone. Jacques Dopagne vient de lire dans la presse professionnelle qu'on s'apprête à tourner un film intitulé *J'irai cracher sur vos tombes*. Affolé, il recherche son contrat. Quelque chose a dû lui échapper.

Il vient d'être victime des aléas de ce qu'on appelle une « option ». Un bon que l'on peut acheter, vendre au plus offrant, qui peut faire l'objet des tractations les plus complexes. Le scénario est finalement revenu à la société nouvelle Océans-Films, à laquelle Boris a consenti, le 16 octobre 1957, une option non payante jusqu'au 15 février 1958. Puis il a été averti de la rétrocession de ses droits aux Films du Verseau. Soucieux de contrôler son travail, il s'est lui-même contraint, par écrit, à rendre une nouvelle adaptation dialoguée du film avant le 10 avril.

Ce qu'il s'empresse alors de faire. Il envoie un synopsis de soixante-quinze pages (au lieu des 100 demandées) et avec quelques jours de retard. Le producteur, lui, est bien à l'heure : le 11 avril 1958, une lettre recommandée fait état du retard de l'auteur dans sa livraison.

Aux termes d'échanges de courriers s'envenimant au fil des jours, on enjoint de nouveau Boris de fournir de nouveaux dialogues. Car, entretemps, le film a échoué dans le giron de la Sipro. La nouvelle société ne se satisfait pas des précédents scénarios. Elle menace de confier l'adaptation à une tierce personne si Boris Vian ne remet pas, avant le 5 janvier, cent cinquante pages dactylographiées en simple interligne (soit trois cents pages en double interligne !). L'intéressé comprend qu'on tente de le décourager.

Lui qui s'est toujours contenté de faire du cinéma dans sa tête ou avec des copains semble décidément un enfant de chœur dans un monde de requins. Il reste sans doute aussi fasciné par les sommes promises si le film se tourne : deux millions de francs ! Pour qui rêve d'une nouvelle vie, c'est plutôt alléchant. Cela fait un moment qu'il aurait dû se méfier des tours de passe-passe des producteurs et de leurs multiples « sociétés nouvelles », véritables écrans de fumée inaccessibles aux profanes.

Le monde littéraire a usé Boris, la scène lui a détruit les nerfs, le cinéma va l'achever.

Ce dernier épisode l'a épuisé physiquement et moralement. Son médecin lui ordonne un nouveau repos. Il repart à l'hôtel de la Mer à Goury. Il était temps qu'il s'arrête, comme il l'écrit à la Mère Pouche. Il travaille mais au grand air. Il doit rendre une traduction du *Client du matin* de Brendan Behan[*]. Il noircit rageusement cent soixante-dix-sept pages pour la Sipro, ce qui représente une adjonction de cent pages au soixante-quinze existantes. Le nouveau scénario est rédigé dans le plus pur style vianesque. C'est drôle, délirant, injouable. L'auteur se défoule contre ces requins qui l'humilient et l'accablent. L'arrivée d'Henri Salvador, son inséparable, ensoleille la lande brumeuse où il séjourne. Éclats de rire, guitare et écriture de chansons chassent ses idées noires. Boris récapitule ses projets pour 1959. Son vieux complice Eddie Barclay lui a proposé de rejoindre sa maison. Il est prêt à se faire « embarclayer » pour un meilleur salaire et moins de travail. Il n'aura qu'à reprendre et revoir le catalogue de jazz. Eddie, toujours princier, veut par ce biais lui assurer une sécurité matérielle. Il sait que son copain est à bout et joue en réalité les mécènes pour lui permettre d'écrire un nouveau roman. Boris envoie donc une lettre de démission au directeur commercial de Fontana, et s'apprête à effectuer ses trois mois de préavis afin d'achever les enregistrements en cours.

De retour à Paris, il reçoit la réponse de la Sipro, une réponse indignée : « Étant donné la teneur de l'adaptation que vous nous avez adressée. 1) Il nous est impossible d'en tenir compte. 2) Nous sommes obligés de nous mettre en rapport avec un

---

[*] Le texte, traduit avec Jacqueline Sundström, sera joué le 15 avril au théâtre de l'Œuvre, mis en scène par Georges Wilson et publié par Gallimard dans la collection « Le Manteau d'Arlequin » en 1959.

autre adaptateur pour faire ce travail. 3) Nous faisons toutes réserves quand au préjudice que vous nous causez (nous sommes maintenant à trois semaines du tournage ). » Boris est expulsé du film dont il ne restera guère plus… que le titre maudit. Il ne se faisait cependant guère d'illusion et savait par Dopagne que d'autres scénaristes travaillaient déjà sur une nouvelle adaptation.

Réalisé par un cinéaste débutant, Michel Gast, sur une musique d'Alain Goraguer, que Boris regrette à présent d'avoir entraîné dans cette galère, le film sera tourné dès le mois d'avril aux studios niçois de la Victorine. Christian Marquand et Antonella Lualdi tiendront les rôles principaux. Les journaux en parlent déjà : décidément *J'irai cracher sur vos tombes* dégage toujours son obsédant parfum de scandale.

C'est ce titre anathème qui obsède Boris. Il a compris qu'il n'en est pas le propriétaire. Et soudain, la lumière jaillit : ce n'est ni lui ni les studios mais l'éditeur qui en détient les droits. Il court alors chez Jean d'Halluin pour les lui racheter. Celui-ci, quelque peu dubitatif, lui les cède à prix d'ami. Boris s'empresse de les revendre à une société de production, CTI (Cinéma Télévision International), espérant ainsi créer une contre-offensive et tourner sa propre adaptation qu'il mettrait en concurrence avec l'autre…

Peine perdue. La CTI s'est alliée avec le producteur du film en cours. Boris se démène mais il reste le dindon de cette farce dont il est l'instigateur. Cela fait dix ans qu'il en paie le prix : cette fois, c'en est trop. Sa santé décline. Ses angoisses et ses palpitations sont de retour. Ursula dit qu'« on entendait alors son cœur battre à un mètre ». Il est irritable, préférerait que sa femme parte en tournée ou en vacances et ne le voie pas dans cet état. Il recommence à dire qu'il va crever, dicte des volontés testamentaires. Il lui arrive de rester assis à son bureau, figé pendant des heures. Le matin, il se trouve déplorable, assis dans la cuisine, tenant son bol, les mains tremblantes, les pieds en dedans.

Ses amis tremblent aussi. Kast, Degliame l'entourent, Doddy passe plus souvent, Queneau lui-même se déplace cité Véron sous prétexte de lui montrer le manuscrit de *Zazie dans le métro*.

Comme d'habitude, c'est hors de la maison qu'il se détend. En attendant d'être « embarclayé », il joue un petit rôle dans *Les Liaisons dangereuses*, de Roger Vadim, avec Jeanne Moreau. Les tournages l'auront attiré toute sa vie. Lorsqu'il se sent dans un état limite, il a besoin de sortir de lui-même. Il reprend également sa collaboration à *Constellation* et retravaille *Le Chevalier de neige* à la demande de Marcel Lamy, le nouveau directeur de l'Opéra-Comique de Paris. Celui-ci lui a proposé de réduire le spectacle initial, qui durait quatre heures, et d'écrire des airs avec Georges Delerue. Boris adore ce genre de collaboration musicien-écrivain. Ce sont encore quelques jours heureux volés à l'angoisse *.

Le 10 mars 1959, Boris a eu trente-neuf ans. Il

* Cette version ne verra pas le jour, faute d'avoir été menée à son terme.

dit joliment « trente-huit et un », comme s'il s'agissait d'un compte à rebours. Quelques jours plus tard, le 1ᵉʳ avril, drôle de farce, il devient directeur artistique des disques Eddie Barclay. Son généreux mécène lui accorde le triple de son salaire précédent. Boris le vaut bien. Celui-ci lutte contre les sombres pensées qui l'assaillent auprès de Salvamuche, son soleil. Il passe de longues soirées chez lui rue du Docteur-Blanche. « Il faut écrire de nouvelles chansons », dit-il. Henri lui rappelle qu'ils en ont des tonnes en réserve. Puis il comprend que Boris a besoin de sa présence et de son rire. Incapable de dormir, ce dernier l'incite à composer tard dans la nuit, quitte à s'endormir sur le canapé.

Ses derniers bons moments, il les vit aussi en pataphysicien. Sur les ondes de France III, la radio nationale diffuse le 25 mai une émission écrite par Boris Vian sur les *Cahiers du Collège de 'Pataphysique*. L'écrivain y joue son propre rôle. Son complice Salvador est chargé de l'interroger sur la 'Pataphysique (« la gelée royale de l'homme de la rue », dit Boris) tandis que Béatrice Arnac chante *Lauma Lamer* de Julien Torma et la *Chanson du décervelage* d'Alfred Jarry.

En cette année 1959, le Collège vit une mutation d'importance. Le Dr Sandomir, son fondateur, vient de mourir et l'on doit désigner son successeur aux termes de procédures savantes. Pour ce faire, une précommission de dix Satrapes, dont Prévert, Pascal Pia, Caradec et Noël Arnaud, élabore des procédures ubuesques. Ses membres élisent une « Conventicule Quaternaire » composée des

Satrapes Boris Vian, René Clair, Raymond Queneau et Jean Ferry. Parmi eux, le Corps des Provéditeurs. Cette « Conventicule » désigne à son tour les Grands Électeurs, eux-mêmes chargés de nommer l'« Unique Électeur » — ce sera Raymond Queneau —, lequel, à son tour, élit, à bulletin secret, « le Vice-Curateur du Collège de 'Pataphysique » et Président par interim Perpétuel des Grands Maîtres de l'Ordre de la Grande Gidouille… Ce sera le baron Jean Mollet, le doyen d'âge du Corps des Satrapes, qui fut l'ami de Jarry et d'Apollinaire.

Au mois d'avril, sur la terrasse de la cité Véron, les Satrapes Jacques Prévert, Boris Vian et le chien Ergé avaient paraphé (d'un coup de griffe pour le chien) le bulletin de vote au Conventicule Quaternaire. Puis le 28 mai (11 Merdre dans le calendrier 'Pataphysique), un Banquet d'Allégeance au nouveau Vice-Curateur s'est tenu au restaurant de l'Épi d'Or, 25, rue Jean-Jacques-Rousseau. Au menu, le bœuf mode, plat favori de Boris. Ce dernier est assis à la droite du Baron tandis que Michel Leiris se tient à sa gauche. Sur la nappe, l'ingénieur-poète Vian trace les plans d'une machine à fabriquer les gidouilles et laisse ce vers : « Hâlé, pis d'or, de vache bronzée », ainsi que le croquis d'une tête de méduse particulièrement effrayante. Boris est heureux parmi ses pairs qui le considèrent comme un écrivain de talent et ont juré de le réhabiliter.

Ces heures de bien-être, arrosées de beaujolais, lui font oublier les emballements de son cœur malade. « Pas d'affolement, les gars… », note-t-il dans son agenda le 4 juin. Il est de plus en plus tendu et ne supporte plus grand-chose. Ursula, à sa demande, part quelques jours dans l'île d'Oléron rejoindre sa famille. Elle charge une amie danseuse, Claudie, de garder un œil sur Boris au cas où... Cependant, il n'est toujours pas question d'évoquer son état devant lui, cela le met en rage. Plusieurs personnes de sa famille sont mortes à trente-neuf ans, c'est un âge qui le rebute particulièrement.

Ursula retrouvera un poème de lui écrit à l'encre rouge :

Je mourrai d'un cancer de la colonne vertébrale
Ce sera par un soir horrible
Clair, chaud, parfumé, sensuel
Je mourrai d'un pourrissement
De certaines cellules peu connues
[...]
Je mourrai de cent coupures
Le ciel sera tombé sur moi
[...]
Je mourrai brûlé dans un incendie triste
Je mourrai un peu, beaucoup,
Sans passion, mais avec intérêt
Et puis quand tout sera fini
Je mourrai [3].

Une dernière éclaircie avant le grand saut : le 11 juin, la terrasse de la cité Véron, rebaptisée « Terrasse des Trois Satrapes », consacre Sa Magnificence Jean Mollet au cours d'une cérémonie d'Acclamation solennelle. Grâce à Christian Heidsieck, l'un des plus anciens membres du Collège, le champagne coule à flots. Tous les proches de Boris sont présents : Kast, Degliame, Salvador, Queneau,

Lemarchand ; et Prévert, bien sûr, qui est chez lui sur la grande terrasse. La gidouille à la boutonnière, tous les Pataphysiciens célèbrent l'événement : René Clair, Siné, Eugène Ionesco, Roger Grenier, Jean Ferry, Noël Arnaud et tant d'autres. Après le chant entonné en chœur sur une musique de Mendelssohn, « Tout l'univers est plein de Sa Magnificence », le Provéditeur Henri Bouché prononce l'éloge du Baron avant qu'on lui remette ses insignes. Boris épingle lui-même la Grande Plaque de l'Ordre de la grande Gidouille sur le costume du Baron. Puis la « Satrapesse » Ursula se dirige vers le Baron, sous les applaudissements de la foule, pour lui offrir une coupe de champagne avant qu'un autre chœur résonne, celui des flûtes pour le toast qui tintinnabulent.

Une dernière fête pour Boris, dernière réunion des copains, dernières blagues de potaches, derniers rires (surtout celui de Salvamuche qui est « hénaurme » !).

Revigoré, de meilleure humeur, les jours suivants, il songe sérieusement à donner une suite à *L'Arrache-cœur*. Il reparle avec Ursula de sa carrière. Celle-ci, pour sa part, a décidé de rester aux ballets Ho.

Le 22 juin, Boris déjeune à Neuilly avec Denis Bourgeois. Il veut lui parler de ses activités chez Barclay. L'écrivain sort sa boîte de pilules et lui dit : « Je vais en prendre une ou deux de plus, je ne vais pas bien en ce moment[4]. » Denis Bourgeois lui rappelle que la projection de *J'irai cracher sur vos tombes*, au Petit Marbeuf, a lieu le lendemain.

« Vous devriez venir », propose-t-il. Boris n'a pas envie. Toute cette affaire le contrarie au plus haut point. Denis Bourgeois, qui connaît l'équipe du film, insiste : « Venez, on sera tous là, venez, ça nous fera plaisir. » La musique de Goraguer, dit-on, est magnifique. Boris hésite encore. Il en parle à Michelle, qu'il a parfois au téléphone à cause des enfants. Elle lui déconseille d'y aller.

Le lendemain, il appelle son co-auteur, Jacques Dopagne. Ce dernier lui dit qu'il ira au Petit Marbeuf. Boris se décide. Ursula, qui s'est couchée tard la veille, est à moitié endormie, elle lui propose de l'accompagner. Il répond : « Reste dormir, ce n'est qu'une corvée. » Ensommeillée, Ursula lui rappelle de bien prendre ses pilules quotidiennes. Mais il ne le fait pas et ne les emporte pas. Peut-être un oubli, un acte manqué.

Boris prend le volant de sa Morgan, il passe chercher des anciens collègues de chez Fontana. Au cinéma, il est assis à côté de Denis Bourgeois. Au début de la séance, il maugrée quelques mots sur le film. Puis plus rien. Sa tête tombe en arrière, son corps glisse. Ses amis s'affolent. Ils crient d'arrêter la projection. On coupe le film mais pas la musique, qui résonne à toute force tandis qu'on transporte le grand corps de Boris. « Arrêtez la musique ! Arrêtez la musique ! », hurle Brigitte B., une amie, qui court téléphoner à Ursula. « Boris a fait un malaise, explique-t-elle. Venez vite. »

Paris était encombré ce jour-là. Lorsque Ursula arrive, Boris gît sur le canapé du hall. « C'est trop tard », dit simplement le médecin avant de faire porter le corps à l'hôpital Laennec.

Le cœur de Boris Vian a lâché à 10 h 10.

Il est enterré au cimetière de Ville-d'Avray. Ce jour-là, les pompes funèbres sont en grève. Cela lui aurait plu, lui qui voulait être enterré sans « militaires ni prêtres » et voulait « mourir sans intermédiaire ». Ses amis doivent mettre eux-mêmes le cercueil en terre.

Mal garée sur les Champs-Élysées, sa Morgan est bientôt recouverte de P.-V. De ce genre de choses et d'autres soucis, il est désormais débarrassé.

# ANNEXES

1920. Naissance à Ville-d'Avray, le 10 mars, de Boris Paul Vian, fils de Paul Vian, rentier, et d'Yvonne Ravenez. Le couple a déjà un fils, Lélio, né le 17 octobre 1918.
1921. Naissance du troisième fils Vian, Alain, qui sera le plus proche de Boris.
1924. Naissance de Ninon, le quatrième enfant des Vian. La famille quitte son hôtel particulier rue de Versailles pour acheter la villa Les Fauvettes, rue Pradier, toujours à Ville-d'Avray.
1925. À cinq ans, Boris sait déjà lire et écrire grâce à l'institutrice particulière de la maison.
1929. Ruiné, Paul Vian loue sa villa à la famille Menuhin et s'installe avec les siens dans la maison du portier.
1932. Première atteinte de rhumatisme cardiaque pour Boris.
1935. Il contracte une violente fièvre typhoïde.
1937. Boris obtient son baccalauréat de philosophie et mathématiques au lycée Condorcet à Paris. Il apprend la trompette et devient membre du Hot Club de France.
1939. Boris est reçu au concours d'entrée à l'École centrale.
1940. Études à Angoulême où l'École centrale est repliée. Vacances à Capbreton où il fait la rencontre de Michelle Léglise, sa future femme, et de Jacques Loustalot, le « Major », dont il fera le héros de nombreux écrits.
1941. Mariage de Boris Vian et de Michelle Léglise, le 3 juillet.
1942. Boris intègre le trio du clarinettiste amateur Claude Abadie, où jouent aussi Lélio et Alain.
Le 12 avril, naissance de Patrick, le fils de Boris et Michelle.

Le 5 août, Boris reçoit son diplôme d'ingénieur des Arts et Manufactures. Le 24 août, il est nommé ingénieur à l'Afnor. Début de la rédaction de *Troubles dans les Andains*.

1944. En mai, Boris écrit le premier poème du cycle « Un seul Major, un Sol majeur », dont on retrouve des passages dans *Vercoquin et le plancton*.

En août, rencontre Claude Léon, qui intègre l'orchestre Claude Abadie et devient l'un de ses meilleurs amis.

Termine *Vercoquin et le plancton*.

Le 22 novembre, Paul Vian est assassiné à son domicile par des malfaiteurs.

1945. En mars, Boris prend la rubrique littéraire d'une publication bimensuelle, *Les Amis des arts*. La collaboration ne durera que quelques mois.

Le 18 juillet, signature du contrat de *Vercoquin et le plancton* aux Éditions Gallimard.

Figuration musicale dans *Madame et son flirt*, un film de Jean de Marguenat. Le tournage lui inspire la nouvelle « Le Figurant ».

Le 17 novembre, l'orchestre Abadie remporte quatre coupes, un prix et le titre de champion international au 1er Tournoi international de jazz amateur.

1946. Le 15 février, Boris démissionne. Grâce à Claude Léon, il rentre à l'Office du papier. Il y commence *L'Écume des jours* au mois de mars et en termine l'écriture en mai.

Début d'une collaboration régulière à *Jazz Hot*.

Le 1er juin, la revue de Sartre, *Les Temps modernes*, publie « Les Fourmis » dans son numéro 9.

En juin, Boris rate le prix de la Pléiade pour *L'Écume des jours*. Publication de chapitres du livre dans *Les Temps modernes*. Boris peint plusieurs tableaux, dont certains seront exposés à la galerie de la Pléiade le 2 décembre.

À Saint-Tropez, Boris écrit *J'irai cracher sur vos tombes* du 5 au 20 août.

En septembre, il commence *L'Automne à Pékin*, et l'achève en novembre.

1947. Publication de *Vercoquin et le plancton* en janvier dans la collection « La Plume au vent », dirigée par Raymond Queneau chez Gallimard.

Une plainte du Cartel d'action sociale et morale dirigé par Daniel Parker est déposée contre *J'irai cracher sur vos tombes* auprès du parquet.

Le 11 avril, création du club du Tabou dont Boris et Alain Vian deviendront les animateurs. Nombreux articles et polémiques autour de Boris Vian.

Publication en avril de *L'Écume des jours*.

Boris termine sa pièce *L'Équarrissage pour tous*. Il écrit la « version originale » anglaise de *J'irai cracher sur vos tombes*.

Le 21 mai, il passe son permis de conduire.

Il fait ses débuts de traducteur avec *Le Grand Horloger* de Kenneth Fearing.

Avec Raymond Queneau et Michel Arnaud, il fonde une société de films, Arquevit.

Le 26 juin, Boris est licencié de l'Office du papier.

Parution de *L'Automne à Pékin* aux Éditions du Scorpion.

*J'irai cracher sur vos tombes* échappe aux poursuites grâce à une loi d'amnistie du 16 août.

1948. Parution du deuxième Sullivan, *Les morts ont tous la même peau*, aux Éditions du Scorpion.

Le 7 janvier, mort accidentelle de Jacques Loustalot.

De février à avril, publication en feuilleton dans *France-Dimanche* du troisième Sullivan, *Et on tuera tous les affreux*.

Le 16 avril, naissance de Carole, la fille de Boris et Michelle Vian.

Le 22 avril, création au théâtre Verlaine de *J'irai cracher sur vos tombes*.

Première conférence de Boris Vian, « Approche discrète de l'objet », le 4 juin, au pavillon de Marsan.

Boris abandonne le Tabou pour participer au lancement d'une nouvelle cave, le club Saint-Germain.

*Et on tuera tous les affreux* paraît aux Éditions du Scorpion.

Publication aux Deux Menteurs de *Barnum's Digest*, dix poèmes illustrés par Jean Boullet.

Nouvelle plainte de Daniel Parker contre Vernon Sullivan. Le 24 novembre, Boris comparaît en justice et se reconnaît l'auteur de *J'irai cracher sur vos tombes*.

1949. Le 14 mai, au cours d'un cocktail au club Saint-Germain,

Boris présente *Cantilènes en gelée*. En juillet, les Éditions du Scorpion publient *Les Fourmis*.

Un arrêté ministériel du 3 août interdit à la vente *J'irai cracher sur vos tombes*.

Du 4 au 11 septembre, Boris Vian est membre du jury du Festival international du film amateur à Cannes.

Création par Henri Salvador de sa chanson *C'est le be-bop*.

1950. Représentation le 11 avril de *L'Équarrissage pour tous* au théâtre des Noctambules.

Boris fait l'acquisition d'une Brasier 1911.

Le 11 mai, il est condamné à 100 000 francs d'amende pour outrage aux mœurs par la voie du livre.

Le 8 juin, lors d'un cocktail chez Gallimard, il rencontre Ursula Kübler, danseuse des Ballets Roland Petit.

Le Scorpion publie *Elles ne se rendent pas compte*, le quatrième et dernier Sullivan.

Les éditions Toutain publient *L'Herbe rouge*, puis *L'Équarrissage pour tous* suivi de Le *Dernier des métiers*.

Écrit sa première comédie musicale, *Giuliano*.

1951. Crise de couple avec Michelle. Il quitte le domicile conjugal pour vivre avec Ursula dans une chambre de bonne. Traduit l'*Histoire d'un soldat*, les Mémoires du général Bradley. Écrit *Le Goûter des généraux*.

Dans *Les Temps modernes* d'octobre 1951, lance avec Michel Pilotin le manifeste de la science-fiction en France, « Un nouveau genre littéraire : la science-fiction ».

Entreprend la rédaction d'un *Traité de civisme*. Écrit un vaudeville, *Tête de méduse*.

Première chronique de jazz dans *Arts*.

Le 26 décembre, fonde avec Raymond Queneau, Michel Pilotin et Pierre Kast le « club des Savanturiers ».

1952. Début d'une collaboration à *Constellation*.

Le 8 avril, création à La Rose rouge de *Cinémassacre ou les Cinquante Ans du septième art*, scénario et dialogues de Boris Vian.

Le 8 juin, admission au Collège de 'Pataphysique.

En septembre, représentation de *Mademoiselle Julie* de Strindberg au théâtre de Babylone dans une nouvelle traduction de Boris Vian.

Divorce d'avec Michelle prononcé aux torts de Boris.

Création en octobre de la revue *Paris varie ou Fluctuat nec mergitur* au night-club des Champs-Élysées.

1953. Ursula et Boris s'installent au 6 *bis*, cité Véron, sur la terrasse du Moulin-Rouge.

Le 15 janvier, publication de *L'Arrache-cœur* aux éditions Vrille.

Début d'une collaboration à la revue de Jacques Laurent *La Parisienne*.

Le 11 mai, Boris devient membre du Corps des Satrapes du Collège de 'Pataphysique.

Du 1ᵉʳ au 16 août, création du *Chevalier de neige* au Festival d'art dramatique de Caen.

1954. Le 8 février, mariage avec Ursula Kübler.

Écrit *Le Déserteur* le 29 avril.

Traduit *L'Homme au bras d'or* de Nelson Algreen, qui paraît en feuilleton dans *Les Temps modernes*.

Création à Nantes de sa pièce *Série blême*, écrite vingt ans plus tôt.

1955. Boris commence un tour de chant le 4 janvier aux Trois Baudets et le 28 à La Fontaine des Quatre Saisons.

Le 18 mars, La Rose rouge présente *Dernière heure*, un spectacle de science-fiction.

Enregistrement au studio Apollo du disque *Chansons possibles et impossibles*.

Le 22 juillet, début d'une tournée de province houleuse qui s'achèvera le 31 août.

Boris travaille pour Philips à titre de vacataire. Il établit un catalogue de jazz.

Le cabaret L'Amiral crée le 5 novembre une première revue nue de science-fiction, signée Vian, *Ça c'est un monde*.

Boris écrit les premiers rocks français avec Alain Goraguer, Michel Legrand et Henri Salvador.

1956. Embauché au secteur variétés de la société Philips.

Grave crise d'œdème pulmonaire au mois de juillet.

Joue le rôle d'un cardinal dans *Notre-Dame de Paris* de Jean Delannoy.

1957. Le 1ᵉʳ janvier, nommé directeur artistique adjoint de la société Philips pour les variétés.

353

À Nancy, le 31 janvier, création du *Chevalier de neige* dans une nouvelle version opéra.

En juillet, à Saint-Tropez, écrit *Les Bâtisseurs d'empire*.

Commentaire du film d'Henri Gruel, *La Joconde*, où il joue le rôle d'un «professeur de sourire». Tourne dans *Un amour de poche* de Pierre Kast.

Nouvel œdème pulmonaire.

Publication chez Gallimard des *Aventures de A* de Van Vogt, traduit de l'américain par Boris Vian.

Écrit un opéra de chambre, *Arne Saknussem ou Une regrettable histoire*, musique de Georges Delerue.

1958. Direction artistique de Fontana, filiale de Philips.

*En avant la zizique... et par ici les gros sous* sort aux Éditions du Livre contemporain en octobre.

Le 3 octobre, création de *Fiesta* à l'Opéra de Berlin, livret de Boris Vian, musique de Darius Milhaud.

Collaboration au *Canard enchaîné* au mois d'octobre.

1959. Le 14 janvier, démission de chez Fontana.

Démêlés autour de l'adaptation cinématographique de *J'irai cracher sur vos tombes*.

Le 23 février les *Cahiers du Collège de 'Pataphysique* publient *Les Bâtisseurs d'empire*.

Boris joue le rôle de Préval dans *Les Liaisons dangereuses* de Roger Vadim.

Le 1er avril, devient directeur artistique des disques Barclay.

Le 25 mai, diffusion sur les ondes radiophoniques de France III d'une émission sur la 'Pataphysique écrite par Vian.

Le 11 juin, fête pataphysique d'intronisation du baron Mollet chez les Vian sur la terrasse dite «des Satrapes» qu'il partage avec Prévert.

Le 23 juin, au cinéma Marbeuf, alors qu'il assiste à la projection privée de *J'irai cracher sur vos tombes*, Boris Vian meurt à 10 h 10.

# RÉFÉRENCES BIBLIOGRAPHIQUES

## ŒUVRES DE BORIS VIAN

### Romans

*Vercoquin et le plancton*, Gallimard, 1946 ; coll. « L'Imaginaire »,
2002.

*L'Écume des jours*, Gallimard, 1946 ; Fayard, 1996 ; Le Livre de Poche,
1996.

*L'Automne à Pékin*, Le Scorpion, 1947 ; Éditions de Minuit, 1953.

*L'Herbe rouge*, Toutain, 1950 ; Fayard, 1996 ; Le Livre de Poche,
1996.

*L'Arrache-cœur*, Vrille, 1953 ; Pauvert, 1961, Fayard, 1996 ; Le Livre
de Poche, 1996.

### Nouvelles

*Les Fourmis*, Le Scorpion, 1949 ; Fayard, 1996 ; Le Livre de Poche,
1996.

*Troubles dans les Andains*, La Jeune Parque, 1966 ; Fayard, 1996 ; Le
Livre de Poche, 1996.

*Le Loup-garou*, Christian Bourgois, 1970 ; Le Livre de Poche, 1996.

*Le Ratichon baigneur*, Le Livre de Poche, 1996 ; Héritiers Boris Vian,
2006.

### Œuvres de Vernon Sullivan

*J'irai cracher sur vos tombes*, Le Scorpion, 1946 ; Christian Bourgois,
1973, Le Livre de Poche, 1996.

*Les morts ont tous la même peau*, Le Scorpion, 1947 ; Christian Bour-
gois, 1973 ; Le Livre de Poche, 1996.
*Et on tuera tous les affreux*, Le Scorpion, 1948 ; Le Livre de Poche,
1996 ; Fayard, 1997.
*I Shall Spit on your Graves*, Vendom Press, Le Scorpion, 1948.
*Elles ne se rendent pas compte*, Le Scorpion, 1950 ; Fayard, 1996 ; Le
Livre de Poche, 1996.

Théâtre

*L'Équarrissage pour tous* suivi de *Le Dernier des métiers*, Toutain,
1950 ; Fayard, 1996 ; Le Livre de Poche, 1996.
*Les Bâtisseurs d'empire ou le Schmürz*, L'Arche, 1959.
*Théâtre* (*Les Bâtisseurs d'empire*, *Le Goûter des généraux*, *L'Équar-
rissage pour tous*), Le Collège de 'Pataphysique, 1958 ; Fayard,
1996 ; Le Livre de Poche, 1996.
*Théâtre inédit* (*Tête de méduse*, *Série blême*, *Le Chasseur français*),
Christian Bourgois, 1970 ; Le Livre de Poche, 1996. Héritiers Boris
Vian, 2006.
*Le Dernier des métiers*, Jean-Jacques Pauvert, 1965 ; Fayard, 1996 ;
Le Livre de Poche, 1996.

Poésie

*Barnum's Digest*, Aux Deux Menteurs, 1948 ; Le Livre de Poche,
1996 ; Héritiers Boris Vian, 2006.
*Je voudrais pas crever*, Jean-Jacques Pauvert, 1962 ; Fayard, 1996 ;
Le Livre de Poche, 1996.
*Cantilènes en gelée*, Rougerie, 1949 ; LGF, 1997 ; Héritiers Boris
Vian, 2006.
*Cent sonnets*, Christian Bourgois, 1987 ; LGF, 1997.

Divers

*En avant la zizique... et par ici les gros sous*, Le Livre contemporain,
1958 ; Fayard, 1996 ; LGF, 1997.
*Chroniques de jazz*, La Jeune Parque, 1967 ; LGF, 1998 ; Héritiers
Boris Vian, 2006.
*Chroniques du Menteur*, Christian Bourgois, 1970 ; LGF, 1999 ; Héri-
tiers Boris Vian, 2006.

*Le Chevalier de neige*, Christian Bourgois, 1974 ; LGF, 1998 ; Héritiers Boris Vian, 2006.

*Manuel de Saint-Germain-des-Prés*, Le Chêne, 1974 ; Fayard, 1997 ; LGF, 2001.

*Derrière la zizique* (sélection de textes de pochettes de disques), Christian Bourgois, 1976 ; LGF, 1997 ; Héritiers Boris Vian, 2006.

*Petits spectacles* (textes des sketches et spectacles de cabaret), Christian Bourgois, 1977 ; LGF, 1998 ; Héritiers Boris Vian, 2006.

Cinéma / Science-fiction, sélection de textes et d'articles, Christian Bourgois, 1978 ; LGF, 1998 ; Héritiers Boris Vian, 2006.

*Écrits pornographiques* (conférence, poèmes et chansons), Christian Bourgois, 1980 ; LGF, 1998.

*Écrits sur le jazz*, Christian Bourgois, 1981 ; Le Livre de Poche, 1996 ; Héritiers Boris Vian, 2006.

*La Belle Époque : variétés* (recueil d'articles), Christian Bourgois, 1982 ; Le Livre de Poche, 1996 ; Héritiers Boris Vian, 2006.

*Opéras*, Christian Bourgois, 1982 ; Le Livre de Poche, 1996 ; Héritiers Boris Vian, 2006.

*Chansons* (478 chansons de Boris Vian), Christian Bourgois, 1984, Le Livre de Poche, 1996.

*Rue des Ravissantes et dix-sept autres scénarios*, Christian Bourgois, 1989 ; LGF, 1998 ; Héritiers Boris Vian, 2006.


On trouve également une sélection de ses œuvres établie par Gilbert Pestureau :

*Romans, Nouvelles, Œuvres diverses*, La Pochothèque, 1991, 2004.


Œuvres complètes parues chez Fayard, sous la direction de Gilbert Pestureau (1999-2003) :

tomes I, II, III, IV : *Œuvres romanesques* ;

tomes VI, VII, VIII : *Jazz* ;

tome V : *Poèmes, Nouvelles* ;

tome XII : *Variétés* ;

tome XI : *Chansons* ;

tome XIII : *Cinéma* ;

tome IX : *Théâtre* ;

tome X : *Opéras et spectacles* ;

tome XIV : *Chroniques, Critiques, Traités* ;

tome XV : *Travaux radiophoniques et dictionnaire des personnages.*

## OUVRAGES SUR BORIS VIAN

Arnaud, Noël, *Les Vies parallèles de Boris Vian*, Christian Bourgois, 1970 ; LGF, 2006.

—, *Boris Vian en verve*, Pierre Horay, 1970, 2002.

—, *Dossier de l'affaire « J'irai cracher sur vos tombes »*, Christian Bourgois, 1974, 2006.

Boggio, Philippe, *Boris Vian*, Flammarion, 1993 ; LGF, 1995.

Collectif, *Boris Vian. Colloque de Cerisy*, UGE, 10-18, 1977.

Clouzet, Jean, *Boris Vian*, Pierre Seghers, 1966, 1988.

De Vree, Freddy, *Boris Vian*, Éric Losfeld, 1965.

Duchateau, Jacques, *Boris Vian ou les Facéties du destin*, La Table Ronde, 1982.

Fauré, Michel, *Les Vies posthumes de Boris Vian*, UGE, 10/18, 1975.

Kübler, Ursula, Arnaud, Noël, et D'Dee, *Images de Boris Vian*, Pierre Horay, 1978.

Laforêt, Guy, *Traité de civisme* (d'après les notes de Boris Vian), Christian Bourgois, 1978 ; LGF, 1999.

Lapprand, Marc, *Boris Vian. La vie contre, biographie critique*, Les Presses de l'université d'Ottawa, 1993.

Orthlieb, Gérard, *Boris Vian, du lycée à Saint-Germain-des-Prés (1937-1950)*, AkR, 2005.

Pestureau, Gilbert, *Dictionnaire Vian*, Christian Bourgois, 1985, 1993.

Renaudot, Françoise, *Il était une fois Boris Vian*, Pierre Seghers, 1973.

Richaud, Frédéric, *Boris Vian. Vérités et légendes*, Le Chêne, 1999.

Rybalka, Michel, *Boris Vian. Essai d'interprétation et de documentation*, La Bibliothèque des lettres modernes, 1969 ; Minard, 1984.

## REVUES

*L'Arc*, « Boris Vian », Le Jas, 1984.

*Obliques*, « Boris Vian de A à Z », n° 8-9, 1976.

*Le Magazine littéraire*, « Vie et survie de Boris Vian », n° 17, avril 1968 ; « Boris Vian », n° 87, avril 1974 ; « Boris Vian en liberté », n° 182, mars 1982 ; « Les Vies de Boris Vian », hors-série, novembre 2004-janvier 2005.

*Cahiers du Collège de 'Pataphysique*, « Boris Vian », Dossier 12, 1960.

## AUTRES OUVRAGES CONSULTÉS

Andry, Marc, *Jacques Prévert*, de Fallois, 1994.

Beauvoir, Simone de, *La Force des choses*, t. I, Gallimard, 1963 ; coll. « Folio », 1977, 2 vol.

—, *Lettres à Sartre, 1940-1963*, Gallimard, 1990.

Carles, Philippe, Clergeat, André, et Comolli, Jean-Louis, *Dictionnaire du jazz*, Laffont, 1994, 2000.

Cohen-Solal, Annie, *Sartre, 1905-1980*, Gallimard, 1985 ; coll. « Folio », 1999.

Doelnitz, Marc, *La Fête à Saint-Germain-des-Prés*, Laffont, 1979.

Gréco, Juliette, *Jujube*, Stock, 1982, 1993.

Hanoteau, Guillaume, *L'Âge d'or de Saint-Germain-des-Prés*, Denoël, 1965.

Julliard, Jacques, et Winock, Michel, *Dictionnaire des intellectuels français*, Le Seuil, 1996, 2002.

Lenoir, Rémy, *Clefs pour la 'Pataphysique*, Seghers, 1969 ; L'Hexaèdre, 2005.

Oulipo, *Atlas de littérature potentielle*, Gallimard, 1981 ; coll. « Folio », 1988.

Ténot, Franck, *Boris Vian. Jazz à Saint-Germain-des-Prés*, Du May, 1993 ; Éd. du Layeur, 1999.

Verlant, Gilles, *Gainsbourg*, LGF, 1993 ; Albin Michel, 2000.

# NOTES

## LA MÈRE POUCHE

1. Boris Vian, *L'Herbe rouge*, Toutain, 1950 ; Fayard, 1996.
2. *Ibid*.
3. *Ibid*.
4. « Journal à rebrousse-poil », cité *in* Noël Arnaud, *Les Vies parallèles de Boris Vian*, Christian Bourgois, 1970. Héritiers Boris Vian.

## ÉQUATIONS TRAÎTRESSES

1. « Journal à rebrousse-poil », cité *in* Noël Arnaud, *Les Vies parallèles de Boris Vian*, *op. cit.* Héritiers Boris Vian.
2. Gérard Orthlieb, *Boris Vian, du lycée à Saint-Germain-des-Prés (1937-1950)*, AkR, 2005.

## AMOURS, ÉTUDES ET SURPRISES-PARTIES

1. « Journal à rebrousse-poil », cité *in* Noël Arnaud, *Les Vies parallèles de Boris Vian*, *op. cit.* Héritiers Boris Vian.
2. Gérard Orthlieb, *Boris Vian, du lycée à Saint-Germain-des-Prés (1937-1950)*, *op. cit.*
3. « Journal à rebrousse-poil », cité *in* Noël Arnaud, *Les Vies parallèles de Boris Vian*, *op. cit.* Héritiers Boris Vian.
4. *Ibid*.
5. *Ibid*.

## LA GUERRE À ANGOULÊME

1. Correspondance privée, citée *in* Philippe Boggio, *Boris Vian*, Flammarion, 1993.

2. Gérard Orthlieb, *Boris Vian, du lycée à Saint-Germain-des-Prés (1937-1950)*, op. cit.

3. Philippe Boggio, *Boris Vian*, op. cit.

4. « Journal à rebrousse-poil », cité *in* Noël Arnaud, *Les Vies parallèles de Boris Vian*, op. cit. Héritiers Boris Vian.

5. Gérard Orthlieb, *Boris Vian, du lycée à Saint-Germain-des-Prés (1937-1950)*, op. cit.

6. Correspondance privée, citée *in* Philippe Boggio, *Boris Vian*, op. cit. Héritiers Boris Vian.

7. « Journal à rebrousse-poil », cité *in* Noël Arnaud, *Les Vies parallèles de Boris Vian*, op. cit. Héritiers Boris Vian.

8. *Ibid.*

9. *Ibid.*

10. *Ibid.*


## MARIAGE

1. « Journal à rebrousse-poil », cité *in* Noël Arnaud, *Les Vies parallèles de Boris Vian*, op. cit. Héritiers Boris Vian.

2. *Ibid.*

3. *Vercoquin et le plancton*, Gallimard, 1946 et 1998.

4. In *Colloque de Cerisy*, t. I, UGE, 10/18, 1977.

5. *Vercoquin et le plancton*, op. cit.

6. *Ibid.*


## BISON INTRAVIT IN AFNOR

1. *L'Écume des jours*, Gallimard, 1946 ; Pauvert, 1962 ; Fayard, 1996.

2. *Troubles dans les Andains*, La Jeune Parque, 1966 ; Fayard, 1996.

3. Noël Arnaud, *Les Vies parallèles de Boris Vian*, *op. cit.*

4. *Vercoquin et le plancton*, *op. cit.*

5. Noël Arnaud, *Les Vies parallèles de Boris Vian*, *op. cit.*

6. Noël Arnaud, *Les Vies parallèles de Boris Vian*, *op. cit.* Héritiers Boris Vian.

7. *Ibid.*

## JAZZ ET LIBÉRATION

1. Noël Arnaud, *Les Vies parallèles de Boris Vian*, *op. cit.* Héritiers Boris Vian.

2. Frank Ténot, *Jazz à Saint-Germain*, Éd. du Layeur, 1999.

3. Philippe Boggio, *Boris Vian*, *op. cit.*

4. *Ibid.*

5. *Ibid.*

6. *Ibid.*

7. *Romans, Nouvelles, Œuvres diverses*, La Pochothèque, 1991.

8. *En avant la zizique*, Le Livre contemporain, 1958 ; Fayard, 1996.

9. Gilbert Pestureau, *Boris Vian, les Amerlauds et les Godons*, UGE, 10/18, 1978.

10. Philippe Boggio, *Boris Vian*, *op. cit.*

## L'ENTRÉE EN LITTÉRATURE

1. « Les Amis des Arts », article de Boris Vian signé Hugo Hache-buisson, repris dans *La Belle Époque : variétés*, Christian Bourgois, 1982. Héritiers Boris Vian, 2006.

2. Philippe Boggio, *Boris Vian*, *op. cit.* Héritiers Boris Vian.

3. *Ibid.*

4. *Atlas de littérature potentielle*, Gallimard, 1981.

5. Noël Arnaud, *Les Vies parallèles de Boris Vian*, *op. cit.*

6. *Ibid.*

## L'ÉCUME ET LA NAUSÉE

1. « Journal à rebrousse-poil », cité *in* Noël Arnaud, *Les Vies parallèles de Boris Vian*, *op. cit.* Héritiers Boris Vian.

2. Voir sa préface aux *Romans*, in *Romans, Nouvelles, Œuvres diverses*, *op. cit.*

3. Boris Vian, Introduction à *L'Écume des jours*, *op. cit.*

4. *L'Écume des jours*, *op. cit.*

5. *Ibid.*

6. *Ibid.*

7. « Sartre n'a pas les mains sales », article paru dans *Libération* le 31 janvier 2006.

8. *La Rue*, 26 juillet 1946, repris dans *La Belle Époque*, Christian Bourgois, 1982. Héritiers Boris Vian, 2006.

9. *La Force des choses*, Gallimard, 1963.

10. *Ibid.*

11. *Barnum's Digest*, Aux Deux Menteurs, 1948 ; UGE, 10/18, 1972. Héritiers Boris Vian, 2006.

12. Philippe Boggio, *Boris Vian*, *op. cit.*

13. Noël Arnaud, *Les Vies parallèles de Boris Vian*, *op. cit.*

## L'AUTOMNE DU CANULAR

1. *J'irai cracher sur vos tombes*, Le Scorpion, 1946 ; Christian Bourgois, 1973.

2. *Ibid.*

3. *Ibid.*

4. Postface à *L'Automne à Pékin*, Le Scorpion, 1947 ; Éditions de Minuit, 1956.

5. *L'Automne à Pékin*, *op. cit.*

6. *L'Herbe rouge*, *op. cit.*

7. *Ibid.*

8. Marc Lapprand, *Boris Vian, la vie contre. Biographie critique*, Presses de l'université d'Ottawa, 1993.

1. Marcel Duhamel, *Raconte pas ta vie*, 1972, cité par Philippe Boggio dans *Boris Vian*, op. cit.

2. Voir *Dossier de l'affaire «J'irai cracher sur vos tombes»* établi par Noël Arnaud, Christian Bourgois, 1974.

3. *Ibid.*

4. *Ibid.*

5. *Ibid.*

6. *Ibid.*

7. *Ibid.*

8. Marthe Richard, *Mon destin de femme*, Laffont, 1977.

9. Propos rapportés par Philippe Boggio dans *Boris Vian*, op. cit.

10. *Dossier sur l'affaire «J'irai cracher sur vos tombes»*, op. cit.

11. *Ibid.*

12. Noël Arnaud, *Les Vies parallèles de Boris Vian*, op. cit. Héritiers Boris Vian.

## HISTOIRE DE CAVES

1. Émission «Ainsi va le monde», RDF, enregistrée le 2 novembre 1948, in *Œuvres complètes*, Fayard, t. XV, 2003. Héritiers Boris Vian.

2. *Ibid.*

3. *Manuel de Saint-Germain-des-Prés*, Éditions du Chêne, 1974 ; Fayard, 1997.

4. *Ibid.*

5. *Ibid.*

6. *Ibid.*

7. Juliette Gréco, *Jujube*, Stock, 1982.

8. Cité par Jacques Duchateau dans *Boris Vian ou les Facéties du destin*, La Table Ronde, 1982.

9. *Le Canard enchaîné*, 12 janvier 1948, cité par Jacques Duchateau dans *Boris Vian ou les Facéties du destin*, op. cit.

10. *Manuel de Saint-Germain-des-Prés*, op. cit.

11. *Ibid.*

12. *Ibid.*

13. Cité par Philippe Boggio dans *Boris Vian*, op. cit.

14. *Œuvres complètes*, t. XV, *op. cit.*
15. *Ibid.*


## ROULEUR DE MÉCANIQUES

1. Noël Arnaud, *Les Vies parallèles de Boris Vian, op. cit.*
2. *Ibid.*
3. « Et dire qu'ils achètent des voitures neuves ! », article de Boris Vian paru dans *Constellation*, n° 46, février 1952, et repris dans *La Belle Époque : variétés, op. cit.*
4. *Ibid.*
5. *Ibid.*
6. *Ibid.*
7. Article de Boris Vian paru dans *Constellation*, n° 64, et repris dans *La Belle Époque : variétés, op. cit.*
8. « Avez-vous l'étoffe d'un milliardaire ? », article de Boris Vian signé Adolfe Schmurz, paru dans *Constellation*, n° 136, août 1959, et repris dans *La Belle Époque : variétés, op. cit.*


## LE RETOUR DE VERNON SULLIVAN

1. *Jazz Hot*, octobre 1947, dans *Écrits sur le jazz*, Christian Bourgois, 1981. Héritiers Boris Vian, 2006.
2. Franck Ténot, *Boris Vian. Jazz à Saint-Germain-des-Prés*, Éditions du Layeur, 1999.
3. *Ibid.*
4. *France-Dimanche*, 4 janvier 1948. Texte repris dans le *Dossier de l'affaire « J'irai cracher sur vos tombes », op. cit.*
5. *Ibid.*
6. *La Seine*, 19 avril 1948. Texte repris dans le *Dossier de l'affaire « J'irai cracher sur vos tombes », op. cit.*


## BORIS VIAN, LE MALENTENDU

1. *Écrits pornographiques*, présentés par Noël Arnaud, Christian Bourgois, 1980.

2. *Ibid.*

3. *Ibid.*

4. *Ibid.*

5. *Ibid.*

6. *Ibid.*

7. *Ibid.*

8. *Ibid.*

9. *Dossier de l'affaire « J'irai cracher sur vos tombes »*, *op. cit.*


## L'USURE DU COUPLE

1. Cité par Philippe Boggio dans *Boris Vian*, *op. cit.*

2. *Œuvres complètes*, t. XV, *op. cit.*, Héritiers Boris Vian.

3. Article paru dans *Combat*, 4 avril 1949, dans *Écrits sur le jazz*, *op. cit.*

4. *Jazz News*, avril 1959, repris dans *Chroniques de jazz*, La Jeune Parque, 1967 ; Fayard, 1996.

5. Jacques Duchateau, *Boris Vian ou les Facéties du destin*, *op. cit.*


## LE DERNIER DES MÉTIERS

1. Texte repris en préface de *L'Équarrissage pour tous* dans *Romans, Nouvelles, Œuvres diverses*, *op. cit.*

2. André Reybaz, *Têtes d'affiches*, La Table Ronde, 1975.

3. *Correspondance*, Gallimard, 1990.

4. Lettre du 22 décembre 1949 publiée par *Les Amis de Valentin Brû*, n° 21, novembre 1982. Héritiers Boris Vian.

5. Archives Gallimard.

6. Archives Gallimard, cite par Philippe Boggio dans *Boris Vian*, *op. cit.*

7. *Les morts ont tous la même peau*, Le Scorpion, 1947 ; Christian Bourgois, 1973.

8. *Ibid.*

9. *Ibid.*

1. *Boris Vian. Essai d'interprétation et de documentation*, Éd. des Lettres Modernes, 1969.

2. Paru dans *L'Herbe Rouge*, *op. cit.*

3. *Ibid.*

## VIVRE DANS UN DÉ À COUDRE

1. Article de Boris Vian signé Claude Varnier paru dans *Constellation*, n° 49, mars 1952 ; repris dans *La Belle Époque : variétés*, *op. cit.*

2. *Manuel de Saint-Germain-des-Prés*, *op. cit.*

3. *Traité de civisme*, présenté par Guy Laforêt, Christian Bourgois, 1979.

4. *Ibid.*

5. Voir *Les Vies parallèles de Boris Vian*, *op. cit.*

6. Lettre publiée dans *Les Vies parallèles de Boris Vian*, *op. cit.* Héritiers Boris Vian.

7. Introduction à *L'Arrache-cœur*, in *Romans, Nouvelles, Œuvres diverses*, *op. cit.*

8. Avant-propos de Raymond Queneau à *L'Arrache-cœur*, Vrille, éditions Pro-Francia, 1953 ; Pauvert, 1962 ; Fayard, 1996.

9. Diffusion du 24 février 1953, in *Œuvres complètes*, t. XV, *op. cit.*

10. *Ibid.*

11. « Journal à rebrousse-poil », cité *in* Noël Arnaud, *Les Vies parallèles de Boris Vian*, *op. cit.* Héritiers Boris Vian.

12. *Ibid.*

13. « Journal à rebrousse-poil », cité par Philippe Boggio dans *Boris Vian*, *op. cit.* Héritiers Boris Vian.

14. Cité par Noël Arnaud, *Les Vies parallèles de Boris Vian*, *op. cit.*

15. Ces chroniques ont été rassemblées et annotées par Claude Rameil dans *La Belle Époque : variétés*, *op. cit.*

16. *La Parisienne*, n° 10, octobre 1953, repris dans *La Belle Époque : variétés*, *op. cit.*

17. *Jazz Hot*, septembre 1952, dans *Écrits sur le jazz*, *op. cit.*

18. *Écrits sur le jazz*, *op. cit.*

19. *Œuvres complètes*, t. XV, *op. cit.*
20. Jean Clouzet, *Boris Vian*, Seghers, 1966.

## CITÉ VÉRON

1. « J'ai trouvé un appartement et depuis... je ne m'en sors plus »,
article de Boris Vian repris dans *La Belle Époque : variétés*, *op. cit.*

## LE SATRAPE

1. *Œuvres complètes*, t. XV, *op. cit.*
2. *Clefs pour la 'Pataphysique*, Seghers, 1969.
3. *Ibid.*
4. *Les Cahiers de 'Pataphysique*, n° 19, 26 mars 1955.
5. Voir « Cymballum pataphysicum », repris dans Ursula Kübler
et Noël Arnaud, *Images de Boris Vian*, Pierre Horay, 1978.

## REMARIAGE

1. Archives Héritiers Boris Vian, cité par Philippe Boggio dans
*Boris Vian*, *op. cit.*

## LE DÉSERTEUR

1. *Œuvres complètes*, t. XV, *op. cit.*
2. *En avant la zizique*, La Jeune Parque, 1965 ; Fayard, 1996.
3. *Romans, Nouvelles, Œuvres diverses*, *op. cit.*
4. Interview retranscrite dans Franck Ténot, *Boris Vian. Jazz à
Saint-Germain-des-Prés*, *op. cit.*
5. *Le Déserteur*, Éditions Djanik, 1954.
6. *Ibid.*
7. *Ibid.*
8. Cité par Philippe Boggio, *Boris Vian*, *op. cit.*
9. Article « Boris Vian en liberté », in *Le Magazine littéraire*, mars
1982.

10. Voir l'interview de Jacques Canetti, dans *Les Vies Parallèles de Boris Vian*, *op. cit.*

11. *Ibid.*

## DES CHANSONS IMPOSSIBLES

1. *L'Arc*, numéro spécial *Boris Vian*, 1984.

2. Gilles Verlant, *Gainsbourg*, Albin Michel, 2006.

3. Cité par Noël Arnaud, *Les Vies parallèles de Boris Vian*, *op. cit.*

4. *Ibid.*

5. Jacques Duchateau, *Boris Vian ou les Facéties du destin*, *op. cit.*

5. *Ibid.*

6. Voir *En avant la zizique*, *op. cit.*

## LE CŒUR GROS

1. Cité par Noël Arnaud, *Les Vies parallèles de Boris Vian*, *op. cit.*

2. *Ibid.*

3. Note technique reproduite dans Noël Arnaud, *Les Vies parallèles de Boris Vian*, *op. cit.*

4. *Derrière la zizique*, préfacé par Michel Fauré et Georges Unglick, Christian Bourgois, 1976.

5. Voir sa préface à *Romans, Nouvelles, Œuvres diverses*, *op. cit.*

6. *Œuvres complètes*, t. XV, *op. cit.*

7. Propos recueilli dans Jacques Duchateau, *Boris Vian ou les Facéties du destin*, *op. cit.*

8. « Boris Vian », dossier spécial des *Cahiers du Collège de 'Pataphysique*, « 0 gidouille 8 E.P » (soit le 9 juillet 1960).

9. Voir Philippe Boggio, *Boris Vian*, *op. cit.*

10. *Ibid.*

## DIRECTEUR ARTISTIQUE

1. Les textes de ces pochettes sont réunis dans *Derrière la zizique*, Christian Bourgois, 1976.

2. *Ibid.*

3. Philippe Boggio, *Boris Vian*, *op. cit.*

4. *Derrière la zizique*, *op. cit.*

5. Cité par Noël Arnaud, dans *Les Vies parallèles de Boris Vian*, *op. cit.*

6. Pochette signée Docteur Schmürz, 45 tours Barclay, avril 1959. Texte repris dans *Derrière la zizique*, *op. cit.*

7. Pochette 45 tours Barclay, août 1959, paru après la mort de Boris Vian. Repris dans *Derrière la zizique*, *op. cit.*

8. Interview recueillie par Noël Arnaud dans *Les Vies parallèles de Boris Vian*, *op. cit.*

9. Lettre d'Yves Deneu, citée dans *En avant la zizique...*, *op cit.*

10. *En avant la zizique...*, *op. cit.*

11. *Les Bâtisseurs d'empire ou le Schmürz*, L'Arche, 1959.

12. « Les vies de Boris Vian », article paru dans *Le Magazine littéraire*, hors série, novembre 2004.


## LE PROFESSEUR DE SOURIRE

1. *En avant la zizique... op. cit.*

2. Noël Arnaud, *Les Vies parallèles de Boris Vian*, *op. cit.*

3. *Ibid.*

4. *Ibid.*

5. *Ibid.*

6. *La Belle Époque : variétés*, *op. cit.*

7. Gilles Verlant, *Gainsbourg*, *op. cit.*

8. *Ibid.*


## ARRÊTEZ LA MUSIQUE !

1. *Dossier de l'affaire « J'irai cracher sur vos tombes »*, *op. cit.*

2. *Ibid.*

3. *Je voudrais pas crever*, Pauvert, 1962 ; Fayard, 1996.

4. Noël Arnaud, *Les Vies parallèles de Boris Vian*, *op. cit.*

## Remerciements

J'adresse tous mes remerciements à la Succession Boris Vian pour son aide précieuse tout au long de la réalisation de ce livre.

## ANNEXES

# COLLECTION FOLIO

*Dernières parutions*

4253. Jean d'Ormesson    *Une autre histoire de la littérature française, II.*
4254. Jean d'Ormesson    *Et toi mon cœur pourquoi bats-tu.*
4255. Robert Burton    *Anatomie de la mélancolie.*
4256. Corneille    *Cinna.*
4257. Lewis Carroll    *Alice au pays des merveilles.*
4258. Antoine Audouard    *La peau à l'envers.*
4259. Collectif    *Mémoires de la mer.*
4260. Collectif    *Aventuriers du monde.*
4261. Catherine Cusset    *Amours transversales.*
4262. A. Corréard/
     H. Savigny    *Relation du naufrage de la frégate la* Méduse.
4263. Lian Hearn    *Le clan des Otori, III : La clarté de la lune.*
4264. Philippe Labro    *Tomber sept fois, se relever huit.*
4265. Amos Oz    *Une histoire d'amour et de ténèbres.*
4266. Michel Quint    *Et mon mal est délicieux.*
4267. Bernard Simonay    *Moïse le pharaon rebelle.*
4268. Denis Tillinac    *Incertains désirs.*
4269. Raoul Vaneigem    *Le chevalier, la dame, le diable et la mort.*
4270. Anne Wiazemsky    *Je m'appelle Élisabeth.*
4271. Martin Winckler    *Plumes d'Ange.*
4272. Collectif    *Anthologie de la littérature latine.*
4273. Miguel de Cervantes    *La petite Gitane.*
4274. Collectif    *«Dansons autour du chaudron».*
4275. Gilbert Keeith Chesterton    *Trois enquêtes du Père Brown.*
4276. Francis Scott Fitzgerald    *Une vie parfaite suivi de L'accordeur.*
4277. Jean Giono    *Prélude de Pan et autres nouvelles.*

*Composition Bussière*
*Impression Maury-Eurolivres*
*45300 Manchecourt*
*le 17 janvier 2007.*
*Dépôt légal : janvier 2007.*
*Numéro d'imprimeur : 126995.*

ISBN 978-2-07-031963-3. / Imprimé en France.